S0-ABR-671

Offert
par
l'Alliance Française
de
Paris

Guide illustré
de
la littérature
française
moderne

MARCEL GIRARD

Guide illustré de la littérature française moderne

Nouvelle édition mise à jour

SEGHERS

AVANT-PROPOS

Ce petit Guide littéraire n'a pas d'ambitions scientifiques. Il est destiné avant tout au grand public qui aime à lire, et particulièrement au public étranger. Nous savons qu'aujourd'hui le lecteur est généralement assez mal informé sur la littérature française nouvelle; il ne sait même plus comment classer et juger les écrivains qui furent célèbres entre les deux guerres. Sans doute est-il trop tôt pour écrire l'histoire de cette période; bien des valeurs peuvent bouger encore; du moins avons-nous tenté, maintenant que le demi-siècle est largement dépassé, de dessiner les grandes lignes de cette littérature et de mettre à leur place les grands noms, les grandes œuvres, dont elle s'enorgueillit.

Nous avons donc obéi constamment au souci de choisir. *Nous l'avons fait à nos risques et périls, et nous en conservons l'entière responsabilité. Mais nous avons conscience de l'avoir fait avec toute la largeur d'idées et de goût dont nous sommes capables. Rien de ce qui nous a paru beau, ou simplement intéressant, n'a été évincé pour des mobiles étrangers à la vie littéraire. Toutes les familles d'esprits se trouvent ici représentées. Et même les quelques écrivains français qui, pour une raison ou pour une autre, ont encouru la justice de leur pays, y ont leur place pour peu que leur œuvre intéresse l'histoire des idées ou du style. Que le lecteur flétrisse lui-même, s'il lui plaît, les quelques hommes qui ont mis leur talent au service d'une mauvaise cause!*

Dans une littérature donnée, on peut distinguer trois catégories d'écrivains :

1° *Les grands, qui deviendront classiques.*

2° *Les bons représentants d'une génération, qui ont su exprimer les idées maîtresses de leur temps; on les relira plus tard par curiosité plutôt que par admiration; ils ne seront connus, dans quelques siècles, que par les érudits de l'histoire littéraire.*

3° *Enfin, les auteurs à la mode pendant une saison, ceux qui écrivent « le roman de l'année » ou « la pièce en vogue ». C'est le cas de certains prix littéraires, qui tirent à 200 000 exemplaires en quelques mois, et que personne ne lit dix ans plus tard. Inutile d'ajouter que cette troisième catégorie représente une large part de la production; pourtant nous l'avons en général sacrifiée. Notre guide n'est pas publicitaire : il ne mentionne que les* très grands, *les* grands *ou du moins les* bons *livres.*

Nous avons aussi voulu faire œuvre utile pour les étudiants, les professeurs, les critiques littéraires, les traducteurs... C'est pourquoi nous avons toujours donné des dates et des références précises. Nous y avons ajouté quelques indications bibliographiques : elles sont très insuffisantes, mais non laissées au hasard; un seul ouvrage cité a parfois été choisi, pour des raisons déterminées, parmi des dizaines d'autres sur le même sujet; aussi peuvent-elles rendre plus de services qu'une bibliographie en apparence mieux informée. Au surplus, nous donnons toujours le moyen d'approfondir l'étude d'un auteur ou d'un courant littéraire en renvoyant à un ouvrage spécialisé, qui lui-même renverra à d'autres plus détaillés, et ainsi de suite de proche en proche jusqu'à épuisement du sujet. Nous avons mis là une partie de l'expérience que nous avons acquise dans la préparation de nos conférences sur la Littérature française moderne, tant à l'Université et à l'Institut français de Prague qu'à l'Institut français du Royaume-Uni.

*Ce petit Guide vieillira vite, surtout dans sa troisième partie. C'est inévitable. Du moins lui-même sera-t-il un témoignage historique sur le goût d'un Français, parmi d'autres, après 1960; par conséquent un miroir assez fidèle des tendances littéraires de la France nouvelle. Mais nous rappelons au lecteur qu'il ne doit en rien méconnaître la littérature classique. Pour elle-même, d'abord. Et parce que, qui veut comprendre Gide, Valéry, Giraudoux ou Romain Rolland doit se souvenir de Montaigne, de Racine, de La Fontaine, de Rousseau... Les auteurs du XX*e *siècle sont nourris d'une tradition dix fois séculaire, à laquelle s'ajoute encore la tra-*

dition grecque et latine, dont ils sont pénétrés. Nous ne présentons ici au lecteur que les fleurs de la dernière saison ; certaines ont déjà donné des fruits immortels ; qu'il n'oublie pas néanmoins l'immense récolte d'une littérature qui a mis au monde tant de formes belles, tant d'idées bouleversantes ! et qui en produira encore.

N. B. — Dans un ouvrage de ce genre, il se glisse toujours des erreurs de dates. Pour les dates de naissance, les sources sont très imprécises : elles sont muettes, ou bien varient (quelquefois de dix ans !) d'une biographie à l'autre. Pour les dates des œuvres, il faut choisir entre celle de la composition, éventuellement de la première représentation, de la première édition partielle ou complète, en revue ou en livre, en Suisse ou en France, clandestine ou au grand jour, de luxe ou courante, etc. Sans nous astreindre à une règle générale, nous avons préféré la date de la première édition courante ou celle de la première représentation. Quand une autre date présente un intérêt quelconque, nous l'avons indiquée.

CARACTÈRES GÉNÉRAUX

La littérature française contemporaine est *abondante*. Parmi tous les pays du monde, la France est l'un de ceux qui, chaque année, publient le plus grand nombre de textes nouveaux. Cette abondance n'exclut pas la *qualité :* le recul des temps y fera certainement apparaître cinq ou six très grands noms dignes de figurer en toute première place dans la littérature universelle. Certains ont déjà été consacrés par de grandes distinctions internationales; d'autres par leur influence hors des frontières de leur pays. Ainsi, après dix siècles de production littéraire ininterrompue, la littérature française de notre temps ne le cède en rien aux périodes les plus éclatantes.

Elle est riche, mais elle est *confuse*. Depuis la fin du XIXe siècle, les grandes écoles littéraires se sont éteintes ou disloquées. La « République des Lettres », si bien organisée aux époques classiques, — ou du moins on nous l'a fait croire — fait place à l'anarchie littéraire. On aura beaucoup de peine à classer les écrivains, grands ou petits, non seulement dans une école déterminée, mais même dans un genre déterminé. Toutes les manières se mêlent; toutes les définitions traditionnelles demandent à être révisées. L'intelligence française ne se replie pas dans l'imitation des grands siècles passés; cette perpétuelle remise en question de toutes les valeurs nous paraît être un des signes de sa vitalité.

La littérature nouvelle sera donc hardie, combative, révolutionnaire. Les écrivains français, depuis Baudelaire et Flaubert, se sont lancés dans toutes les aventures possibles de la pensée ou de l'art. Et, en premier lieu, de la vie. Comme les peintres, les sculpteurs et les musiciens, ils ont jeté dans le monde des idées ou des formes inouïes, dont le retentissement n'est pas encore achevé. La littérature académique, bien ébranlée déjà, n'a pas résisté aux secousses de deux guerres mondiales. La première avait détruit la belle architecture néo-classique d'avant 1914, et provoqué le chaos. La seconde, toutefois, semble avoir incité les esprits à sortir de ce désordre, qui est celui-là même du monde. La littérature toute moderne cherche à reconstruire un *ordre* de valeurs intellectuelles et formelles. Bien qu'encore inachevée, on commence à pressentir la figure particulière du XXe siècle.

Dans l'impossibilité de classer tous ces auteurs par écoles, nous explorerons cette épaisse forêt de noms et d'œuvres de toute sorte en utilisant la notion de *génération* littéraire. Cette idée fut introduite par Sainte-Beuve, exploitée à fond par Albert Thibaudet, commentée brillamment par M. Henry Peyre et par d'autres. Nous définirons une génération comme le groupe des hommes qui commencent à produire dans les mêmes circonstances historiques. En général, ces écrivains sont à peu près du même âge; leurs débuts se placent d'ordinaire entre vingt et trente ans. Mais ce n'est pas une nécessité. Par exemple, en 1660, Molière avait trente-huit ans, Racine vingt et un; en 1830, Lamartine avait quarante ans, Musset vingt. Inversement, deux écrivains du même âge n'appartiennent pas nécessairement à la même volée : Madame de Noailles et Max Jacob sont nés tous deux en 1876; pourtant, en 1960, l'une paraît déjà perdue dans la nuit des temps, l'autre est encore pour les jeunes presque un contemporain. Certains sont en avance, d'autres en retard sur leur époque. Cela dépend aussi, naturellement, de la date de leur mort. Ces considérations nous conduisent donc à assouplir l'idée de génération. Nous réunirons ensemble les écrivains qui ont participé aux mêmes événements politiques et sociaux, et que lie, en outre, une certaine communauté d'expériences intellectuelles.

Or, l'Histoire divise tout naturellement cette période. Pour le malheur des Français, puisqu'à chaque génération correspond une guerre franco-allemande. En 1950, ce pays comprenait encore quelques hommes qui, nés vers 1870, n'avaient pas fait la guerre de 1914 ou qui l'avaient faite à un âge où leur personnalité était déjà fixée; la guerre n'a pas eu grand effet sur leur œuvre. C'était *la génération des trente ans en 1900*, la première génération du XXe siècle. Puis viennent ceux qui ont participé à la Première Guerre mondiale entre vingt et trente ans, ou dont l'adolescence en a été fortement ébranlée, et qui n'ont guère commencé à produire qu'au retour du front : c'est *la génération de 1920*, « la génération du feu ». Enfin il y a *la génération de la Seconde Guerre mondiale*, celle des hommes qui avaient dans les vingt ans en 1940 : « la génération du maquis ». La France du demi-siècle groupait ces trois générations.

De 1918 à 1939, la première et la seconde de ces générations occupent en même temps la scène littéraire. En effet, la génération de 1900, celle de Romain Rolland, de Valéry, de Gide, de Proust, de Claudel... n'avait pas réussi à percer avant la Première Guerre, étouffée qu'elle était par la littérature néo-classique, mondaine ou boulevardière. La gloire ne leur est venue qu'après la cinquantaine ou même, par exemple pour Péguy et Apollinaire, qu'après leur mort. Stimulés alors par leur succès tardif, encouragés par l'admiration de leurs cadets qui, décimés sur les champs de bataille, se cherchaient des maîtres, ces écrivains ont connu entre les deux guerres leur période la plus brillante et tenu la première place. La génération suivante, celle de Jules Romains, Duhamel, Giraudoux, Martin du Gard... en quelque sorte les appuie et les prolonge. Il n'y a donc pas eu opposition entre les deux, comme il arrive souvent, mais au contraire accord et liaison. En 1940, on vit même les trois générations s'unir dans la lutte clandestine et concourir toutes trois à former la « littérature de la Résistance ». L'habituelle rivalité entre les écrivains arrivés et les jeunes écrivains qui, tant de fois, a rythmé la vie intellectuelle des nations, a donc fait place, pour un temps, à une continuité qui précisément explique l'homogénéité de cette période.

Pourtant, de 1918 à 1939, la littérature française n'est pas restée statique. On y peut discerner une certaine *évolution* dans le temps. Le tournant se situe vers 1930 et coïncide avec la grande crise économique mondiale. Avant cette date, les écrivains apparaissent volontiers individualistes, voire anarchistes, nihilistes, destructeurs de la famille, de la patrie, de la société, de la morale, de la raison... Après 1930, le bouleversement économique, puis politique du monde, l'avènement de certaines dictatures, les guerres civiles, les menaces de guerre étrangère, et en France même le progrès des partis marxistes, attirent leur attention sur les problèmes sociaux. Presque aucun n'a échappé à cet élargissement de l'inspiration. Des surréalistes se sont reniés; certains dilettantes d'autrefois se sont mis à participer à l'action politique; Gide lui-même a découvert le problème colonial, puis « le grand problème social »; un Valéry a porté davantage ses regards sur « le monde actuel »; un Aragon a entrepris la peinture du « monde réel ». La Seconde Guerre mondiale déterminera une nouvelle vague de littérature militante et entraînera *l'engagement* de l'unanimité — ou presque — des écrivains français. Leur transformation est parfois si grande qu'elle nous obligera en quelques cas à parler deux fois de tel auteur, comme s'il avait eu deux vies.

Nous allons énumérer l'essentiel de la production française depuis 1918. Pourquoi cette date, plutôt que 1914? En fait le XXe siècle débute le 2 août 1914 par le conflit qui ouvre l'ère des guerres mondiales. Mais la littérature du XXe siècle ne commence guère qu'en 1918, malgré quelques préfigurations antérieures, quand les combattants harassés posent le fusil et reprennent la plume. Pour la clarté de l'exposé, nous grouperons les œuvres en poétiques, romanesques et théâtrales, et nous y ajouterons une quatrième partie consacrée aux idées et aux maîtres qui les ont répandues. Le plus souvent, toutefois, les écrivains modernes ont abordé plusieurs genres : nous serons contraints de fragmenter le développement qui leur est consacré. Un système de renvois et un index alphabétique permettront de retrouver facilement tous les passages qui les concernent.

En 1968, quand paraît la quatrième édition de ce petit livre, la plupart des écrivains mentionnés dans notre premier chapitre ont disparu. Une quatrième génération est parvenue à l'âge d'homme, — celle qui, à son tour, n'a pas connu la guerre de 1939-1945, et dont l'adolescence a été modelée par d'autres événements : guerre d'Algérie, avènement de la Ve République, déstalinisation en U.R.S.S., révolution culturelle en Chine, guerre du Viêt-nam... Nous souhaiterions lui consacrer tout un chapitre, mais la matière nous manque. En fait, il n'est guère possible de citer plus d'une dizaine d'écrivains de moins de quarante ans, qui se sont révélés sinon imposés jusqu'à présent : Françoise Sagan, Le Clézio, Marc Alyn, Philippe Sollers... On les trouvera mêlés à leurs aînés. Cette moisson-là mûrira sans doute plus tardivement que la précédente. Celle-ci s'était lancée très jeune, fouettée par la Libération, qui lui avait fait place nette; aussi occupe-t-elle encore tout le devant de la scène, et sans doute pour longtemps. Même les écoles dites « nouvelles » sont le fait de romanciers, de critiques ou d'hommes de théâtre qui ont atteint cinquante, voire soixante ans. Par rapport à ses devancières, la dernière vague n'a pas encore pris conscience d'elle-même. Cette quatrième édition apportera donc peu de noms supplémentaires par rapport à la précédente, et même par rapport à l'édition originale : dès 1949, nous faisions hardiment une place à de très jeunes auteurs qui accèdent à la célébrité aujourd'hui.

Et cependant, quelque chose de nouveau a commencé à poindre dans ces années 60. La poésie prend une voix plus ample et plus grave; les jeux d'autrefois sont désertés peu à peu. La récente école du roman se précise, s'enrichit de nombreux adeptes. Le théâtre s'oriente vers des expériences profondément révolutionnaires, qui rendent déjà suspectes d'académisme la fameuse avant-garde d'avant ou d'après guerre. La critique enfin renouvelle ses méthodes et son style. Nous aurons à en tenir compte dans l'économie de notre dernier chapitre, attentif à tout ce qui naît, soucieux, comme le voulait Thibaudet, de ne pas laisser échapper l'*unique*.

BIBLIOGRAPHIE GÉNÉRALE

Les ouvrages les plus clairs, les plus objectifs, et sans doute les plus utiles, paraîssent être, pour la période que nous embrassons :

P. Castex et P. Surer. — *Manuel des études littéraires françaises* (6e vol. : *XXe siècle*) (Hachette).

A. Lagarde et L. Michard : — *Le XXe siècle* (Bordas).

En outre, on trouvera des indications plus ou moins complètes dans les tout derniers chapitres des manuels classiques (dernières éditions) : Lanson (Hachette), Bédier, Hazard, Martino (Larousse), Audic et Crouzet (Didier), Ph. Van Tieghem (Fayard), Jasinski (Boivin), etc. Signalons encore, parmi tant d'autres, la partiale mais suggestive « histoire » de Kléber Haedens (Julliard, 1943, 2e éd. 1954).

Les ouvrages spécialisés vieillissent vite et la plupart n'offrent plus qu'un intérêt historique sur le goût de leurs contemporains. Citons dans l'ordre chronologique :

Daniel Mornet. — *Histoire de la littérature et de la pensée françaises contemporaines* (1870-1925) (Larousse, 1927).

André Billy. — *La littérature française contemporaine, Poésie, roman, idées* (Colin, 1927).

Émile Bouvier. — *Initiation à la littérature d'aujourd'hui* (Renaissance du Livre, 1928).

Bernard Fay. — *Panorama de la littérature française contemporaine* (Kra, 1929).

René Groos et Gonzague Truc. — *Tableau du XXe siècle. Tome IV : Les Lettres. Tome V : La Pensée* (Denoël et Steele, 1933).

Christian Sénéchal. — *Les grands courants de la littérature française contemporaine* (Malfère, 1933).

Albert Thibaudet. — *Histoire de la littérature française de 1789 à nos jours* (Stock, 1936).

René Lalou. — *Histoire de la littérature française contemporaine* (2 volumes) (Presses Universitaires, 1941).

Fernand Baldensperger. — *La littérature française entre les deux guerres* (Sagittaire, 1943).

Henri Clouard. — *Histoire de la littérature française du symbolisme à nos jours* (Albin Michel, 2 vol. 1947-1949).

Gaétan Picon. — *Panorama de la nouvelle littérature française* (Gallimard, 1949, N[lle] éd., 1958).
Marcel Braunschwig. — *La littérature française contemporaine* (Colin, 13e éd., 1950).
Jacques Nathan. — *Histoire de la littérature française contemporaine* (Nathan, 1954).
Pierre-Henri Simon. — *Histoire de la littérature française au XXe siècle* (Colin, 1956).
Jacques-Henry Bornecque. — *La France et sa littérature* (I.A.C., 1957).
Pierre de Boisdeffre. — *Une histoire vivante de la littérature d'aujourd'hui* (Le Livre contemporain, 1958); *Dictionnaire de littérature contemporaine* (Éd. Univ., 1962); *Une anthologie vivante de la littérature d'aujourd'hui* (Perrin, 1965).
Bernard Pingaud. — *Écrivains d'aujourd'hui* (Grasset, 1960).
A. Bourin et J. Rousselot. — *Dictionnaire de la littérature française contemporaine* (Larousse, 1966).
J. Majault, J. Nivat, C. Geronimi. — *Littérature de notre temps* (1 vol. plus 3 vol. de fiches, Casterman, 1966-1968).

Les érudits qui veulent pousser plus loin leurs recherches en vue d'un travail scientifique doivent recourir à :
Hugo-P. Thieme. — *Bibliographie de la littérature française de 1800 à 1930* (Droz 1933). 3 vol. + suppléments (1947...)
ou mieux :
Hector Talvart et Joseph Place. — *Bibliographie des auteurs modernes de la langue française de 1801 à nos jours* (Aux Horizons de France) (En cours de publication).

Après cette date, le seul répertoire complet est la *Bibliographie de la France*, journal général de l'Imprimerie et de la Librairie, qui paraît chaque semaine, mais publie chaque année des tables alphabétiques et systématiques. Pour les articles de revue, nous recommandons les tables de la *Revue d'histoire littéraire de la France*. Par ailleurs, nous donnons à la fin de ce Guide, dans notre répertoire des revues, le moyen de se tenir au courant au jour le jour de toutes les publications importantes.

CHAPITRE PREMIER

la première génération du XXe siècle

La génération des hommes qui, nés vers 1870, commencent à produire, sans grand succès, vers 1900 et atteignent la célébrité après 1918, est l'une des plus brillantes et des plus fécondes que la France ait connues. Elle laissera peut-être dans l'Histoire un éclat comparable à celles de 1660 ou de 1830. Doués d'une vitalité prodigieuse, beaucoup vivaient et produisaient toujours après 1940. Leur influence règne encore sur les jeunes et dans bien des pays étrangers où leur gloire a largement rayonné.

On lira avec profit sur l'histoire de cette génération toutes les correspondances publiées, notamment celles de Gide-Valéry, Gide-Claudel, Gide-Suarès, Suarès-Claudel, Claudel-Jammes-Frizeau (Gallimard), celle de Romain Rolland (A. Michel), ainsi que les Journaux intimes de Romain Rolland, Valéry Larbaud, Paul Léautaud, etc.

LA POÉSIE

Nous ne rappelons que pour mémoire certains poètes dont la vie s'est prolongée au-delà de la première guerre, mais qui par leurs idées et par leur art appartiennent encore au XIXe siècle. C'est le cas par exemple d'**Henri de Régnier** (1864-1936), principal tenant d'une sorte de symbolisme néo-classique, de **Pierre de Nolhac** (1859-1936), apôtre de l'humanisme, de la comtesse **Anna de Noailles** (1876-1933), dont les beaux vers sont d'un lyrisme tout romantique, de **Henry Bataille** (1872-1922) qui contient toute la morbidesse de la première avant-guerre, etc. Ces valeurs ne sont pas négligeables, mais la vraie poésie moderne est ailleurs.

Consulter :
Ouvrages fondamentaux :

Marcel Raymond
De Baudelaire au surréalisme *(Nouvelle édition, Corti, 1940).*

Pierre de Boisdeffre
Une Anthologie vivante de la littérature d'aujourd'hui. II. La Poésie *(Perrin, 1968).*

Guy Michaud
Le Message du symbolisme (*Nizet, 1947*). *(Ce dernier ouvrage contient lui-même une excellente bibliographie choisie pour cette période.)*

De bons guides, modestes et utiles :

René-Albert Guttman
Introduction à la lecture des poètes français. *(Flammarion, 1946.)*

Georges-Emmanuel Clancier
De Rimbaud au surréalisme, *panorama critique (Seghers, 1960.)*

Une excellente anthologie, avec introduction et de très remarquables notices, de Baudelaire à aujourd'hui :

C.-A. Hackett
Anthology of modern French poetry *(Oxford, Blackwell, 1952).*

Se référer également aux deux derniers volumes de l'excellente Anthologie de la Poésie française *des Éditions « Rencontre » (1967).*

Baudelaire est le père de la poésie moderne (et aussi, dans une certaine mesure, Gérard de Nerval, que les travaux d'Albert Béguin ont remis à sa vraie place). Pour schématiser les choses à l'extrême, de Baudelaire sont issus trois importants courants : Mallarmé, Rimbaud, Verlaine, qui représentent assez bien la poésie de l'Intelligence, la poésie des Sensations et la poésie du Cœur. A partir de cette époque, la langue française, qui, disait-on, « avait peur de la poésie », ne recule devant aucune audace d'imagination ou d'expression. C'est à la descendance de ces trois poètes qu'appartiennent les meilleurs de la première génération du XXe siècle — tandis que par ailleurs la tradition académique et la tradition romantique jettent leurs derniers feux.

Dans la lignée de Mallarmé

Dans la lignée de Mallarmé dont la vie a été minutieusement et brillamment étudiée par le chirurgien **Henri Mondor** (1885-1962) : *Vie de Mallarmé* (Gallimard, 1941), on trouve d'abord son disciple le mieux doué :

Paul Valéry (1871-1945). De lui on peut dire qu'il conduit la poésie de Mallarmé à sa perfection, sans trop trahir les exigences d'absolu de son maître. Né à Sète, d'ascendance en partie italienne, il incarne bien le côté méditerranéen, apollinien, du génie français. Ses débuts remontent à 1898; c'est l'époque où il fréquentait le fameux salon de la rue de Rome et collaborait aux petites revues symbolistes. Mais, après 1898, il cessa de publier pour poursuivre, comme son « Monsieur Teste », ses pathétiques méditations sur les fins et les moyens de toute activité intellectuelle. Il étudia en particulier les mathématiques et réfléchit sur les problèmes de l'architecture et de la danse. Revenu à la poésie avec *la Jeune Parque* (1917), il entra à l'Académie Française pour son recueil *Charmes* (1922), qui lui valut soudain une célébrité

Paul Valéry.

de bon aloi. Depuis lors, il poursuit une carrière peut-être un peu trop mondaine et académique (mais Valéry était pauvre, et il faut bien vivre...); et d'ailleurs derrière ces apparences se manifeste une des intelligences les plus sceptiques de notre temps, et au fond un désespoir dont seule peut donner une idée la lecture de *Mon Faust* (1946), son dernier ouvrage, inachevé.

De Valéry on lira l'œuvre complète (un mince volume), en s'aidant au début des commentaires plus ou moins judicieux qui y ont été apportés (celui de Gustave Cohen, par exemple, pour le *Cimetière marin*, nouvelle édition de 1946, ou mieux ceux d'Alain, plus inspirés). Ou mieux encore, nous recommandons la méthode suivante : apprendre par cœur ces vers,

Consulter :
D'une bibliographie extrêmement abondante, on retiendra, parmi les ouvrages les plus accessibles :

Émilie Noulet
P. Valéry *(Grasset, 1932. Ren. du Livre, 1951).*

Maurice Bémol
P. Valéry *(Belles-Lettres, 1949, avec biblio.).*

A. Henry
Langage et Poésie chez P. V. *(lexique) (M. de F., 1952).*

Jacques Charpier
Essai sur Paul Valéry *(Seghers, 1956).*

L. Julien-Cain
Trois Essais sur Paul Valéry *(N R F, 1958).*

André Berne-Joffroy
Valéry *(La Bibliothèque idéale, N R F, 1960).*

F. Pire
Tentation du sensible chez Paul Valéry *(Nizet, 1964)*, *et l'excellent recueil* Paul Valéry vivant *(Cahiers du Sud, 1946).*

les laisser chanter dans la mémoire; la beauté apparaît d'abord, puis le sens s'éclaire progressivement. Surtout, on lira la prose même de Valéry, une des plus belles du siècle : non seulement sur la poésie, mais sur tous les sujets, qu'il renouvelle dès qu'il les touche : esthétique, politique, philosophie, civilisation, etc. Après 1960, il apparaît comme un des maîtres de la « Nouvelle Critique ». Ses meilleurs volumes sont : *Introduction à la méthode de Léonard de Vinci* (1895), *la Soirée avec Monsieur Teste* (1896), *Eupalinos* et *l'Ame et la Danse* (1923), *Regards sur le monde actuel* (1931) et principalement les cinq volumes de *Variété* (I 1924, II 1930, III 1936, IV 1938, V 1944). Il existe une belle édition de ses œuvres à la N. R. F. et dans la Pléiade. Mais le lecteur scrupuleux et le chercheur ne peuvent se passer des fameux *Cahiers* édités pour le C.N.R.S. qui comprendront une trentaine de gros volumes.

Dans la même famille d'esprits latins, se complaisant aux jeux de l'intelligence et des formes pures, plus ou moins teintés de symbolisme, de mysticisme ou d'humanisme, nous citerons :

André Fontainas (1865-1948), **Jean Royère** (1871-1956), **Camille Mauclair** (1872-1945), **Lucie Delarue-Mardrus** (1880-1945), **Auguste Dupouy** (1872-1967), **Louis Mandin** (né en 1872, mort en déportation en 1944), **François-Paul Alibert** (1874-1953), **Charles Dornier** (1873-1954), **Guy Lavaud** (1883-1958), **Lucien Dubech** (1882-1940), **Maurice Levaillant** (1883-1961), **Gabriel-Joseph Gros** (né en 1890), **Henri Maugis,** etc.

Mais la mort de Valéry a laissé dans la poésie formelle un vide, qu'aucun grand nom n'est venu combler.

Dans la lignée de Rimbaud

Dans la lignée de Rimbaud on trouvera des écrivains qui ont cherché à dépasser la littérature pour exprimer un message mystique, comme celui qu'ils ont cru, à tort ou à raison, pouvoir déduire du fabuleux poète des *Illuminations*.

Paul Claudel (né en 1868 à Villeneuve-sur-Fère, dans l'Aisne, mort en 1955) contraste fortement avec Paul Valéry tant par son art que par ses idées. Issu comme ce dernier du symbolisme, il lut Rimbaud, et cette révélation, ce choc, affirme-t-il, détermina sa conversion au catholicisme en 1886. (Voir sa Préface aux œuvres de Rimbaud, édition du Mercure de France.) Son œuvre, poursuivie dans tous les pays où il fut consul ou ambassadeur (Prague, Tokyo, Rio de Janeiro, Copenhague, Washington, Bruxelles, etc.), reflète le drame chrétien de l'univers. Fanatique, nourri de la Bible, réaliste et apologiste des passions, lyrique sans contrôle, injuste et même souvent brutal, il est une force de la nature et de la grâce, à accepter ou à refuser en bloc. Sa poésie inégale touche tantôt au sublime, tantôt au grotesque. Le vers de Claudel est une sorte de verset, qui, selon l'auteur lui-même

Consulter :
La littérature claudélienne est considérable, mais trop souvent nourrie d'intentions apologétiques. On retiendra :

Jacques Madaule
Le Génie de Paul Claudel *(Desclée de Brouwer, 1933).*

Michel Carrouges
Éluard et Claudel *(Éditions du Seuil, 1945).*

Paul Claudel.

Claudine Chonez
Introduction à Paul Claudel *(A. Michel, 1947).*

Louis Perche
Paul Claudel *(introduction et textes - Seghers, 1949).*

Stanislas Fumet
Claudel *(La Bibliothèque idéale, N R F, 1959).*

Gérald Antoine.
Les Cinq Grandes Odes de Claudel ou la Poésie de la répétition *(Minard, 1959).*

P.-A. Lesort
Paul Claudel par lui-même *(Seuil, 1963).*

André Vachon
Le temps et l'espace dans l'œuvre de Paul Claudel *(Seuil, 1965).*

(lire son *Art poétique*, 1907), est l'exacte mesure de sa respiration. Pour triompher de cette obscurité, ou plutôt de ce chaos d'images éblouissantes, il faut s'élever avec l'auteur jusqu'à une vue totalitaire de la création, et contempler les choses comme du regard même de Dieu. Poésie profondément incarnée, dionysiaque, elle représente un aspect un peu trop méconnu du génie français, celui des cathédrales gothiques, de Rabelais, de Hugo... Ses principaux recueils sont : *Cinq Grandes Odes* (1910), *la Cantate à Trois Voix* (1914), *Corona benignitatis Anni Dei* (1915), *Poèmes de guerre* (1922), *Poèmes et Paroles durant la guerre de Trente Ans* (1945), etc. Son théâtre contient peut-être ses plus belles pages poétiques (cf. p. 62), ainsi que sa prose, quelquefois fumeuse, mais le plus souvent éclatante. On lira ses *Morceaux choisis* (1925) et un recueil d'essais : *Positions et Propositions* (2 vol. 1928-1934).

Oscar Vladislas de Lubicz Milosz.

Consulter :
Édition des Œuvres complètes (*Luf, Paris 1944).*

Geneviève-Irène Zidouis
O. V. de L. Milosz *(Perrin, 1951).*

Jean Rousselot
O. V. de L. Milosz *(Seghers, 1949).*

Jacques Buge
Milosz en quête du divin *(Nizet, 1963).*

Oscar Vladislas de Lubicz Milosz (1877-1939) eut une destinée singulière et n'a été connu avant sa mort que d'un tout petit nombre d'admirateurs. Né en Lituanie, descendant d'une antique famille noble de Lusace, Milosz est arrivé à Paris en 1899, a beaucoup étudié, beaucoup voyagé, et fut ministre de son pays en France. Naturalisé en 1930, il est mort à Fontainebleau au milieu d'un grand parc plein d'oiseaux. Il subit l'influence du symbolisme, et sa poésie, presque messianique, l'apparente à Claudel, comme aussi à Rilke et aux poètes symbolistes slaves. Ses œuvres complètes furent réunies très tard et publiées en Suisse pendant l'occupation allemande par Edmond Jaloux. On y trouve un étrange roman : *l'Amoureuse Initiation* (1910), un mystère bouleversant : *Miguel Manara* (1912), des traductions de Gœthe, et surtout des poèmes au rythme lancinant, d'un ton jusqu'à présent inouï dans la poésie française : *le Poème des décadences* (1899), *les Sept Solitudes* (1904), *Ars Magna* (1921), *Poèmes* (1938). Tout le monde aujourd'hui sait par cœur son déchirant poème aux morts de *Lofoten*.

Saint-Pol-Roux le Magnifique (né en 1861 à Saint-Henry, près de Marseille, mort victime des Allemands en 1940) est un poète plein d'images, dont l'écho a retenti longuement sur les jeunes générations et qui garde une place bien particulière dans l'histoire de la poésie. On lira surtout *Anciennetés* et un choix des *Reposoirs de la procession*, son drame lyrique, *la Dame à la faux* (1899), et ses *Plus belles pages* (Mercure de France, 1966).

Consulter :
Théophile Briant
Saint-Pol-Roux *(Seghers, 1952).*

Jean de Boschère (1878-1953) a délibérément cultivé l'hermétisme avec une constance orgueilleuse et immuable, qui force l'admiration (*Lumières sur l'obscur*, *Héritiers de l'abîme*, 1950).

André Spire (né à Nancy en 1868, mort en 1966) est animé par l'inspiration biblique : *Poèmes juifs* (1919), *Poèmes de Loire* (1929), etc.

Consulter :
Paul Jamati
André Spire *(Seghers, 1962).*

Léon Deubel (né à Belfort en 1879, suicidé en 1913) fut entouré après sa mort d'un véritable culte que lui valurent les vers de *Régner* (1913). Ses œuvres complètes ont paru en 1929 (Mercure de France).

Consulter :
Léon Bocquet
Léon Deubel, roi de Chimérie *(Grasset, 1930).*

Dans la lignée de Verlaine

Dans la lignée de Verlaine, on peut grouper des poètes qui appartiennent à des genres différents, mais chez tous prédominent la sensibilité, qu'elle soit religieuse ou amoureuse, et la fantaisie. Comme chez Verlaine, la beauté de leurs vers est surtout musicale, leur technique volontiers nonchalante et facile.

Francis Jammes (né à Tournay, dans les Hautes-Pyrénées en 1868, mort en 1938), converti au catholicisme en 1905, a passé presque toute sa vie dans ses chères Pyrénées. Il a chanté avec une naïveté voulue les moindres détails du paysage et les êtres modestes qui le peuplent. Dans les plus petites choses palpite

Francis Jammes.

Consulter :
E. Pilon
Francis Jammes et le sentiment de la nature *(Mercure de France, 1908).*
Jacques Nanteuil
L'inquiétude religieuse et les poètes d'aujourd'hui *(Bloud et Gay, 1925).*
Robert Mallet
Francis Jammes *(Seghers, 1950).*

l'esprit divin, et ses vers, d'une douceur toujours un peu mystérieuse, suggèrent magiquement la présence du surnaturel. Proscrivant tous les ornements inutiles, il a laissé une impression profonde de sincérité, presque de sainteté, et touché plus qu'aucun autre. Mais cette simplicité, ces négligences, ces licences, cette humilité un peu concertée dissimulent de fort savantes recherches. D'une œuvre abondante, on s'attachera surtout à : *De l'angélus de l'aube à l'angélus du soir* (1898), *les Géorgiques chrétiennes* (1911-1912), *Ma France poétique* (1926). Il a paru un *Choix de poèmes* (Mercure de France, 1922). Jammes a écrit, en outre, de nombreux romans et des essais. On a publié sa *Correspondance* avec Gide et Claudel. Robert Mallet lui a consacré en 1945 une ample thèse de doctorat, publiée seulement en 1961 (Mercure de France), dont le second volume porte sur le "Jammisme".

Louis Le Cardonnel (né à Valence en 1862, mort en 1936) fut un prêtre inspiré, à l'âme douloureusement tendue. Mais son art n'est pas à la hauteur de ses sentiments (*Carmina sacra*, 1912).

Consulter :
Noël Richard
Louis Le Cardonnel
(Didier, 1946).

Charles Guérin (né à Lunéville en 1873, mort en 1907), qui s'inspirait de Francis Jammes, laissait prévoir une grande œuvre : *l'Homme intérieur* (1905). Il est mort trop jeune, mais son rayonnement dure encore.

Consulter :
J.-B. Hanson
Le poète Charles Guérin
(F. Nizet, 1935).

Fernand Gregh (né à Paris en 1873, mort en 1960) a fondé en 1902 le mouvement de l'« Humanisme ». Sa poésie est tout imprégnée de la douceur de la vie intime. Ses meilleurs recueils nous paraissent être *la Maison de l'enfance* (1897) et *la Gloire du cœur* (1932). Ses trois volumes de *Souvenirs* (1925-1955) sont remplis de faits intéressant toute l'histoire littéraire.

Fagus (né à Bruxelles en 1872, mort en 1933) descend de Verlaine par le côté *Bonne Chanson*. C'est dire qu'il continue la tradition de la poésie amoureuse, tendre, spirituelle et charmante, qui remonte à la Pléiade. Sa *Guirlande à l'épousée* (1921) est le petit chef-d'œuvre d'un poète mineur, certes, mais authentique.

Raoul Ponchon (né en Vendée en 1848, mort en 1937) représente presque à lui seul toute la tradition « vie de bohème ». Sa *Muse au Cabaret* (1920) est animée d'une verve facile.

Consulter :
Marcel Coulon
Toute la Muse de Ponchon *(La Tournelle, 1938).*

Jehan Rictus (né à Boulogne-sur-Mer en 1867, mort en 1938) s'est acquis une certaine célébrité dans la poésie populaire et même argotique. Son argot est bien conventionnel, mais sa poésie vibre d'une tendresse émue à l'égard des humbles et des déclassés. *Les Soliloques du pauvre* (1897) furent un véritable événement littéraire. Dans la même veine, *le Cœur populaire* (1914).

Consulter :
Jeanne Landre
Les Soliloques du pauvre
(Maltère, 1930).
Théophile Briant
Jehan Rictus *(Seghers, 1960).*

Paul-Jean Toulet (né à Paris en 1867, mort en 1920 est remarquable par sa virtuosité. Il a inventé un nouvelle technique poétique, dont il a su fort bie user dans son meilleur recueil : *les Contrerimes* (1921) Plus que ses romans — assez médiocres à vrai dire — ce sont ces délicieux petits poèmes, d'un esprit trè parisien, qui ont établi sa réputation.

Consulter :
P. O. Walzer
P.-J. Toulet *(Seghers, 1954).*

Tristan Klingsor (né dans l'Oise en 1874), poète peintre et musicien, a chanté et rêvé en toute libert depuis 1908 (*le Valet de cœur*) jusqu'aux *Cinquant Sonnets du dormeur éveillé* (1949).

Consulter :
Pierre Menanteau
Tristan Klingsor *(Seghers, 1965).*

On pourrait citer beaucoup d'autres fantaisiste mineurs, mais charmants : **Georges Fourest** (1867 1948) — *la Négresse blonde* (1909), *le Géranium ovi pare* (1935); **Franc-Nohain** (1872-1934), etc. Cett tradition se continuera dans la génération suivante

Deux poètes indépendant

Enfin, nous mettrons à part deux poètes indépen dants, qui sans doute ont été touchés aussi par l mouvement symboliste, mais qui, par-delà ce mouve ment, ont renoué avec la tradition classique, o même médiévale, de la poésie française. Ce sont :

Paul Fort (né à Reims en 1872, mort en 1960) Fidèle à son terroir, poète de la Champagne, de l Touraine et de l'Ile-de-France, il a produit de 189 à 1937 trente-huit volumes de *Ballades françaises e Chroniques de France*. Toute l'histoire de la vieill France, toute l'âme de ses paysages, tout l'esprit d ses habitants revivent dans ces poèmes faciles, qu' crée comme un arbre ses fruits, avec la régularit des saisons. Si l'on veut éviter la fatigue que causen à la longue ces vers monotones, on pourra se contente d'en lire un ou deux tomes, par exemple : *la Rond autour du monde*, *la Tourangelle*, ou encore des Mor

Charles Péguy.

Paul Fort.

ceaux choisis : *Anthologie des ballades françaises* (Mercure de France, 1918). Plus soucieux de rythme que de prosodie, il dédaigne le plus souvent l'artifice typographique du vers. Mais le lecteur y découvrira facilement des espèces d'octosyllabes et d'alexandrins bâtards. On lira en outre ses *Mémoires* (1944) et, par ailleurs, son théâtre (cf. p. 54).

Consulter :
R. Clauzel
Paul Fort, ou l'arbre à poèmes *(Paris, 1925).*
P. Bearn
Paul Fort *(Seghers, 1960).*

Charles Péguy (né à Orléans en 1873, tué à la Bataille de la Marne le 5 septembre 1914) est mort prématurément, et sa poésie, comme son rôle dans la vie des idées (cf. p. 72), ne fut guère connue et goûtée qu'après 1918. C'est pourquoi nous lui faisons ici une place, à côté des écrivains de sa génération qui lui ont

Consulter :
Albert Chabanon
La poétique de Charles Péguy *(Laffont, 1947)*
et **Albert Béguin**
L'Ève de Péguy *(Labergerie, 1948).*
Comme ouvrages généraux sur sa vie et son œuvre, on lira :
Roger Secrétain
Péguy, soldat de la vérité *(Émile-Paul, 1941), livre impartial et fidèle.*
Daniel Halévy
Péguy et les Cahiers de la Quinzaine *(Grasset, 1941).*
Jean Delaporte
Connaissance de Péguy *(Plon, 1944).*
Romain Rolland
Péguy (Albin Michel, *1945), admirable de science et d'intuition.*
André Rousseaux
Le prophète Péguy *(Albin Michel, 1947).*
On pourra utiliser un bon livre de travail :
Andrée Fossier
Tables analytiques des œuvres de Péguy *(A l'Orante, 1947).*
Louis Perche
Essai sur Charles Péguy *(Seghers, 1957).*
Bernard Guyon
Péguy, l'homme et l'œuvre *(Hatier, 1960).*

survécu. C'est un poète étrangement fécond, lui aussi. Il a nommé ses vers des « tapisseries », parce qu'il les tisse, pour ainsi dire, avec une régularité d'artisan. Ces vers, souvent jaillis au cours de ses marches sur les grandes routes de la Beauce, repris cent fois, telles des litanies, sur un rythme lourd comme un pas de paysan, renient tout l'apport de la poésie moderne. Généralement Péguy se contente du solide et vigoureux alexandrin banal, bien coupé en son milieu, et rythmé autant que possible 3 + 3 + 3 + 3. Ses rimes sont déplorablement faciles, et reprises jusqu'à des centaines de fois. Mais ce martèlement inlassable, ces répétitions infinies du même hémistiche aboutissent finalement à un lyrisme puissant, en même temps que l'idée s'y creuse et s'impose. Il s'est souvent essayé au vers libre, avec beaucoup de bonheur. Il sait tirer d'admirables ressources de la ponctuation, au moment même où Cendrars et Apollinaire la suppriment. Outre ses livres de prose, dont nous verrons plus loin l'importance (cf. p. 72), on lira *Ève* (1913), son chef-d'œuvre, et le *Mystère de la Charité de Jeanne* (1910). Son drame *Jeanne d'Arc* (1897), imprimé dans une curieuse typographie, contient des vers magnifiques. Il existe d'excellents *Morceaux choisis de poésie* (Gallimard, 1927), mais on ne peut se passer des *Œuvres poétiques complètes*, dans la collection de la Pléiade.

Cette liste de poètes n'est pas exclusive. Historiquement, on pourrait en citer bien d'autres, dans cette génération, qui ont eu leur heure de célébrité. Nous n'avons nommé que ceux qui se sont solidement installés dans la mémoire des hommes, et qu'au moins un groupe de fidèles n'a pas cessé de lire et d'admirer. Mais certains de ces noms s'éteindront peu à peu. Quels sont ceux qui nous semblent assurés de l'immortalité ? Valéry, Claudel, Péguy certainement. A Milosz, à Francis Jammes, à Paul Fort, peut-être à Toulet, nous donnons ensuite les plus fortes chances.

LE ROMAN

En France, comme dans la plupart des pays du monde, la période contemporaine se caractérise par un progrès constant de la production romanesque aux dépens de la poésie et du théâtre. En 1913 paraissaient 860 romans, 680 pièces de théâtre, 457 volumes de vers; en 1923, les chiffres sont respectivement 1 009, 284, 286; après 1944, malgré une remontée très nette de la poésie, sur sept à huit mille volumes publiés chaque année, le roman conserve de loin la majorité relative. Ce phénomène est dû pour une part à des raisons économiques : le roman connaît de plus gros tirages et rapporte plus d'argent aux éditeurs. Les auteurs eux-mêmes s'y adonnent souvent pour des motifs alimentaires. Un poète peut difficilement vivre de ses vers; il écrira donc en même temps quelques romans hâtifs, qui lui gagneront son pain. Il s'y ajoute des raisons proprement littéraires. Depuis un siècle, le roman s'est enrichi de techniques nouvelles, qu'il a généralement empruntées aux genres voisins. C'est ainsi qu'une variété de roman, le roman poétique, suffit à satisfaire l'éternel appétit de poésie que le grand public ne nourrit plus de vrais poèmes. D'autres variétés se sont annexé la comédie, la tragédie, voire l'histoire, la philosophie, etc. Le roman devient de plus en plus l'unique mode d'expression de toutes les idées et de tous les sentiments.

La première génération du XXe siècle résiste encore à ce mouvement. Elle comprend relativement peu de vrais romanciers, mais plutôt des essayistes, des moralistes ou des conteurs. André Gide, par exemple, qui tient une place si considérable dans la prose de son temps, n'a écrit qu'un seul ouvrage qu'il ait appelé *roman*. Enfin l'intérêt de bien des romans de cette période n'est pas proprement romanesque : dans Romain Rolland, dans Marcel Proust, beaucoup vont chercher surtout une excitation d'ordre intellectuel. Nous verrons au contraire que, malgré la promesse faite par un éditeur célèbre de « couper le cou » au roman, la génération suivante se laissera aller davan-

Consulter :
Michel Raimond
La Crise du Roman. *Des lendemains du Naturalisme aux années Vingt (Corti, 1966).*

tage, comme partout ailleurs dans le monde, à cette espèce de « dégradation » de la littérature (comme il y a une « dégradation » de l'énergie), que constitue, aux yeux de certains esthètes, le roman.

Peu après la Première Guerre mondiale, on voit disparaître les chefs de file de la génération antérieure : *Anatole France* (1844-1924), *Pierre Loti* (1850-1923), *Elémir Bourges* (1852-1925); ou bien ils mènent une vieillesse académique, qui dore leur déclin : *Paul Bourget* (1852-1935), *René Bazin* (1853-1932). Parmi ces noms, le vrai grand homme apparaît de plus en plus comme étant **Anatole France,** qui, après un temps de discrédit, reprend peu à peu la place qu'il mérite [un très grand nombre de travaux lui ont été consacrés, dont l'excellent Charles Braibant : *le Secret d'Anatole France* (1935) et la thèse monumentale de Jean Levaillant : *Essai sur l'évolution intellectuelle d'Anatole France* (Colin, 1965)]. On lit surtout les quatre volumes de l'*Histoire Contemporaine* et ses contes. Ses écrits politiques sont en cours de publication intégrale, ainsi que sa *Vie littéraire*. **Pierre Loti** continuera longtemps d'exercer la magie de son style sur les adolescents et sur les femmes rêveuses. On exhumera peut-être de l'oubli *le Crépuscule des dieux* d'**Elémir Bourges,** mais il y a tout lieu de croire que de **René Bazin** il ne restera pas grand-chose, malgré l'excellente thèse d'un prêtre canadien, Joffre Galarneau (1966). Quant à **Paul Bourget,** son manque d'imagination, sa morale conventionnelle et la pâte grise de son style ont rendu aujourd'hui ses romans illisibles. La critique, toutefois, retiendra de lui ses *Essais de psychologie contemporaine* (1885).

Consulter :
Feuillerat
Paul Bourget, histoire d'un esprit sous la IIIe République *(Plon, 1937).*
Michel Mansuy
Un moderne: Paul Bourget *(Belles-Lettres, 1960).*

Romanciers démodés

Parmi les écrivains qui sont nés autour de 1870, il en est qui regardent derrière eux. Ils apparaissent comme la queue sans grand éclat du XIXe siècle. Ce sont **Henry Bordeaux** (1870-1963), **Émile Baumann**

Anatole France.

Henry Bordeaux.

Portrait dit de Pierre Loti,
par le Douanier Rousseau.

(1868-1941), **Marcel Prévost** (1862-1941), **Édouard Estaunié** (1862-1942), **Louis Bertrand** (1866-1941), **Abel Hermant** (1862-1950), etc. Même quand ils se sont prolongés au-delà de la Seconde Guerre mondiale, ces auteurs n'intéressent plus la période que nous traitons. Vers 1900, ils ont fait époque, quand ils se sont lancés à l'attaque du naturalisme, contre Zola. Idéologiquement, c'était un retour en arrière vers les tendances conservatrices du roman français psychologique, idéaliste et moralisateur. Socialement, c'était une revanche de la bourgeoisie contre le socialisme humanitaire, qui s'était spontanément dégagé de l'esthétique naturaliste. Aujourd'hui tous ces auteurs peuplent encore les bibliothèques privées des nobles et des grands bourgeois de province. A l'étranger, ils continuent à répandre l'image d'une certaine France. Mais les hommes de moins de cinquante ans les renient. Quand ils appartiennent à la même famille d'esprits, ils se sont choisi d'autres maîtres. Ainsi la jeunesse catholique abandonne les Bourget, les Bazin, les Bordeaux, et se tourne vers Léon Bloy, vers Péguy, vers Psichari, vers Bernanos. Après la Seconde Guerre mondiale, ils ne tiennent plus guère de place dans la France vivante.

Du côté du roman naturaliste, bien des auteurs qui furent naguère célèbres se sont obscurcis aussitôt après leur mort ou même de leur vivant. **Paul** (1860-1918) et **Victor Margueritte** (1866-1942) ne resteront que par leurs amusantes histoires d'enfants; mais les romans à thèse du second ne sont plus qu'un témoignage parmi cent autres sur des problèmes sociaux et moraux aujourd'hui dépassés. **Paul Adam** (1862-1920), écrivain pourtant original et puissant, ne passionne plus guère que les philologues avides de curiosités de style et de langage (cf. Theima Vogelberg — *la Langue de Paul Adam* [Droz 1939]). **Lucien Descaves** (1861-1949), que son fils **Pierre** (1896-1966) a continué très dignement, vaut par ses souvenirs sur la glorieuse époque naturaliste des Goncourt, des Zola, des Mirbeau. **Léon Frapié** (1863-1949) épuise tout l'intérêt des lecteurs avec sa *Maternelle* (1904).

Et combien d'autres noms que seuls retiendront demain les érudits de l'histoire littéraire : les **frères Rosny** (1856-1940 et 1859-1948), **Gustave Geffroy** (1855-1926), **Gustave Guiches** (1860-1935), **Rachilde** (1862-1953), etc. Nous doutons fort que la postérité remette très haut tous ces auteurs. Il faut aller chercher ailleurs les vrais représentants de la grande littérature française.

Ceux qui demeurent

Quelques bons témoins de cette génération sont morts relativement jeunes. Ils apparaissent un peu surannés de nos jours. Néanmoins, ils survivent encore, et gardent leurs chances de franchir les siècles. **Maurice Barrès** (né à Charmes, en Lorraine, en 1862, mort en 1923), par sa double carrière, eut une double influence. Individualiste d'abord, il a fondé le « Culte du Moi », qu'illustra sa première trilogie : *Sous l'œil des Barbares* (1888), *Un homme libre* (1889), *le Jardin de Bérénice* (1891), et contribué à créer le courant de dilettantisme qui caractérisa la fin du XIXᵉ siècle, et qui est encore florissant (Montherlant). Puis, comme apôtre du sentiment national et de la tradition, d'une part il nourrit l'idéologie d'Action française : *les Déracinés* (1897), *l'Appel du soldat* (1900), *Leurs Figures* (1902); d'autre part, il provoqua les réactions anarchisantes de Gide et de ses amis. Enfin, par les récits des voyages passionnés qu'il fit en Espagne et en Orient, il ouvre la voie à toute une partie de la littérature moderne : *Du Sang, de la Volupté et de la Mort*, *Amori et Dolori Sacrum* (1894), *le Voyage de Sparte* (1906), *Un jardin sur l'Oronte* (1922), etc. Ainsi, dans quelque direction qu'on aille, on trouve Barrès comme stimulant ou comme réactif. Il a laissé au moins un chef-d'œuvre : *la Colline inspirée* (1913). Ses *Cahiers* resteront comme document d'Histoire, pour la valeur du témoignage et du témoin. Son style à la fois musical et abstrait, relâché et laborieux, traduit bien les contradictions de

Maurice Barrès
à la gauche
de Cécile Sorel.

Consulter :
Albert Thibaudet
La vie de Maurice Barrès *(Gallimard, 1921).*
Pierre Moreau
Maurice Barrès *(Sagittaire, 1946).*
René Lalou
Maurice Barrès *(Hachette, 1951).*
J.-M. Frandon
L'Orient de M. Barrès *(Genève, Droz, 1952).*
J.-M. Domenach
Maurice Barrès *(Le Seuil, 1960).*
Boisdeffre
Barrès *(Éd. Univ., 1962).*

cet homme, qui fut et qui reste peu aimé des masses, mais dont il faut tenir grand compte quand on analyse la vie intellectuelle de la France. Ses *Œuvres complètes* reparaissent à partir de 1966 au Club de l'Honnête Homme.

René Boylesve (né à La Haye-Descartes, en Touraine, en 1867, mort en 1926) conserve bien des lecteurs pour sa *Leçon d'amour dans un parc* (1902). Ses premiers romans sont d'une manière un peu vieillotte; ils portent leur date : *le Parfum des îles Borromées* (1898). Mais il a écrit de fortes études sur la vie provinciale : *Mademoiselle Cloque* (1899), *l'Enfant à la balustrade* (1903). Le drame de sa vie personnelle, qui affleure pudiquement dans tous ses livres, se fait plus pathétique dans *la Becquée* (1901) et dans *le Bel Avenir* (1905). Les fragments de son journal intime, qui ont été publiés par son meilleur critique, M. Gérard-Gailly : *Opinions sur le roman* (1927), *Feuilles tombées* (1947), révèlent son attachante personnalité, en même temps que ses très judicieuses théories sur le roman. Boylesve est le vrai précurseur de Marcel Proust.

Consulter :
Gérard Gailly
Le souvenir de René Boylesve *(1931-1935)*.
André Bourgeois
René Boylesve, l'homme, le peintre de la Touraine *(Droz, 1945)*.

Pierre Louÿs (né à Paris en 1870, mort en 1925), camarade d'André Gide à l'École alsacienne, resta fidèle, contrairement à ce dernier, à une sorte de conception parnassienne de l'art. Dans ce genre, c'est un maître, et son *Aphrodite* (1896) est une espèce de chef-d'œuvre de l'alexandrinisme. Ses livres sont des provocations contre la morale traditionnelle. Mais il apparaît clairement que Pierre Louÿs est un moraliste. Les excès qu'on trouve dans les *Aventures du roi Pausole* (1900) s'expliquent par la volonté de scandaliser ses anciens maîtres protestants.

Ses poèmes, réunis par Y.-G. Le Dantec en 1950, ne sont pas sans éclat.

Consulter :
Paul Iseler
Les débuts d'A. Gide vus par P. Louÿs (lettres) *(Sagittaire, 1937)*.
R. Cardinne-Petit
Pierre Louÿs intime (*1944-49*).
Claude Farrère
Mon ami Pierre Louÿs *(Domat, 1953)*.

Jules Renard (né à Châlons, Mayenne, en 1864) est mort en 1910, mais son *Journal intime* parut en 1927. C'est un des documents essentiels sur sa génération, en même temps qu'une merveille d'esprit et de style. Par ailleurs, Jules Renard restera le conteur émouvant de *Poil de Carotte* (1894) et le styliste aigu des *Histoires naturelles* (1896).

Consulter :
L. Guichard
L'œuvre et l'âme de Jules Renard. L'interprétation graphique, cinématographique et musicale *(Nizet, 2 vol., 1936)*.
Jean-Paul Sartre
L'Homme ligoté *(dans* Situations, *I, Gallimard, 1946)*.
P. Schneider
Jules Renard *(Le Seuil, 1956)*.

Charles-Louis Philippe (né à Cérilly, dans l'Allier, en 1874, mort en 1909) est digne aussi de figurer parmi les hommes de sa génération qui lui ont survécu, car il connut l'admiration des plus grands d'entre eux, et on lira longtemps *la Mère et l'Enfant* (1900), *Bubu de Montparnasse* (1901), *le Père Perdrix* (1903), *Marie Donadieu* (1904), *Charles Blanchard* (1913). Comme Jules Renard, il aime les âmes simples. Il décrit la vie des gens du peuple avec une sympathie discrète, comme personne avant lui ne l'avait fait.

Consulter :
André Gide
Conférence sur Charles-Louis Philippe *(Gallimard, 1911, ou tome VI des Œuvres complètes)*.
Émile Guillaumin (*1873-1951*)
Charles-Louis Philippe, mon ami *(Grasset, 1943)*.

Son ami **Émile Guillaumin** (1873-1951) a suivi son exemple.

Consulter :
Georges Reyer
Un cœur pur *(Grasset, 1947).*
Louis Lanoizelée
Marguerite Audoux *(Pernette, 1954).*

Marguerite Audoux (née à Sancoins, dans le Cher, en 1863, morte en 1937) est restée le modèle de tous les autodidactes qui entreprennent de décrire leur expérience. Petite couturière, elle se rendit tout d'un coup célèbre en 1910 en écrivant *Marie-Claire*, roman autobiographique. Elle renouvela ce succès en publiant en 1920, avec un peu moins de bonheur, *l'Atelier de Marie-Claire*. Elle a écrit aussi de jolis contes : *la Fiancée* (1931).

Consulter :
E. Michaël
Joseph Malègue, sa vie, son œuvre *(Spes, 1957).*

Joseph Malègue (1876-1940) restera comme l'auteur d'un beau livre spiritualiste : *Augustin ou Le maître est là* (1933).

Ajoutons deux bons romanciers régionalistes : **Gaston Chérau** (1874-1937) et **Alphonse de Chateaubriant** (1872-1951). Ce dernier a écrit *Monsieur des Lourdines* (1911) et *La Brière* (1923). Sa mystique de la force l'avait conduit jusqu'au seuil de l'hitlérisme.

Enfin, deux bons humoristes :

Pierre Mille (1864-1941), qui créa, entre autres, les types de *Barnavaux* (1908) et du *Monarque* (1913).

Henri Duvernois (1875-1937), qui introduisit dans le roman des éléments de comédie et même de vaudeville pour dépeindre, avec une ironie amusée, le monde et le demi-monde de Paris. Ses petits contes sont des modèles du genre (*Crapotte*, *Edgar*, *les Sœurs Hortensias*, *Jeanne*, etc.). Il a touché aussi au théâtre.

Les grands maîtres

Après avoir cité les écrivains de cette génération dont le rayonnement s'est éteint, puis ceux qui brillent toujours, mais doucement, et pour combien de temps ?

— car, peu à peu, leur foyer se consume — il nous reste enfin à introduire les grands maîtres de ce début du XXe siècle, dont la gloire nous paraît solidement acquise dans la littérature mondiale. Au tout premier plan, nous trouvons Marcel Proust, Romain Rolland et André Gide.

Marcel Proust (né à Paris en 1871, mort en 1922), a construit dans les 15 volumes d'*A la recherche du temps perdu* (1913-1928) un univers artificiel qui contient, sous des transpositions habiles, la somme de ses expériences vécues. Après avoir dissipé la plus grande partie de sa jeunesse dans les salons et les milieux mondains, frappé d'épouvantables crises d'asthme, il s'enferme dans une chambre capitonnée et, hors du monde, entreprend de ressusciter son passé par l'intensité du souvenir et de l'éterniser par l'art. Sans doute a-t-il subi l'influence d'Henri Bergson, philosophe de la durée; mais il dispose d'une technique bien personnelle; c'est par la sensation surtout qu'il retrouve les sentiments et jusqu'aux êtres du passé (cf. l'anecdote de la madeleine dans le 1er tome de *Du côté de chez Swann*, ou la petite phrase de Vinteuil, au 2e tome de la même série). A cet égard, Proust a apporté une importante contribution à la science psychologique. Le lecteur appréciera surtout la peinture d'une société pétrifiée (l'aristocratie), qui offre à l'analyse des types de tous les pays et de tous les temps; les galeries de portraits sont dignes du grand maître du genre, Saint-Simon, que d'ailleurs Proust a pastiché dans sa jeunesse (cf. *Pastiches et Mélanges*). L'intérêt romanesque n'est pas immédiatement perceptible à cause des lenteurs de la narration; mais dès l'apparition de la figure d'Albertine, il nous prend et ne cesse de croître. Enfin le style, très particulier avec ses longues phrases et ses parenthèses, a pour but d'épouser minutieusement tous les contours des choses. L'influence de Proust fut considérable sur toutes les littératures du monde, en particulier sur l'anglaise et l'américaine. L'ébauche intitulée *Jean Santeuil* (1951), timide et maladroite, ainsi qu'une abondante *Corres-*

Consulter :
Léon-Pierre Quint
M. Proust, sa vie, son œuvre *(Sagittaire, 1935)*.
Pierre Abraham
Marcel Proust *(Rieder, 1930)*.
Jean Pommier
La mystique de Marcel Proust *(Droz, 1939)*.
Ramon Fernandez
Proust *(Nouvelle Revue Critique, 1943)*.
Henri Bonnet
Le progrès spirituel dans l'œuvre de Marcel Proust *(2 vol., Vrin, 1946-1949)*.
Jean Mouton
Le style de Marcel Proust *(Corréa, 1948)*.
André Maurois
A la recherche de Marcel Proust *(Hachette, 1949)*.
Ch. Briand
Le secret de Marcel Proust *(H. Lefèbvre, 1950)*.
Georges Cattaui
Marcel Proust *(Laffont, 1953)*.
André Vial
Proust, structure d'une conscience et naissance d'une esthétique *(Julliard, 1963)*.
Gaëtan Picon
Lecture de Proust *(Mercure, 1963)*.
George D. Painter
Marcel Proust, a biography *(2 vol., Chatto and Windus, London, 1961) (Trad. française au Mercure de France)*.
Et le volume de la Collection « Génies et Réalités » (Hachette, 1965).
La série des Cahiers Marcel Proust *(Gallimard)*.

Marcel Proust.

pondance, éclairent sa personnalité et la genèse de son grand œuvre.

Si l'on recule devant la lecture intégrale de l'ouvrage (une des plus fécondes pourtant qu'on puisse faire), il faut lire au moins les premiers volumes et le dernier : *le Temps retrouvé*, qui contient la clef de l'ensemble. Il existe aussi d'excellents *Morceaux choisis* (Gallimard, 1928). Pour une étude critique de l'œuvre, on s'aidera du Répertoire des personnages et du Répertoire des thèmes publiés dans la série des Cahiers Marcel Proust, et surtout de la nouvelle édition de la Pléiade qui corrige les milliers de fautes de la première impression.

Romain Rolland (né à Clamecy en 1866, mort en 1944) a connu peut-être une gloire plus grande hors de France que dans son propre pays. En France, en effet, le goût un peu étroit des critiques contemporains se détourne des écrivains qui ne sont pas en même temps de purs artistes. Comme Rabelais, Diderot ou Hugo, Romain Rolland a souffert de ce préjugé dans quelques milieux universitaires. Mais il prend sa revanche à l'étranger, particulièrement dans les pays slaves et germaniques; et, en France même, le peuple lui reste très attaché, ainsi que bien des intellectuels qui admirent sa ferveur et sa puissance, même si le torrent de ses livres charrie un peu de boue... Son chef-d'œuvre, c'est d'abord sa vie. Issu du cœur de la France, qu'il a chanté dans son *Colas Breugnon* (1913), devenu un grand universitaire par l'École normale supérieure, l'École de Rome et ses travaux d'histoire de la musique, collaborateur de Péguy, en correspondance avec les plus grands esprits de l'Europe et du monde (de Tolstoï à Gorki, à Gandhi, à Rilke, à Zweig), prix Nobel en 1916, défenseur de la civilisation contre la guerre — *Au-dessus de la mêlée* (1915), *Clérambault* (1919) — et pour cela suspecté dans son patriotisme, puis brandissant le drapeau de l'Internationale, militant révolutionnaire, lançant de Suisse, où il s'était établi, tous ces messages de justice et de fraternité qui lui valurent un rôle exceptionnel, converti à la guerre contre l'hitlérisme, et finalement, presque octogénaire, rentré dans son village natal, où les Allemands n'osèrent l'inquiéter, pour y mourir dans une sorte de recueillement mystique, Romain Rolland ressemble aux hommes illustres dont il a écrit la biographie : *Michel-Ange*, *Tolstoï*, *Beethoven*, *Gandhi*, *Péguy*... Dans la littérature française même, il prend la succession de ces grands mages, empereurs des lettres et conducteurs d'idées, que furent successivement Voltaire, Hugo, Anatole France... En attendant que paraissent tout son *Journal* et sa gigantesque *Correspondance*, indispensables documents pour l'histoire des idées au début du XXe siècle, on peut en lire des extraits dans différentes publications, un important fragment qui leur sert de prélude : *le Voyage intérieur* (1942) et des méditations métaphysiques : *le Royaume du T* et *le Seuil*. Son œuvre romanesque comprend surtout *Jean-Christophe* (1903-1912), vaste synthèse de ses expériences intellectuelles et passionnelles, en même temps (les premiers volumes surtout) que son chef-d'œuvre artistique. *L'Ame enchantée* (1922-1932) lui est inférieur, car la thèse y étouffe un peu la vie. L'ouvrage de lui que nous considérons comme le plus parfait par rapport à son objet, c'est son *Beethoven - Les grandes époques créatrices*, en sept volumes (1927-1946). Au total, une personnalité considérable, à qui toute critique formelle n'enlèvera pas sa grandeur. (Sur son théâtre, cf. p. 60.)

Consulter :
Pierre-Jean Jouve
Romain Rolland vivant *(Ollendorff, 1920)*.
Christian Sénéchal
Romain Rolland *(La Caravelle, 1934)*.
Arthur R. Lévy
L'idéalisme de Romain Rolland *(Nizet, 1946)*.
Maurice Descotes
Romain Rolland *(Temps présent, 1948)*.
René Arcos
Romain Rolland *(Mercure de France, 1950)*.
J.-B. Barrère
Romain Rolland par lui-même *(Le Seuil, 1955)*.
J. Robichez
Romain Rolland *(Hatier, 1961)*.
René Cheval
Romain Rolland, l'Allemagne et la guerre *(PUF, 1963)*.
Les Cahiers Romain Rolland *(Albin Michel) poursuivent la publication d'une énorme quantité de lettres et de souvenirs.*

André Gide (né et mort à Paris, 1869-1951) incarne la tradition « humaniste ». Il tient dans notre temps la place qu'un Montaigne ou un Gœthe ont occupée dans le leur. Ce sont d'ailleurs les maîtres qu'il a le plus pratiqués et commentés. Mais si, par son goût de l'universel, par ses préoccupations religieuses et morales, par son art tout classique, André Gide apparaît comme l'héritier d'une longue tradition européenne, il n'en est pas moins un des esprits les plus originaux et les plus modernes. Plus que tout autre, il aura contribué à donner au XXe siècle son style.

Romain Rolland.

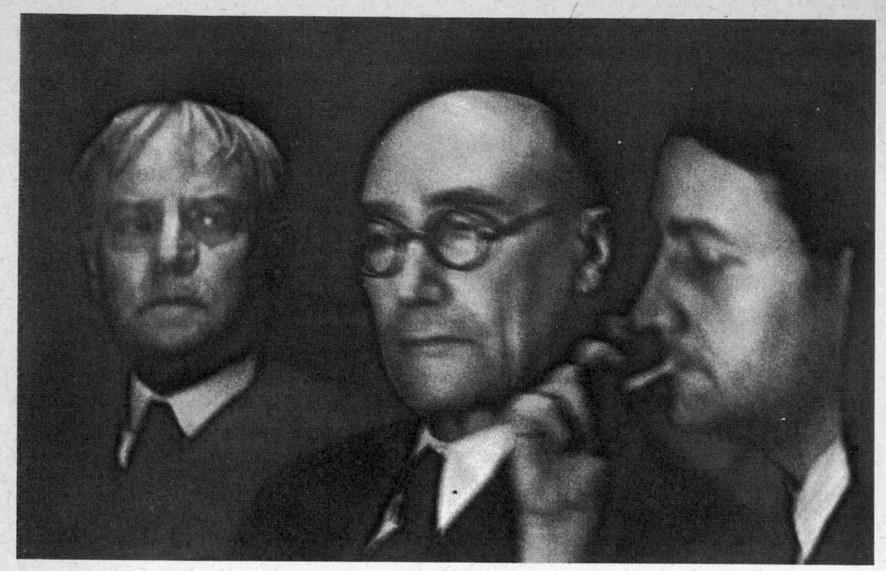

Julien Benda,
André Gide
et André Malraux.

Né d'un père languedocien et d'une mère normande, élevé dans un puritanisme rigoureux, il fit ses débuts, avec Paul Valéry et Pierre Louÿs, dans le sillage de Mallarmé. Mais il rejeta vite l'influence symboliste, comme il avait rejeté le protestantisme, et établit son œuvre sur des bases neuves. Peu de lecteurs le suivirent avant 1914. (Des *Nourritures terrestres*, il ne vendit pas cinq cents exemplaires!) Après la guerre, son œuvre, soudain révélée par la *Nouvelle Revue Française*, fit l'effet d'un bain d'eau vive sur ceux qui revenaient du feu, et sur les adolescents qu'avaient exaspérés les mensonges de la littérature académique. Dès lors, il devint le maître de deux générations. On retrouve son influence sur le surréalisme, qu'il a aidé sans le vouloir à disloquer la logique; sur l'existentialisme, qui retiendra surtout la philosophie de « l'acte gratuit ». Perpétuellement *disponible*, il a passé sa vie à lancer de nouveaux talents (Romains, Giraudoux, Saint-Exupéry, Simenon, Michaux) ou à ranimer l'intérêt de ses auteurs préférés (Morceaux choisis de Montaigne, traductions de Shakespeare, de Conrad, de Rabindranath Tagore, préface au théâtre de Gœthe, et, à près de quatre-vingts ans, adaptation avec Jean-Louis Barrault du *Procès* de Kafka). Il est avec Valéry le meilleur critique de sa génération. Son influence est grande dans le monde anglo-saxon (le nouvel humanisme). Sur ses rapports avec l'U.R.S.S., excellents vers 1934, détruits après son fameux voyage de 1936, il faut lire son Journal intime de ces années-là, le récit de sa conversion dans les *Nouvelles Nourritures*, puis *Retour de l'U.R.S.S.* (ce titre recèle un triple sens) et les *Retouches...* (voir aussi l'article de Ilya Ehrenbourg dans *Vus par un écrivain d'U.R.S.S.*, Gallimard, 1934). En 1947, il obtint le prix Nobel.

Son œuvre est considérable. La meilleure édition est celle des œuvres complètes, encore inachevée, établie et commentée par Louis-Martin Chauffier (Gallimard, 15 gros volumes). On y trouve des essais de circonstances, des récits de voyage (son fameux *Voyage au Congo* (1927) et le *Retour du Tchad* (1928) déterminèrent un important mouvement anticolonialiste et des réformes substantielles dans l'administration de ces pays), des pages de critique : *Prétextes* (1903), *Nouveaux Prétextes* (1911), *Incidences* (1924), *Interviews imaginaires* (1942) et bien d'autres fragments, des mémoires : *Si le grain ne meurt* (1926) et des pages de journal. Ce *Journal* (1889 à 1939), paru en un gros volume dans la collection de la Pléiade, est probablement son chef-d'œuvre. Il est indispensable à la connaissance de l'homme et de l'œuvre. En particulier le fragment *Numquid et tu* retrace sa crise religieuse de 1915. Il a été suivi de plusieurs autres volumes (jusqu'à 1949) et de pages posthumes : *Et nunc manet in te* (1951), qui nous apprennent ce que le *Journal* n'avait osé dire. Tous ces textes sont passionnants, on y suit la pensée et la vie, sympathiques ou non, mais toujours attachantes et toujours sincères, d'un des hommes les plus complexes qui furent jamais.

Son œuvre romanesque prolonge toutes ces pages personnelles. Ce sont des « traités » qui datent de sa jeunesse, petites œuvres parfaites et denses : *les Cahiers d'André Walter* (1891), *le Voyage d'Urien* (1893), *Paludes* (1895), etc., de petites œuvres romanesques que Gide appelle « soties » ou « récits » : *le Prométhée mal enchaîné* (1899), *l'Immoraliste* (1902), *la Porte étroite* (1909), *le Retour de l'enfant prodigue* (1912), *la Symphonie pastorale* (1920), la trilogie : *l'École des femmes*, *Robert*, *Geneviève* (1929-1937), *Thésée* (1945), etc. Plus importants sont *les Caves du Vatican* (1914), où Gide crée le type de Lafcadio, et surtout *les Faux-Monnayeurs* (1926), seul ouvrage qu'il ait appelé « roman », et qu'il faut lire en s'accompagnant du *Journal des Faux-Monnayeurs* (1927). Faisons un sort spécial, quoi qu'il en ait dit, aux *Nourritures terrestres* (1897) et aux *Nouvelles nourritures* (1935), extrêmes pôles de son évolution et qui, les unes et les autres, eurent tant d'influence sur les jeunes générations. Pour son théâtre, cf. p. 55. Il existe d'excellents petits *Morceaux choisis*, établis par lui-même (1921).

Dans le cadre de cet ouvrage, nous ne pouvons lui consacrer un plus large développement; et, d'autre part, nous laisserons au lecteur le soin de le juger. Les uns lui ont reproché son individualisme, qui l'a toujours empêché de se donner entièrement à une cause; d'autres déplorent l'espèce de révolution anarchiste qu'il a favorisée dans le domaine des mœurs. On ne peut nier en tout cas son extrême importance dans l'histoire des idées. On ne peut lui contester non plus son génie du style. On ne peut lui refuser le mérite d'avoir toujours « assumé le plus d'humanité possible » (selon la formule des *Nourritures*) et d'avoir toujours passionnément cherché *sa* vérité.

Consulter :
Léon-Pierre Quint
A. Gide, sa vie, son œuvre *(Stock, 1952).*
Jean Hytier
A. Gide *(Charlot, 1938).*
André Gide et notre temps *(Gallimard, 1935).*
Hommage à André Gide *(Gallimard, 1951).*
Pierre Lafitte
André Gide romancier *(Hachette, 1954).*
Jean-Jacques Thierry
André Gide *(Gallimard, Bibl. Idéale, 1962).*
Claude Martin
André Gide par lui-même *(Seuil, 1963).*

Deux autres

A ces trois noms qui dépassent tous les autres et appartiennent déjà à la littérature mondiale, nous ajouterons deux auteurs qui les suivent de près.

Colette
à la fin de sa vie.

Colette (née en 1873 à Saint-Sauveur-en-Puisaye, dans l'Yonne, morte en 1954) tient une grande place dans l'histoire du style français. On ne cherchera chez elle ni philosophie profonde, ni caractères exceptionnels. Elle ne connaît que la sensation. Jeunes filles, amoureuses vieillissantes, animaux, jardins, vergers, tout n'existe dans ses livres que sous forme de volupté, de lumière, de souffle, de parfum. Sa langue traduit miraculeusement le chatoiement de l'univers. On lira d'elle surtout sa série des *Claudine* (1900-1903), *Dialogues de bêtes* (1904), *les Vrilles de la vigne* (1908), *l'Envers du music-hall* (1912), *Chéri* (1920), *la Chatte* (1933), *Gigi* (1945), ses émouvants souvenirs de l'occupation : *Paris de ma fenêtre* (1944), et les confidences intimes de sa vieillesse : *l'Étoile Vesper* (1947)

Consulter :
Colette a déjà été étudiée comme un auteur classique:

Jean Larnac
Colette, sa vie, son œuvre *(Kra, 1927).*

Claude Chauvière
Colette *(Didot, 1931).*

Germaine Beaumont
Colette par elle-même *(Le Seuil, 1951).*

Maurice Goudeket
Près de Colette *(Flammarion, 1955).*

Maria Le Hardouin
Colette *(Éd. Univ., 1956).*

et *le Fanal Bleu* (1949). Il existe des textes choisis (Flammarion, 1931; Gallimard, 1936; Le Seuil, 1951) et une récente édition des *Œuvres complètes*. Elle s'est beaucoup livrée dans ses romans, si l'on en croit les morceaux choisis de M. Robert Phelps, qui ont pour titre *Autobiographie* (Fayard, 1966).

Jean Schlumberger (né à Guebwiller, Alsace, en 1877), mérite aussi d'être placé tout à côté des écrivains les plus authentiques de notre temps. Moraliste comme Gide, dont il fut l'ami, il lui manque sans doute une certaine gratuité de l'imagination, la chaleur des idées, la coquetterie du style — qualités équivoques, mais qui entrent pour beaucoup dans le succès d'un auteur. C'est ce qui explique qu'il n'a pas atteint la grande célébrité malgré ses qualités de parfait écrivain, discret et généreux, et malgré sa belle confiance dans les destinées de l'homme. Il s'en est consolé par l'admiration que lui témoignent ceux dont la gloire a éclipsé la sienne. On lira de lui ses romans : *l'Inquiète Paternité* (1913), *Un homme heureux* (1921), *l'Enfant qui s'accuse*, *Saint-Saturnin* (1931), *l'Histoire de quatre potiers* (1936) et ses monologues dramatiques, tels *Les yeux de dix-huit ans* (1928). Signalons aussi qu'il a aidé ses contemporains à retrouver Corneille (*Plaisir à Corneille*, 1936). C'est enfin un bon critique : *Jalons* (1941), *Nouveaux Jalons* (1943). Il écrit ses souvenirs : *Éveils* (1950).

Tous ces auteurs méritent-ils le nom de « grands romanciers » ? Non. Marcel Proust et peut-être Romain Rolland répondent seuls à cette définition. Les autres sont de grands « prosateurs », de grands éveilleurs d'idées, dans la lignée de Gœthe plutôt que dans celle de Balzac. Il faudrait d'ailleurs y ajouter encore Valéry, Péguy, Alain, excellents essayistes eux aussi. Si bien que si l'on fait le bilan, au moins pour la prose, de cette génération, on retiendra comme principaux sommets ces trois derniers noms, plus Gide, Rolland et Proust, aussitôt après : Barrès, Jules Renard, Boylesve, Colette, et peut-être enfin Charles-Louis Philippe, Schlumberger...

Consulter :
Marie Delcourt
Jean Schlumberger *(Gallimard, 1945)*.

LE THÉATRE

Survivance du passé

En 1914, le théâtre français était en pleine décadence. Les innombrables pièces qui occupaient les scènes parisiennes appartenaient à des genres aujourd'hui périmés : théâtre romantique, poétique, historique, naturaliste, philosophique, psychologique, vaudeville, etc. Dès 1918 commence son déclin visible et son remplacement par le théâtre d'« avant-garde », d'une qualité littéraire bien supérieure. Néanmoins ce théâtre-là se survit; d'abord parce que son public (la bourgeoisie d'avant guerre) n'est pas éteint; d'autre part, parce que certains de ses auteurs continuent à produire jusqu'à la seconde guerre et même après. Nous laisserons de côté ceux qui ont disparu avant notre date initiale : Jules Lemaître (1853-1914), Paul Hervieu (1857-1915), etc., pour ne citer que ceux dont la mort plus tardive nous oblige à parler.

Survivance du théâtre romantique

L'homme qui a renouvelé le genre fut **Edmond Rostand** (1868-1918). De nos jours, on accable excessivement, selon nous, cet auteur trop bien doué; son brillant masque sa profondeur; n'eût-il écrit que le dernier acte de *Cyrano de Bergerac* (1897) qu'il mériterait la gloire que l'étranger, plus fidèle, lui conserve. D'autres n'offrent plus grand intérêt : **Edmond Haraucourt** (1856-1941), auteur d'un mystère : *la Passion;* **Miguel Zamacoïs** (1866-1955), les premières pièces de **René Fauchois** (1882-1962), de **Paul Raynal** (voir p. 196) et beaucoup d'autres, en particulier le propre fils d'Edmond Rostand, **Maurice Rostand** (1891-1968), qui s'attarde encore à un art faussement historique et épique. Tolérons tout juste quelques pièces de **Saint-Georges de Bouhélier** (1876-1947), qu'anime un

Edmond Rostand.

beau lyrisme : *le Carnaval des enfants* (1910), *le Sang de Danton* (1931).

Survivance du théâtre naturaliste

Ce théâtre connut ses succès entre 1870 et 1900. Tous les romans des auteurs naturalistes furent portés à la scène par des confectionneurs assez habiles (par exemple Busnach pour Zola). Il n'en reste que de vulgaires scénarios. Malgré les efforts d'Antoine (1858-1943) et de son « Théâtre libre », cette école ne produisit qu'un dramaturge de génie : Henry Becque (1837-1899) et deux ou trois pièces encore acceptables d'Octave Mirbeau (1848-1917) et de Jules Renard (1864-1910). Dans la génération qui nous occupe **Émile Fabre** (1869-1955) porte à lui seul presque tout l'héritage naturaliste. Il connut d'assez belles réussites : *l'Argent* (1895), *la Vie publique* (1901), *les Ventres dorés* (1905), *la Maison d'argile* (1907), etc. Drames solides, bien construits, aux caractères un peu trop carrés, au dialogue ferme et net. Après la guerre, il ne fit représenter que *la Maison sous l'orage* (1921), pièce consacrée au divorce. Ses adaptations de Balzac sont habiles (*la Rabouilleuse*, *César Birotteau*). Son renoncement depuis près de trente ans au théâtre prouve bien l'échec de ses conceptions.

Pour être juste envers le naturalisme, reconnaissons toutefois que beaucoup de ses éléments sont passés dans le théâtre moderne, et surtout dans le cinéma.

Survivance du théâtre à thèse philosophique ou sociale

En remontant dans le temps, on trouve l'influence d'Ibsen. Ce dernier lui-même a quelque peu vieilli. Chez ses continuateurs français, des idées souvent belles souffrent du bavardage et d'un manque regrettable d'imagination dramatique.

François de Curel (né à Metz en 1854, mort en 1928) fut proclamé l'Ibsen français, ce qui est beaucoup dire. Célèbre depuis la *Nouvelle Idole* (1899), il se renouvelle en exploitant les problèmes nouveaux posés par la guerre : *l'Ame en folie* (1920), *la Comédie du génie* (1921), *la Viveuse et le Moribond* (1926), *Orage mystique* (1927). *Terre inhumaine* (1922), son dernier grand succès, imagine un dramatique conflit de sentiments entre une Allemande et un aviateur français. Théâtre respectable pour ses idées et la personne de l'auteur, mais théâtre condamné d'avance.

Consulter :
E. Braustein
François de Curel et le Théâtre d'Idées *(Thèse Univ. de Paris, 1954).*

Eugène Brieux (né à Paris en 1858, mort en 1922) continue d'écrire de véritables plaidoyers sociaux, qui relèvent plutôt du sermon que du drame : *l'Avocat* (1922), *l'Enfant* (1923). Il a connu le succès auprès d'un certain public trop accessible aux effets d'éloquence. Ses meilleurs drames remontent à l'avant-guerre : *Blanchette* (1893), *les Avariés* (1901).

Marie Lenéru (née à Brest en 1875, morte en 1918) est une femme étrange, dont l'intérêt semble dépasser aujourd'hui celui des autres dramaturges de l'école philosophique. Les idées qu'elle propose sont âpres, originales, et animées d'une sorte de pathétique nietzschéen. La facture de ses drames est contestable (*les Affranchies*, 1910, *le Redoutable*, 1912, *la Paix*, 1922, *la Maison sur le roc*, 1927), mais la personnalité de l'auteur demeure si attachante que son œuvre mérite de survivre comme un témoignage de son âme frémissante et fière. On lira aussi son *Journal* (1922).

Consulter :
Suzanne Lavaud
Marie Lenéru, sa vie, son journal, son théâtre *(Société française d'Éditions littéraires et techniques, 1932).*

Survivance du théâtre psychologique

Ce genre de théâtre est un aspect de la réaction contre le naturalisme, qui, dans le roman comme sur la scène, s'est manifestée à partir de 1890.

Georges de Porto-Riche (né à Bordeaux en 1849, mort en 1930) est le véritable créateur du théâtre psychologique, dont le premier chef-d'œuvre fut *Amoureuse* (1894). Son *Théâtre d'amour* comprend quatre volumes de pièces sentimentales, quelquefois assez émouvantes (*le Marchand d'estampes*, 1917). On peut lire un joli recueil de ses pages préférées : *Anatomie sentimentale* (1920).

Consulter :
W. Muller
Georges de Porto-Riche *(Vrin, 1934).*
Hendricks Brubmans
Georges de Porto-Riche *(Droz, 1934).*

Maurice Donnay (né à Paris en 1859, mort en 1945) fut un esprit charmant, délicat et spirituel. Dès 1896, il donna son chef-d'œuvre : *Amants*. Ses autres pièces font passer une soirée agréable; mais il manque de force.

Consulter :
Pierre Bathille
Maurice Donnay et son œuvre *(Nouvelle Revue Critique, 1932).*

Henri Lavedan (né à Orléans en 1859, mort en 1940), académicien lui aussi, ne retrouva plus, malgré ses titres alléchants comme *le Goût du vice* (1931), le succès douteux d'*Un vieux marcheur* (1895).

Pierre Wolff (né à Paris en 1865, mort en 1930) connut encore un succès sans mesure avec *les Ailes brisées* (1921). Le principal personnage est un vieil homme qui se voit souffler par son fils la femme qu'il aime... C'est le chef-d'œuvre de l'esprit boulevardier.

Romain Coolus (né à Rennes en 1868, mort en 1952) a écrit une vingtaine de pièces d'une sensibilité légère et d'un ton juste. Il a beaucoup de métier et possède une grande habileté à peindre les passions d'enfants et d'adolescents (cf. *les Vacances de Pâques*).

Henry Bataille (né à Nîmes en 1872, mort en 1922), déjà cité comme poète, a passionné ses contemporains par sa sensibilité aiguë et par ses dons véritables de créateur. C'est peut-être un génie : il eut le malheur de vivre en un temps où le théâtre était faux. La puissance des instincts qu'il prête à ses personnages se dissipe dans le verbalisme, si bien qu'avec des personnages psychologiquement vrais, il ne réussit qu'à nous laisser l'impression du conventionnel. Après 1918, citons : *la Tendresse* (1921), *la Possession* (1922), *la Chair humaine* (1922).

Consulter :
J.-B. Besançon
Essai sur le théâtre d'Henry Bataille *(La Haye, 1929).*

Henry Kistemaekers (né en 1872 à Floreffe, en Belgique, mort en 1938) a su trouver mieux que personne, bien que Belge, des sujets dignes de conquérir la bourgeoisie parisienne : *la Passante* (1921) montre les bolcheviks sous des couleurs noires. *L'Esclave errante*, inspirée par la vie d'Isabelle Eberhardt, est d'un mauvais romantisme. *La nuit est à nous* n'est qu'un mélodrame bien fait.

Edmond Sée (né à Bayonne en 1875, mort en 1959) a produit aussi quantité de pièces psychologiques. Leur valeur tient au fait qu'il applique aux mœurs contemporaines des procédés du théâtre classique du XVIIe et du XVIIIe siècle. Les meilleures sont *Saison d'amour*, *l'Élastique* et *le Métier d'amant*, petit chef-d'œuvre en un acte. Signalons qu'il a publié un excellent panorama du *Théâtre français contemporain* (Colin, 1928).

Henry Bernstein (né à Paris en 1876, mort en 1953), fut un de ces techniciens du théâtre qui, chaque année depuis bientôt cinquante ans, renouvellent l'attention par des pièces ingénieuses, où sont abordées successivement toutes les situations psychologiques possibles. Un certain public lui octroie chaque fois sa dose d'applaudissements, mais la pièce de cette saison sera oubliée dès la saison prochaine. Il faudrait citer toutes les œuvres ou n'en citer aucune. Signalons quand même : *le Secret*, *la Galerie des Glaces*, *Mélo*, *le Cœur*, et les derniers en date : *la Soif* (1949), *Évangéline* (1952).

Francis de Croisset (né à Bruxelles en 1877, mort en 1937) essaie d'adapter le théâtre du Boulevard à la vie moderne et exploite certains sujets, nouveaux au moins par leur cadre (radio, cinéma, aviation). Il y réussit assez bien dans *Pierre et Jack* et *Vol nuptial.*

Il ne faut pas confondre le théâtre « idéaliste » et « poétique » de la fin du XIXe siècle, dernière expression d'un romantisme inavoué, avec l'authentique théâtre symboliste, dont les chefs-d'œuvre sont toujours sinon *visibles*, du moins *lisibles*.

L'initiateur du genre, dans la génération précédente, fut Villiers de l'Isle-Adam (1838-1889). Son chef-d'œuvre : *Axël* (1890), a servi de modèle au théâtre symboliste. Rappelons aussi **Joséphin Péladan** (1859-1918) et son « Théâtre de la Rose-Croix », **Rémy de Gourmont** (1858-1915), critique littéraire, mais auteur aussi de pièces idéalistes, **Henri Mazel** (1864-1947) et son théâtre wagnérien, **Gabriel Trarieux** (1870-1940), etc. Tous ces auteurs appartiennent à cette vague de mysticisme qui envahit la France et une partie de l'Europe vers 1890.

Maurice Maeterlinck.

Maurice Maeterlinck (né en 1862 à Gand, mort en 1949) est surtout un philosophe et un essayiste. Ses « vies » des insectes sont célèbres, ainsi que ses méditations métaphysiques. Toutefois, c'est plutôt par son théâtre qu'il a des chances de laisser un grand nom. Ses pièces ont le défaut d'être trop constamment symbolistes, ses personnages manquent d'attaches terrestres et l'ensemble reste aérien, inconsistant. Sa prose est désagréablement émaillée d'alexandrins faciles. Mais il a eu le mérite d'avoir créé des mythes merveilleux. Ses sujets sont inspirés du Moyen Age ou de la pure fantaisie : *Monna Vanna* (1902) (son œuvre maîtresse selon nous), *la Princesse Maleine* (1899), *l'Oiseau bleu* (1909), etc., et le fameux *Pelléas et Mélisande* (1892), qui a su inspirer à Debussy son admirable partition. Ainsi le nom de Maeterlinck reste attaché au chef-d'œuvre de la musique lyrique française, et c'est peut-être là son plus sûr gage de durée.

Consulter :
Gérard Harry
La vie et l'œuvre de Maurice Maeterlinck *(Fasquelle, 1932).*
Roger Bodart
Maurice Maeterlinck *(Seghers, 1962).*
Adela Guardino
Le Théâtre de Maeterlinck *(Paris, 1934).*
Maurice Legat
Le Maeterlinckianisme *(Castaigne, Bruxelles, 2 vol., 1937, 1939).*

Paul Fort (cf. p. 28) fonda en 1890 le « Théâtre d'art », qui avait pour but de s'opposer au « Théâtre libre » des naturalistes. Bientôt confiée à un des meilleurs metteurs en scène de ce siècle — Lugné-Poe — et devenue le « Théâtre de l'Œuvre », cette salle exerça une grande influence sur le goût de la génération suivante. On y joua des pièces historiques et symboliques. Paul Fort lui-même écrivit pour elle : *Louis XI, les Compères du roi Louis, Ysabeau* (1924), *le Camp du drap d'or* (1927), etc.

Édouard Dujardin (né en 1861 près de Blois, mort en 1949), est un des meilleurs dramaturges de cette école : *la Légende d'Antonia* (1891-1893), *Marthe et Marie* (1912), *le Mystère du Dieu mort et ressuscité* (1923), *le Retour éternel* (1932), etc. Ces espèces de légendes dramatiques sont oubliées de nos jours. Mais elles s'inscrivent au premier rang dans l'histoire du théâtre symboliste. Rappelons qu'il passe pour avoir été dès 1888, dans son roman *Les lauriers sont coupés*, l'inventeur du procédé du « monologue intérieur » et comme tel l'inspirateur inattendu de James Joyce.

Henri Ghéon (né à Bray-sur-Seine en 1875, mort en 1944) est un auteur plus original, qui cherche un renouveau du théâtre dans les tragédies populaires : *le Pain* (1911), *l'Eau-de-Vie* (1914), etc., puis, après sa conversion au catholicisme, dans un théâtre à la fois symboliste et réaliste imité du Moyen Age : *la Farce du pendu dépendu* (1911) et surtout *le Pauvre sous l'escalier* (1920), son chef-d'œuvre. Il a exprimé ses idées dans un petit livre plein d'aperçus nouveaux : *l'Art du théâtre* (1944).

Consulter :
H. Brochet
Henri Ghéon *(Les Presses de l'Ile-de-France, 1947).*

Saint-Pol-Roux (cf. p. 25) : *la Dame à la faux* (1899).

Rattachons à ces tendances, mais en lui faisant une place plus importante, le théâtre d'**André Gide** (cf. p. 42). Sans doute s'agit-il là de théâtre « littéraire ». Il a d'ailleurs été assez rarement représenté, et seulement avec des succès d'estime. On le considère plutôt comme un prolongement de ses « traités » et de ses petites œuvres romanesques; et, comme tel, il est surtout remarquable par ses jeux d'idées et par son style, à la manière de certains dialogues de Platon. Il a pourtant ses fanatiques, qui voient là une forme d'avenir, et qui lui attribuent un très grand rôle dans l'esthétique du théâtre nouveau. Reconnaissons-lui au moins le mérite d'avoir redonné à la scène une sorte de pureté tragique qu'on avait perdue depuis longtemps. Ses pièces principales sont : *Saül* (écrite en 1896, représentée en 1922), *le Roi Candaule*, *Œdipe* (son œuvre la plus scénique), *Perséphone*, une espèce de farce : *le Treizième Arbre*, auxquelles il faut ajouter sa traduction de *Hamlet*, et son adaptation à la scène du *Procès* de Kafka, avec Jean-Louis Barrault, véritable création personnelle. La mise en scène des *Caves du Vatican* à la Comédie-Française (1951) n'ajouta rien à l'intérêt de ce roman, ni à l'histoire du théâtre. On lira ses idées sur le théâtre dans la Préface du *Roi Candaule* et dans *Prétextes* et *Nouveaux Prétextes*.

Le théâtre comique

Bien des pièces appartiennent encore à la tradition du vaudeville. Depuis Eugène Labiche, créateur du genre (cf. le livre de Philippe Soupault : *E. Labiche*, Sagittaire, 1945), nul n'a atteint son génie burlesque. Néanmoins c'est là qu'on trouvera, semble-t-il, les auteurs les plus susceptibles d'être encore représentés.

Consulter : Gilbert Sigaux
Un siècle d'humour théâtral *(Textes choisis-Productions de Paris, 1964).*

Georges Feydeau (1862-1921) a connu des triomphes très parisiens, mais ses pièces résistent fort bien à l'usure du temps, et la Comédie-Française les a reprises avec bonheur, de même que les théâtres d'avant-garde. *La Dame de chez Maxim's* (1914) est encore un succès mondial. *La main passe* (1907) et *Feu la mère de Madame* (1924) sont parmi ses chefs-d'œuvre. Une édition complète de ses œuvres a été procurée par Georges Pillement (Éditions du Bélier).

Alfred Capus (1858-1922) a beaucoup plus vieilli. Le vaudevilliste de *les Deux Écoles* (1903) est encore supportable. Le psychologue prétentieux de *la Traversée* (1920) ne l'est plus.

Robert de Flers (1872-1927) et **Arman de Caillavet** (1869-1915) ont écrit ensemble de petites pièces extrêmement spirituelles, au rythme vif, d'une fantaisie pleine d'inventions, de « gags », dirait le cinéma. A leurs succès d'avant guerre : *le Roi* (1908), *le Bois sacré* (1910), *l'Habit vert* (1913), viennent s'ajouter : *les Vignes du Seigneur* (1924), *les Nouveaux Messieurs* (1924). Leur chef-d'œuvre reste *Monsieur Bretonneau* (1914). On a tiré de ces pièces d'excellentes comédies cinématographiques.

Tristan Bernard (1866-1947) fut un spirituel humoriste, parfois profond, toujours très adroit à confectionner des comédies légères, mais morales. Ses plus grands succès théâtraux datent d'avant 1914 : *le Prince Charmant* (1913), *Jules, Juliette et Julien* (1929), *le Sauvage* (1931) et trente autres comédies, saynètes ou farces très réussies, maintinrent sa renommée jusqu'à sa mort. Certaines lui survivront : *Monsieur Codomat* (1907). On a repris avec bonheur *le Petit Café*.

Consulter :
J.-J. Bernard
Mon père Tristan Bernard
(A. Michel, 1955).

Henri Duvernois cité ailleurs comme conteur (cf. p. 38).

Georges Courteline.

Mais la toute première place, non seulement dans le théâtre comique, mais à notre avis dans tout ce théâtre qui regarde vers le passé, doit être laissée à **Georges Courteline** (né à Tours en 1860, mort en 1929). Ce n'est plus à Labiche qu'il fait songer, mais à Molière. L'ensemble de ses courtes pièces constitue une étude solide de caractères, en même temps qu'une critique de la société, et même une philosophie de la vie. Nul n'a su mieux observer l'existence médiocre des petits fonctionnaires en proie aux tourments de l'amour et aux embûches de l'administration; ou encore la condition tragi-comique du militaire sans grade... Tour à tour ému et caustique, Courteline a pratiqué un excellent dialogue de théâtre, souple, vif, naturel, littéraire pourtant. Ses meilleures pièces sont : *Boubouroche* (1893), *Un client sérieux* (1897), *l'Article 330* (1899), *la Paix chez soi* (1903), *la Conversion d'Alceste* (1905) et beaucoup d'autres sketches. Il est dommage que cet homme merveilleusement doué ait été affligé d'une paresse qui l'empêcha de laisser les grandes comédies qu'on pouvait attendre de lui.

Le seul fait qu'on puisse laisser la palme à un humoriste démontre suffisamment la pauvreté de cette période. Dans tous ces auteurs cités, on ira chercher des documents sur l'histoire des mœurs et des idées. On intéressera peut-être encore, à la rigueur, un certain public pendant quelques années. C'est tout. Ils ont passé difficilement le cap de la Première Guerre mondiale. Ils ne survivront pas longtemps à la Seconde. Le vrai théâtre du XXe siècle et de l'avenir, nous le trouverons préfiguré dans d'autres œuvres, parfois manquées, mais grosses de promesses.

Consulter :
La Philosophie de Courteline *(Flammarion, 1922).*
Jean Portail
Georges Courteline, l'humoriste français *(Flammarion, 1928).*
Albert Duheux
La curieuse vie de Georges Courteline *(Gründ, 1949).*

Tentatives originales

Dans la grisaille du théâtre d'avant guerre apparaissent quelques météores, longtemps dédaignés par la critique, mais qui devaient exercer par la suite une considérable influence.

Alfred Jarry.

Naissance du théâtre d'avant-garde

Alfred Jarry (né à Laval en 1873, mort en 1907) a fait jouer en 1895 *Ubu-Roi.* Ce fut d'abord une farce d'écolier, qu'il écrivit à quinze ans pour se moquer d'un professeur de lycée. En fait, il a magnifiquement dépassé son premier dessein. Le personnage d'Ubu est une création éblouissante, qui incarne au degré maximum l'imbécillité, la vanité et la bassesse humaines. On a un peu écrasé cette petite œuvre sous des comparaisons avec Aristophane, Shakespeare, Molière, etc. Jarry n'en demandait pas tant! Il reste que cette bouffonnerie crée un style tout à fait nouveau et annonce le théâtre d'avant-garde de la génération suivante. En 1937, on a joué *Ubu enchaîné*, qui déçut un peu. Jarry a écrit aussi *César Antéchrist* et *Par la taille*, dont un metteur en scène habile pourrait tirer grand parti. Ses romans sont surtout un témoignage sur lui-même, personnage extravagant, mais vraiment génial. On trouvera l'exposé de sa conception théâtrale dans ses articles du « Mercure de France » et de la « Revue blanche » en 1896 et 1897.

Consulter :
Charles Chasse
Les sources d'Ubu-Roi *(Floury, 1921)*.
Rachilde
Alfred Jarry, ou le surmâle des lettres *(Grasset, 1928)*.
Paul Chauveau
A. Jarry ou la naissance, la vie et la mort du Père Ubu *(Mercure de France, 1933)*.
J.-H. Lévesque
Alfred Jarry *(Seghers, 1951)*.

Guillaume Apollinaire (né à Rome en 1880, mort en 1918) eut une influence sur le théâtre par ses *Mamelles de Tirésias* (1917). Le prologue contient une espèce de manifeste. La pièce elle-même fut montée en 1945 à l'Opéra-Comique avec la musique de Francis Poulenc. Mais le rôle d'Apollinaire est surtout important comme initiateur de la poésie surréaliste; comme tel, malgré sa mort précoce, nous l'étudierons avec la seconde génération (cf. 96).

Le théâtre du peuple

Les dramaturges rêvent depuis longtemps de reconquérir le public populaire. C'est un fait que depuis des siècles celui-ci leur échappe. A partir de la Renaissance, les spectacles ne se sont guère adressés qu'à l'aristocratie ou à la bourgeoisie; jamais rien de grand (excepté Molière) n'a atteint le petit peuple des villes et des campagnes. On a trouvé pour lui tout juste des auteurs de farces ou de mauvais fabricants de mélodrames. Ces derniers ont particulièrement sévi à la fin du XIXe siècle : les Xavier de Montépin, Jules Mary, Pierre Decourcelle, etc., qui ont alimenté les scènes des faubourgs en pièces exécrables et encore dépravé le goût des travailleurs. Aujourd'hui le cinéma s'empare de ces pièces, apporte par surcroît les mélodrames étrangers, et le peuple risque d'être bientôt coupé de tout ce qui se fait de beau et de grand dans le pays.

Les auteurs eux-mêmes en ont souffert et en souffriront encore. Au théâtre surtout. Car le théâtre ne vit que de communion avec le peuple. La tragédie grecque était une cérémonie populaire. Au Moyen Age, les mystères n'étaient-ils pas, eux aussi, des spectacles collectifs? Certains ont compris que loin du peuple le théâtre se desséchait pour n'être bientôt plus qu'un jeu d'esthètes. Dès la fin du XIXe siècle, des esprits avisés ont cherché le remède. Le plus intéressant d'entre eux est **Maurice Pottecher** (1867-1960), qui a créé un théâtre de plein air dans un petit village des Vosges; il a écrit sept volumes de pièces populaires. On lira son intéressant essai : *le Théâtre du peuple, renaissance et destinée du théâtre populaire* (Ollendorf, 1899). Il dut renoncer bientôt à son entreprise matérielle et se contenta d'écrire. Mais le théâtre de Bussang continue.

Sa tentative fut reprise par **Romain Rolland** et nourrie de son génie (sur Romain Rolland, cf. p. 41). Il s'en est expliqué dans *le Théâtre du peuple, essai d'esthétique d'un théâtre nouveau* (1903), que doivent méditer tous ceux que passionne ce problème. Enfin il se mit lui-même à la tâche et créa deux cycles importants : *les Tragédies de la Foi, Saint Louis* (1897), *Aërt* (1898), *le Triomphe de la Raison* (1899), pièces qui ne sont pas toutes excellentes, quoique pleines d'idées entraînantes — et surtout son *Théâtre de la Révolution.* Ce dernier devait comprendre douze pièces, dont huit seulement ont déjà été publiées (les autres le seront-elles un jour? Ont-elles même été écrites?). Leur technique varie, selon le sujet, de la tragédie à la grande fresque dramatique. Ce sont dans l'ordre : *Pâques-Fleuries*-Prologue (1926), *le Quatorze-Juillet* (1902), *les Loups* (1898), *le Triomphe de la Raison* (1899), *le Jeu de l'amour et de la mort* (1925), *Danton* (1901), *Robespierre* (1938), *les Léonides*-Épilogues (1928). Telle qu'elle se présente, cette série constitue une sorte d'Histoire de la Révolution française sous forme de tableaux clairs et simples — et même trop simples, mais le genre exigeait qu'on abolît certaines nuances. Et dans l'ensemble, malgré tout, le sens de la Révolution n'est pas trop altéré (Romain Rolland avait d'ailleurs une formation d'historien; il s'est appuyé sur une documentation considérable; de 1900 à 1940, il s'est tenu au courant des derniers travaux des érudits et il a modifié certains de ses points de vue. Par exemple sa réhabilitation de Robespierre, etc.). Et puis, il a su élever les personnalités révolutionnaires jusqu'à en faire des types qui dépassent leur temps et leur pays. On a été injuste pour le théâtre de Romain Rolland. En 1936 pourtant, au moment des luttes populaires, des milliers d'ouvriers enthousiastes ont assisté à son *Quatorze-Juillet* et à son *Danton*. On applaudira de nouveau Romain Rolland quand le peuple aura pris conscience de son éthique et de son esthétique propres.

Il a écrit quelques autres œuvres théâtrales. La plus originale est *Liluli* (1919), farce gigantesque et amère, où il a versé son pessimisme inspiré par la guerre, sur un rythme malgré tout ironique et joyeux. Cette fresque étonnante, mais injouable, évoque le fameux *Théâtre en liberté* de Victor Hugo.

Jean-Richard Bloch, dans la génération suivante (cf. p. 126), reprendra plus tard cette tentative, mais sans grand succès, avec *le Dernier Empereur* (1914), *Naissance d'une cité* (1937) et *Toulon* (1944). On lira avec profit son *Destin du théâtre* (1930) et *Carnaval est mort* (1920). Ses intentions valent mieux que ses réalisations.

Il faut rendre ici un dernier hommage à **Firmin Gémier** (1869-1933), qui, au Cirque d'Hiver, puis dans l'ancien Trocadéro et à l'Odéon, monta d'immenses spectacles et fut le précurseur de Gaston Baty et de Jean Vilar.

Paul Claudel (cf. sa poésie p. 23) a été lui aussi profondément influencé par le théâtre symboliste. Ses débuts remontent précisément à l'époque où l'on réagissait contre les pièces naturalistes. *Tête d'or*, *l'Arbre*, la première version de *la Ville*, *la Jeune Fille Violaine*, *le Repos du septième jour* sont des années 1890-1896 et appartiennent bien, le génie poétique en plus, à l'esthétique de cette fin de siècle. Mais vite il transcende son école, et aujourd'hui il apparaît comme la plus grande figure du théâtre français contemporain.

Laissant de côté ses premières pièces, intéressantes, mais difficilement jouables (*Tête d'or* représentée, pour la première fois, au *Théâtre de France*, par Jean-Louis Barrault, 1959, plus de soixante ans après que son auteur l'eut écrite), on retiendra comme son premier chef-d'œuvre *l'Annonce faite à Marie* (trois versions successives, 1892-1900-1912), réussite parfaite, un des sommets de l'art chrétien et de l'art tragique de tous les temps. Elle a connu un succès tardif, mais de nos jours éclatant et mondial. *L'Otage* (1911), *le Pain dur* (1918), *le Père humilié* (1920) sont des pièces difficiles, où les passions se heurtent rudement dans un décor emprunté à la société du XIXe siècle. On leur préférera peut-être *l'Échange* (1893-1894), publié en 1901, et *le Partage de midi* (1906), longtemps ignoré, sur un sujet jugé depuis par son auteur trop passionnel, trop intime et pour cela tôt retiré de la vente; Claudel octogénaire l'a fait réimprimer en 1948, et Jean-Louis Barrault l'a mis en scène. *Le Soulier de satin* (1930) est l'autre sommet du théâtre de Claudel. C'est une pièce presque injouable; Jean-Louis Barrault, qui l'a magistralement montée en 1942, dut y pratiquer des coupes sombres. Par ailleurs le style en est ardu, Claudel voulant embrasser dans la même scène, parfois dans la même phrase, tous les tons et tous les genres possibles — comme Dieu lui-même la totalité de la création. Le spectateur est déconcerté, mais

Le Soulier de satin, de Paul Claudel, joué par la Comédie-Française.

un dynamisme formidable l'emporte, et finalement le jeu entraîne l'admiration. Il faut remonter à Eschyle ou à Lope de Vega pour retrouver pareil phénomène.

Ajoutons deux farces lyriques : *l'Ours et la Lune* (1917) et *Protée* (1927), qui sont d'une veine bien particulière aussi, mais d'un comique un peu lourd. Claudel s'est expliqué sur son art, non sans quelque verbosité fumeuse, dans un recueil de lettres et d'articles : *Mes idées sur le théâtre* (1966).

Tel qu'il s'offre au public à la fin de sa vie, Claudel apparaît comme une sorte de monstre littéraire. Orgueilleux et humilié, scandaleux et timoré, épique et burlesque, obscur et enfantin, précieux et brutal, il défie tous les jugements. Jamais Français n'eut moins de *goût*. Pourtant les Français se sont retrouvés en lui. Au fond, son sentiment dramatique est le leur. Nourris, quelquefois malgré eux, par quinze siècles de catholicisme, ils en ont conservé le sens du tragique de l'existence humaine. Le drame qui traverse la civilisation actuelle n'a fait que le renforcer. Si bien que le théâtre de Paul Claudel apparaît comme un des efforts les plus pathétiques qui soient pour discipliner, dans le mouvement même d'un art tout dynamique, le chaos des âmes et du monde.

Consulter :
Jacques Madaule
Le drame de Paul Claudel *(Desclée de Brouwer)*, Claudel *(L'Arche, 1958)*.
Claudel, homme de théâtre *(Gallimard, Cahiers Paul Claudel, 1964)*.

Nous n'entreprendrons pas d'étudier le mouvement philosophique dans toute son ampleur. Le lecteur désireux de se cultiver davantage trouvera des renseignements suffisants sur cette génération déjà ancienne dans :

Dominique Parodi
La Philosophie contemporaine en France *(Alcan, 1926)*.

Gonzague Truc
Tableau du xxe siècle. Tome IV. Les idées *(Denoël, 1934)*.

Jean Whal
Tableau de la Philosophie française *(Fontaine, 1946)*.

Gaétan Picon
Panorama des Idées contemporaines *(Gallimard, 1957)*.

Encyclopédie française, *T. XIX* : Philosophie - Religion *(Article de Jean Lacroix, Larousse)*.

A. Weber et D. Huisman
Tableau de la philosophie contemporaine *(Fischbacher, 1957)*.

Dictionnaire des idées contemporaines, *sous la direction de Michel Mourre (Ed. Univ., 1964)*.

Jean Lacroix
Panorama de la philosophie contemporaine *(PUF, 1966)*.

Il existe de bons recueils anthologiques :

Philosophes et savants français du xxe siècle *(5 volumes : Philosophie générale, Philosophie de la Science Le Problème moral, Psychologie, Sociologie. — Alcan 1926)*.
Anthologie des philosophes français contemporains. *(Sagittaire, 1931)*.

Les personnalités qui eurent le plus d'influence sur la pensée française sont souvent (même s'ils ne se parent pas du titre de « philosophes ») les grands écrivains eux-mêmes. Tous ces ouvrages ont le défaut de ne pas leur faire une place suffisante.

LES IDÉES

Grande par sa production littéraire, la première génération du XXe siècle l'est aussi par sa contribution à l'histoire des idées. Elle continue brillamment celle de 1870, qui avait commencé à libérer la France du joug exclusif de la philosophie allemande. Sans doute, la pensée de Kant, de Hegel, de Marx, de Nietzsche exerce encore son influence légitime. Mais les philosophes français reprennent foi en l'intelligence d'un pays qui avait produit Descartes, Pascal, Diderot, Maine de Biran, Comte, Taine, et tant d'autres. Et le dialogue séculaire recommence, d'égal à égal, par-dessus le Rhin. Par surcroît quelques éléments nouveaux arriveront des pays anglo-saxons (Spencer, W. James); l'intérêt en sera vite épuisé et finalement cet apport, quoique non négligeable, peut être tenu pour secondaire. Si bien que, peu à peu, la philosophie française, à son tour, se remet à rayonner dans le monde, dialoguant éternellement avec l'Allemagne.

Les principales familles intellectuelles et spirituelles

Après 1918, la France continue à être le pays de la diversité. Depuis des siècles toutes les familles d'esprits coexistent sur son sol et la vie intellectuelle de ce pays est faite de leurs rapports, de leurs dialogues, de leurs combats. Si on les réduit à quatre principales, de la droite à la gauche, cette génération peut se diviser ainsi :

L'Action française

Elle est née à la fin du siècle dernier, lors de l'affaire Dreyfus. C'est une doctrine de nationalisme intégral; elle s'appuie philosophiquement sur le positivisme d'Auguste Comte et de Taine, sur le racisme de Gobineau, sur l'antisémitisme de Drumont. A vrai dire, le plan spéculatif l'absorba moins que l'action politique directe. Condamnée par l'Église et même finalement reniée par le comte de Paris, l'Action française eut pour but le renversement de la république et le rétablissement de la monarchie. Devant la montée du socialisme entre les deux guerres, elle se laissa aller à des violences qui ne furent pas toujours seulement verbales; puis par haine de la démocratie, elle fit le jeu des dictatures étrangères; enfin, prenant dans la défaite sa revanche contre la république, elle nourrit de son idéologie « réaliste » le gouvernement de Vichy. Ainsi, l'Histoire, en 1945, l'a condamnée, et il est généralement admis qu'elle fit le plus grand mal à la nation. Quoique très dynamique, ce mouvement n'eut d'ailleurs jamais beaucoup d'adeptes. Aujourd'hui, il n'est plus défendu que par une poignée d'isolés; mais son idéologie a laissé des traces profondes dans tous les partis de droite.

Ce groupe eut ses penseurs : **Pierre Lasserre** (1867-1930), **Léon Daudet** (1868-1942), **Jacques Bainville** (1879-1936), **René Gillouin** (né en 1881), **Eugène Marsan** (1884-1936), **Henri Massis** (né en 1886) etc., auxquels on peut ajouter des écrivains comme **Barrès.** La génération suivante apporte un renouvellement de l'équipe. Mais la principale personnalité reste **Charles Maurras** (né en 1868 aux Martigues, en Provence, mort en 1952). Cet homme, qui fut d'abord un poète de l'École romane, un critique assez bien doué et un artisan de la renaissance provençale, se consacra bientôt entièrement à son activité de ligueur. L'âge et la surdité n'arrêtèrent pas ses menées; après 1936 il donna le spectacle d'un vieillard fanatique. En 1940, dans la France vaincue, il triompha. En 1945, son action fut jugée criminelle : il a été condamné à la détention à vie. L'essentiel de sa doctrine philosophique est contenu dans *l'Avenir de l'intelligence* (1905).

Consulter :
Albert Thibaudet
Trente ans de vie française. Les Idées de Charles Maurras *(Gallimard, 1920).*

H. Massis
Maurras et notre temps *(Plon, 1960).*

Michel Mourre
Charles Maurras *(Éd. Univ., 2e éd., 1958).*

avait connu un renouvellement remarquable après 1890, et une vague de conversions retentissantes. En 1918, ce mouvement ascendant est arrêté. Léon Bloy (1846-1917) vient de mourir. La pensée catholique, malgré tout, garde une importance considérable dans tous les domaines.

En philosophie pure, **Maurice Blondel** (1876-1949) vint lui apporter une conception nouvelle de l'action, **Jean Baruzi** (1881-1953) de remarquables exégèses de saint Jean de la Croix et le problème de l'expérience mystique, le **R. P. Laberthonnière** (1860-1932) d'importantes études sur Descartes et le rationalisme chrétien, **Edouard Le Roy** (1870-1954) des travaux sur la science dans ses rapports avec la Foi, **Étienne Gilson** (né en 1884) et le **R. P. Sertillanges** (1863-1948) leur intransigeance thomiste.

Dans la critique littéraire, une tentative fut faite par **Henri Brémond** (1865-1935) en vue d'annexer la poésie à la mystique (cf. son *Racine et Valéry*, 1930, et ses articles sur la poésie pure). Il est surtout l'auteur d'une longue *Histoire littéraire du sentiment religieux en France* (1916-1936).

Consulter :
Clément Moisan
Henri Brémond et la Poésie pure *(Lettres modernes, 1968).*

Une sorte de christianisme pacifiste et socialiste fut lancé vers 1905 par **Marc Sangnier** (1873-1950). Peu suivi entre les deux guerres, il sut grouper autour de lui de jeunes catholiques qui, plus tard, fourniront des cadres aux mouvements socialistes chrétiens.

Consulter :
J. de Fabrègues
Le Sillon *(Perrin, 1964).*

Rappelons enfin l'influence sur la pensée catholique, de **Claudel,** de **Péguy**, et aussi par voie indirecte, de **Bergson** (cf. p. 69). L'esprit moderne du catholicisme français, qui tend à englober toutes les formes de la pensée et de l'art, est résumé dans les fresques de l'église du Saint-Esprit, construite à Paris, en 1936, par le cardinal Verdier.

Consulter :
J. Calvet
Le Renouveau catholique dans la littérature contemporaine *(Lanore, 1927).*

Du côté protestant, le pasteur **Marc Boegner** (né en 1881) fut la plus haute personnalité spirituelle de cette génération.

Du côté israélite, nous trouvons **André Spire** (cf. p. 25) et **Edmond Fleg** (1874-1964), dramaturge, romancier, auteur d'une célèbre *Anthologie juive*. D'un judaïsme encore plus militant : **Bernard Lecache** (1895-1968).

Le rationalisme

a toujours été prospère en France, où il s'est affirmé avec Descartes et s'est développé au cours des siècles suivants. La religiosité des années 1900 n'a pas interrompu son développement; après 1918, il conserve une place prédominante dans le monde intellectuel et dans la bourgeoisie libérale.

Dans les chaires de philosophie, le principal représentant du groupe fut **Léon Brunschvicg** (1869-1944) qui créa, dans la tradition kantienne, un intellectualisme intégral. Dans une lignée voisine, citons **Alain,** à l'influence immense (voir p. 70). En dehors de l'Université, **Julien Benda** (1867-1956), personnalité curieuse, murée dans une orgueilleuse intelligence, s'est opposé à son siècle pendant cinquante ans contre la philosophie de la mobilité : *le Bergsonisme* (1912), contre la littérature des sensations : *Belphégor* (1918), contre l'engagement politique : *la Trahison des clercs* (1927), contre l'existentialisme, contre l'art moderne. En 1945, il publie *la France byzantine*, pamphlet retentissant sur les écrivains modernes, injuste mais utile à méditer. Son *Exercice d'un enterré vif* (1946) fait l'analyse et l'apologie de sa pensée. Ce fut de plus un défenseur lucide et farouche de la démocratie. Mais il représente le côté le plus étroit du rationalisme français.

Jules Sageret (1870-1944), autre isolé, continue la « libre pensée » du XVIIIe siècle (*la Vague mystique*, 1925, *la Religion de l'athée*, 1922).

L'*Union rationaliste* groupe autour d'**Albert Bayet** (1880-1961), spécialiste des idées morales, les libres penseurs les plus radicaux. **Alfred Loisy** (1857-1940), dans la tradition de Renan, a fait beaucoup de mal à l'Église, dont il était sorti, par ses travaux d'exégèse religieuse, d'inspiration « moderniste », et influencé toute une école (Guignebert, Couchoud, etc.).

Consulter :
In memoriam Paul Desjardins *(Éd. de Minuit, 1949).*

Anne Heurgon-Desjardins
Paul Desjardins et les Décades de Pontigny *(PUF, 1964).*

Dans un rationalisme élargi, **Paul Desjardins** (1859-1940) créa « l'Union pour la Vérité », puis « les Entretiens de Pontigny », où de grands esprits français et étrangers ont discuté dans une estime mutuelle et en toute liberté d'opinion les grands problèmes moraux.

Le socialisme

Consulter :
Charles Rappoport
Jean Jaurès *(Marcel Rivière, 3e éd. 1925).*

Félicien Challaye
Jaurès *(Mellotée, 1936).*

Alexandre Zévaés
Jean Jaurès *(Hachette, 1938).*

Louis Lévy
Anthologie de Jean Jaurès *(Calmann-Lévy, 1947).*

Marcelle Auclair
Vie de Jean Jaurès *(Seuil, 1954).*

*Numéro spécial d'*Europe *(oct. 1958).*

Une figure domine encore toute cette génération : **Jean Jaurès** (1859-1914). Philosophe, il sortit de l'Université pour consacrer toute son âme généreuse au service du prolétariat. C'est le meilleur orateur de sa génération (à ce titre, Jaurès restera comme un des sommets de l'éloquence française, à côté d'un Bossuet et d'un Mirabeau). En outre, il est historien, moraliste, pamphlétaire. Par tous ces titres et par sa mort, le 31 juillet 1914, où il tomba martyr de son pacifisme éclairé, Jaurès justifie l'attachement fidèle du peuple entier. Les partis de gauche, en France, reviennent toujours à Jaurès, autant qu'à Marx, et s'inspirent de lui.

En face de Jaurès, **Jules Guesde** (1845-1922) laisse un souvenir moins prestigieux. Marxiste, célèbre d'abord par sa vie de militant persécuté et proscrit, il perdit l'estime des *purs*, quand il se rallia, en 1914, à l'Union sacrée, puis quand, au Congrès de Tours en 1920, il refusa d'aller jusqu'au communisme. Son principal ouvrage est l'*Essai du Catéchisme socialiste* (1879). **Paul Lafargue** (1842-1911), gendre de Karl Marx, a laissé, outre ses ouvrages de philosophie sociale, d'utiles *Critiques littéraires*, à peu près le seul livre de poids qu'ait produit dans ce genre le matérialisme historique.

La science apporte aussi sa contribution à la philosophie matérialiste. Au premier plan, il faut citer deux illustres physiciens : **Paul Langevin** (1872-1946) et **Jean Perrin** (1870-1942). On a réuni les notes de ce dernier sous le titre *la Science et l'Espérance* (1949). La plupart de ces savants *engagés* ont mené une triple tâche : leurs recherches scientifiques, leur philosophie de la science, leur action politique et sociale. Langevin, en particulier, est un de ces derniers hommes qui, comme au temps de la Renaissance, ont pu embrasser la presque totalité des activités humaines.

La pensée marxiste s'exprime surtout dans les revues comme *la Pensée* (voir à la fin du volume).

Consulter :
Paul Louis
Histoire du Socialisme en France *(Marcel Rivière, 3e éd., 1937).*
Alexandre Zévaés
Histoire du Socialisme et du Communisme en France de 1871 à 1947 *(Éd. France-Empire, 1947).*

N.B. - Pour compléter ce tableau des idées, se reporter aux chapitres concernant les générations suivantes (pp. 200 et 345).

Grands individus

Rattachés à une famille d'esprits, mais la débordant par l'envergure de leur personnalité, et rayonnant largement sur l'ensemble de la pensée française, quelques individus exceptionnels doivent être cités à part.

Henri Bergson (né à Paris en 1859, mort en 1941), célèbre déjà avant la Première Guerre, vit durer son influence bien longtemps après, quoique de tous côtés il ait été très vivement combattu. Proust et Péguy, qui suivirent ses fameux cours du Collège de France, lui doivent une part de leurs idées : l'un sa conception romanesque de la durée, l'autre son horreur des concepts figés. On se gardera toutefois de surestimer cette dette. Ainsi Péguy, dans sa *Note conjointe sur Descartes et Bergson*, inventait, dès avant 1914, la morale bergsonienne, que Bergson ne formulera qu'en 1932 dans *les Deux Sources de la morale et de la religion.* En critique, son meilleur disciple reste Albert Thibaudet. Sa place restera grande dans le combat antirationaliste et anti-intellectualiste des années 1900 (*Essai sur les données immédiates de la conscience*, 1889).

Consulter :
A. Thibaudet
Le Bergsonisme *(Gallimard, 1924)*.
V. Jankélevitch
Bergson *(Alcan, 1931, PUF, 1959)*.
André Henry
Bergson, maître de Péguy *(Elzévir, 1949)*.
Floris Delattre
Bergson et Proust *(A. Michel, 1948)*.

On ne peut dire encore si sa philosophie dépassera ce rôle historique. De nos jours, Bergson est plutôt délaissé par la jeune génération. Les lecteurs moyennement initiés à la technique philosophique pourront se contenter des *Deux Sources*, et d'un recueil d'articles sur l'intuition métaphysique, clé de son système : *la Pensée et le Mouvant* (1934). L'édition du Centenaire aux P.U.F. regroupe toute son œuvre, avec un choix utile de variantes.

Georges Sorel (né à Cherbourg en 1846, mort en 1922) fut peut-être aussi une grande figure. Il a subi lui-même l'influence de Bergson. Mais rien de défini ne sort clairement de son message. Il est nourri de marxisme; toutefois les préoccupations morales finalement dominent en lui et il conçoit la lutte des classes avec une sorte de fanatisme religieux. Cette espèce de contradiction entre le réalisme de ses idées et le romantisme de son caractère le conduisit du socialisme orthodoxe au syndicalisme révolutionnaire, puis tout près de l'Action française, le fit applaudir à la révolution russe, où il reconnut en Lénine son héros, et enfin, quelques semaines après sa mort, Mussolini triomphant s'est affirmé son disciple! On lira encore ses *Réflexions sur la violence* (1906), un livre dont l'importance européenne fut grande, et aussi *les Illusions du progrès* (1908).

Consulter :
Gaétan Pirou
Georges Sorel *(Rivière, 1928)*.
Pierre Andreu
Notre maître Monsieur Sorel *(Grasset, 1953)*.

Alain (né à Mortagne en 1868, mort en 1952), de son vrai nom Émile Chartier, disciple de Jules Lagneau, a érigé, face à Bergson, une philosophie sans système, étonnamment libre et variée, fondée sur une critique aiguë de la connaissance et sur une estimation exacte des limites de l'esprit humain. Moraliste réaliste : *les Propos d'Alain* (1920), *Propos sur le bonheur* (1928), *les Idées et les Ages* (1927), etc., sceptique hostile à toutes les religions : *Propos sur le christianisme* (1924), *les Dieux* (1934), politique radical acharné contre l'État et contre la guerre : *le Citoyen contre les pouvoirs* (1926), *Mars ou la Guerre jugée* (1921), *Souvenirs de guerre* (1937), économiste, pédagogue, esthéticien

Henri Bergson.

surtout : *Système des beaux-arts* (1920), critique nourri de lectures infinies, des philosophes grecs aux romanciers du XIXe siècle, — Alain est un très vaste esprit. Dans *l'Histoire de mes pensées* (1936), il retrace son expérience intellectuelle. Alain est assez difficile à lire : son style est trop tendu. Sa manière propre est le *propos*, petit essai d'une page, écrit sur un sujet limité. Son influence fut profonde sur la génération des deux guerres, si l'on songe que, de 1909 à 1933, dans sa chaire de Première Supérieure au lycée Henri-IV, il forma des milliers de futurs universitaires, des critiques, des écrivains, qui, à leur tour, se firent les propagandistes de leur maître. Les « anciens élèves d'Alain » constituent une famille d'esprits à laquelle appartinrent des hommes aussi divers qu'André Maurois, Pierre Bost, Jean Prévost, etc.

Consulter :
André Maurois
Alain *(Domat, 1949)*.
Henri Mondor
Alain *(Gallimard, 1953)*.
Georges Gontier
Alain à la guerre *(Mercure de France, 1963)*.
André Bridoux
Alain *(PUF, 1964)*.
Hommage à Alain *(NRF, 1952)* et les introductions aux trois volumes de la Collection de la Pléiade.

Jules de Gaultier (1858-1940), petit percepteur de province, s'est strictement consacré à la méditation philosophique. Ses ouvrages n'eurent d'abord aucun rayonnement. Mais son livre : *le Bovarysme* (1902) a peu à peu conquis des disciples, qui en 1945 se retrouvèrent nombreux et en rapport avec l'existentialisme. Ses autres études abordent toujours les idées d'un point de vue original et fécond. Voir en particulier : *la Philosophie officielle et la Philosophie* (Alcan, 1922).

Consulter :
Georges Palante
La Philosophie du bovarysme : Jules de Gaultier *(Mercure de France, 1924)*.

René Berthelot (1872-1960) est un puissant esprit, quoiqu'il n'ait pas donné d'œuvre maîtresse. Il fut professeur à l'université de Bruxelles, où il prononça des cours célèbres sur *le Romantisme utilitaire* (1913), titre assez mal choisi, qui dissimula de grandes richesses, et sur *la Pensée de l'Asie* (1949).

A ces grandes figures intellectuelles, il faut ajouter Charles Péguy, déjà cité comme poète.

Charles Péguy (cf. p. 29) était du peuple, et il l'est resté, bien que, parti de l'école primaire, il ait atteint l'École normale supérieure. Un moment socialiste athée, il revint au christianisme simple de ses origines.

En 1900, face à la Sorbonne dont il défiait la philosophie officielle, il créa les *Cahiers de la Quinzaine*. Jusqu'à la guerre, deux cent trente-huit numéros révélèrent les grands noms de cette génération. Leur influence en profondeur fut considérable. Péguy en écrivit lui-même la majeure partie; il y exprime moins une philosophie cohérente qu'un certain esprit : contre la « politique » pour la mystique; contre l'argent pour la « cité harmonieuse »; contre la sociologie pour le bergsonisme; contre l'Église officielle pour une religion sans compromis; contre le faux nationalisme pour un patriotisme vivant; contre la critique rationaliste pour la critique intuitive. Péguy est hérétique en toute chose, c'est ce qui lui vaut encore une sympathie durable — et dans tous les partis (Aragon publiera pendant la Résistance un parallèle Péguy-Péri). Historiquement, il demeurera comme un des guides spirituels des socialistes chrétiens.

Pour connaître son œuvre de prose, on pourra aborder d'abord *Victor-Marie, comte Hugo* (1911), qui développe presque tous ses thèmes préférés. *Notre Jeunesse* (1910), plaidoyer pour l'affaire Dreyfus, *l'Argent* (1912), la *Note conjointe sur M. Bergson et M. Descartes* (1914) sont parmi ses livres les plus importants et les plus lisibles, malgré d'incessantes et volontaires répétitions.

Consulter :
Denise Mayer
Charles Péguy *(Textes politiques choisis — Gallimard, 1946), et l'édition de la Pléiade.*

Techniciens de la philosophie

Cette rubrique défie le cadre de ce petit Guide. Nous renvoyons à la bibliographie donnée plus haut. Nous attirons seulement l'attention sur l'œuvre des philosophes suivants :

Philosophie générale : **Lachelier** (1832-1918), **Boutroux** (1845-1921), **Hamelin** (1856-1907) furent, à côté de Bergson, Alain, Brunschwicg cités par ailleurs, les principaux maîtres universitaires à l'aube du XXe siècle.

Histoire de la Philosophie : entre autres, l'indispensable manuel d'**Émile Bréhier** (1876-1952), complété mais non détrôné à partir de 1950 par celui d'**Albert Rivaud** (1876-1956).

Psychologie : dans la lignée de **Théodule Ribot** (1836-1916), **Pierre Janet** (1859-1937), **Henri Piéron** (1881-1964), **Henri Delacroix** (1873-1937), et surtout, à partir de 1930, le monumental traité de **Georges Dumas** (1866-1946).

Esthétique : **Victor Basch,** massacré à quatre-vingts ans par les nazis (1863-1944), **Charles Lalo** (1877-1953).

Pédagogie : outre les travaux des psychologues (Binet) et des sociologues (Durckheim), **Jules Payot, Paul Appell** (1855-1930), **Ernest Lavisse** (1842-1922), **Ferdinand Buisson** (1841-1932)..., sans oublier **Alain.** Le meilleur manuel de l'histoire de la pédagogie reste celui de **Gabriel Compayré** (1848-1913).

Faisons une place à part à la *sociologie*, car cette génération s'est particulièrement illustrée en ce domaine. C'est en France que s'est constitué le fameux groupe de l'*Année sociologique*, fondé en 1895, dont l'intérêt est un peu épuisé aujourd'hui, mais qui eut un retentissement considérable. Son fondateur fut **Émile Durckheim** (1858-1917). **Lucien Lévy-Bruhl** (1857-1939) créa la « Science des mœurs ». Beaucoup d'autres excellents travailleurs font à ces deux maîtres un beau cortège. **Georges Dumézil,** de la génération suivante, contribue à renouveler par l'étude des mythes la sociologie traditionnelle, en attendant la mutation totale par le marxisme et le structuralisme après 1945. Le grand ouvrage de **Georges Gurvitch** (1894-1965), *la Sociologie au XX*e *siècle* (nouvelle éd. 1960) fait le bilan de cinquante ans d'école sociologique française.

Consulter :
Georges Davy
Sociologues d'hier et d'aujourd'hui *(Alcan, 1931.*
Célestin Bouglé
Bilan de la Sociologie française contemporaine *(Alcan, 1935).*

Pour toutes ces techniques philosophiques, **André Lalande** (1867-1963) a donné un instrument de travail indispensable : son *Dictionnaire de Philosophie* (1928). Nouv. éd. PUF (1948).

Littérature scientifique

La philosophie des sciences a toujours tenu une grande place dans la pensée française. Nombreux sont les savants, après Descartes, Pascal ou d'Alembert, qui ont été en même temps des écrivains. Parmi les générations antérieures au XXe siècle, rappelons seulement Claude Bernard, Pasteur, Marcelin Berthelot, Henri Poincaré, Camille Flammarion... De leur côté, des philosophes se sont penchés sur les méthodes, les problèmes et les fins de l'activité scientifique. Ainsi, des deux côtés, la philosophie des sciences s'est très abondamment exprimée. Nous ne donnerons ici que quelques noms et quelques références.

Du côté des savants, un recueil de conférences faites à l'École normale supérieure : *l'Orientation actuelle des sciences* (Alcan, 1930) fait le « point » de toutes les spécialités vers l'année 1930. On y trouve les noms de **Jean Perrin** (cf. p. 69). **Paul Langevin** (cf. p. 69), **Georges Urbain, Louis Lapicque, Charles Pérez,** etc.

Du côté des philosophes, les extraits des *Philosophes et Savants français du XXe siècle* (Alcan, 1926), contiennent l'apport essentiel de l'ancienne génération : **Edmond Goblot, Abel Rey, Gaston Milhaud, Émile Meyerson, Léon Brunschvicg, Louis Weber, Édouard Le Roy,** etc.

Après cette date, on consultera utilement le *Tableau du XXe siècle* (Denoël, 1933), puis *la France et la Civilisation contemporaine* (Flammarion, 1941) où, à côté d'articles littéraires et artistiques, on trouvera de larges panoramas de la pensée scientifique française dus à **Émile Borel, Charles Fabry, Maurice Caullery, Gustave Roussy...** Le plus remarquable biologiste écrivain demeure **Jean Rostand** (né en 1894), dont les *Pensées d'un biologiste* (1939), *l'Aventure humaine* (1933), *Ce que je crois* (1953), *Biologie et Humanisme* (1964) et ses nombreux *Carnets* et *Notes* font réfléchir le philosophe autant que le savant.

Enfin, le *Panorama des idées contemporaines* de Gaétan Picon (1957) donne quelques textes parmi les plus récents.

Grandes collections historiques

Le dernier historien véritable que la littérature ait jusqu'à présent consacré est **Ernest Lavisse** (1842-1922). D'autres, après lui, y sont candidats, dont le plus probable nous paraît être **Lucien Fèbvre** (1878-1956) (*Combats pour l'Histoire*, 1953); et aussi **Louis Madelin** (1871-1956), **Albert Mathiez** (1874-1932), **Georges Lefebvre** (1874-1959), **Jérôme Carcopino** (né en 1881), **Pierre Gaxotte** (né en 1895), **Jacques Chastenet** (né en 1893). Mais pour l'utilité du lecteur, nous préférons citer ici les principales collections. C'est parmi leurs collaborateurs qu'on trouvera les principaux représentants de la science historique française de cette génération.

Histoire générale du IVe siècle à nos jours, dirigée par Lavisse et Rambaud (Hachette, 1891-1900).
Histoire de France depuis les origines jusqu'à la Révolution, dirigée par Lavisse (Hachette, 1905-1911).
Histoire contemporaine depuis la Révolution jusqu'à la paix de 1919 (Hachette, 1920-1922).
Histoire générale, fondée par Glotz (PUF), dont la publication n'est pas achevée.
La Collection « Peuples et Civilisations », dirigée par Halphen et Sagnac (PUF).
Clio, introduction aux études historiques (PUF), en cours de publication.
L'Évolution de l'humanité, collection de synthèse historique, fondée par Henri Berr, en cours de publication (Albin Michel).
Histoire du monde, dirigée par E. Cavaignac (De Boccard).
Histoire de la nation française, dirigée par Gabriel Hanoteaux (Plon, 1920-1929).

Histoire des colonies françaises, dirigée par G. Hanoteaux et Alfred Martineau.
Les Grandes Études historiques (Fayard).
La série des « Vies quotidiennes » (Hachette).
La Section historique de la Collection Armand Colin.
L'Histoire des civilisations aux Presses Universitaires de France.
Les Grandes Civilisations (Arthaud) en 15 vol., etc.

Il faut faire une place spéciale au mouvement de *Synthèse historique*, dont Lucien Fèbvre fut le théoricien et l'animateur. Sous l'impulsion actuelle de **Fernand Braudel** (né en 1902), cette école a renouvelé l'esprit des recherches historiques et vivifié l'enseignement de l'Histoire.

En géographie, il existe aussi des classiques dont la valeur littéraire est certaine. Après le fameux *Tableau de la France* de Michelet, signalons celui de **Vidal de La Blache** (1845-1918), non moins digne d'admiration. C'est sous la direction de ce dernier et de Lucien Gallois qu'a paru la monumentale *Géographie universelle*, somme jusqu'à présent inégalée au monde. Avant même qu'elle soit tout à fait achevée, commence la publication d'une nouvelle série, *Orbis* (PUF).

Le docteur **Gustave Le Bon** (1841-1931) s'est brillamment spécialisé dans les études de psychologie collective (*Psychologie des foules*, 1895).

Ces noms ne sont plus tout récents. Dans la deuxième génération nous en citerons d'autres; mais en 1918 ils étaient les maîtres de l'heure, et en 1960 ils restent les maîtres des maîtres d'aujourd'hui. Ainsi ils agissent encore.

La critique

Sur ce point, il est plus impossible encore de nous étendre. Signalons seulement que la critique universitaire connut une remarquable impulsion grâce à la méthode scientifique de **Gustave Lanson** (1857-1934).

On a beaucoup critiqué Lanson au nom de l'intuition, du goût, de la fantaisie, etc. Il n'en reste pas moins qu'il a formé une équipe de chercheurs qui ont véritablement créé l'Histoire littéraire française. Grâce à eux, la France possède sans doute la plus remarquable bibliothèque qui existe au monde d'ouvrages critiques et historiques sur sa propre littérature et sur les littératures étrangères. En ces trente dernières années, il n'est pas d'auteur antique, classique ou récent, auquel il n'ait été consacré un ou plusieurs ouvrages méthodiques de haute tenue.

Ferdinand Brunot (1860-1938) a publié à partir de 1905 une gigantesque *Histoire de la langue française*, travail d'une science et d'un génie incomparables. En linguistique, **Antoine Meillet** (1866-1936) fut le chef d'une école qui a mis la science philologique française au tout premier rang.

Hors de la critique historique et universitaire, les principaux noms sont :

Albert Thibaudet (né à Mâcon en 1874, mort en 1936), qui, au jugement de Bergson, est le plus grand critique français après Sainte-Beuve, ou peut-être même avant lui. Il est vrai que Thibaudet était bergsonien! En dehors de toute thèse philosophique, on lui reconnaîtra une merveilleuse intelligence de critique et un style d'une truculence très originale. Tout en tenant grand compte des données historiques, il s'apparente à la critique d'essais. Outre ses ouvrages sur Maurras, Barrès, Bergson, Flaubert, Valéry, Mistral, Amiel, Mallarmé, etc., il a publié des essais sur des sujets divers, et tenu pendant vingt ans la rubrique de critique littéraire à la *Nouvelle Revue Française*. Sur sa méthode, on lira sa *Physiologie de la Critique* et *Réflexions sur la Critique*.

Consulter :
Alfred Glauser
A. Thibaudet et la Critique créatrice *(Boivin, 1952)*.
J.-C. Davies
L'œuvre critique d'Albert Thibaudet *(Droz, 1955)*.
Marcel Devaud
Albert Thibaudet, critique de la poésie et des poètes *(Éd. Univ., Fribourg, 1967)*.

André Suarès (né à Marseille en 1866, mort en 1948) s'appuie sur une philosophie un peu confuse, sorte de romantisme wagnérien, qui colore fortement ses œuvres et son style. On lui doit de belles pages d'inspiration personnelle : *Sur la mort de mon frère*, *Cressida*, *le Voyage du condottiere* (1910-1932). Il a surtout composé d'admirables portraits de grands hommes : Shakespeare, Pascal, Dostoïevski, Debussy, Tolstoï, etc. Sa manière contraste avec la critique dogmatique d'un Brunetière, qu'il a contribué à détruire, et aussi avec la critique historique de Lanson. Avec Péguy, Suarès a maintenu les droits de la critique d'idées et renouvelé l'art du portrait et de l'essai (cf. *Pages*, Pavois, 1948). On lira aussi sa *Correspondance* avec Claudel (1951).

Consulter :
G. Savet
André Suarès, critique *(Didier, 1959)*.

Paul Léautaud (né à Paris en 1872, mort en 1956) fut une personnalité des plus curieuses. Solitaire et maniaque, d'une pauvreté héroïque, il s'est taillé une belle réputation de férocité. Nous ne le croyons pas si méchant, mais son intelligence aiguë ne laisse pas passer facilement les faux-monnayeurs de la gloire. On lira *Mélanges*, *Passe-temps*, son *Théâtre de Maurice Boissard*, son *Journal littéraire* en 19 volumes et ses fameux *Entretiens avec Robert Mallet* (1951).

Consulter :
Marie Dormoy
Léautaud *(Gallimard, 1958)*.
Numéro spécial du Mercure de France *(mai 1957)*.
Auriant
Une vipère lubrique *(L'ambassade du Livre, 1965) (pamphlet systématique contre Léautaud)*.

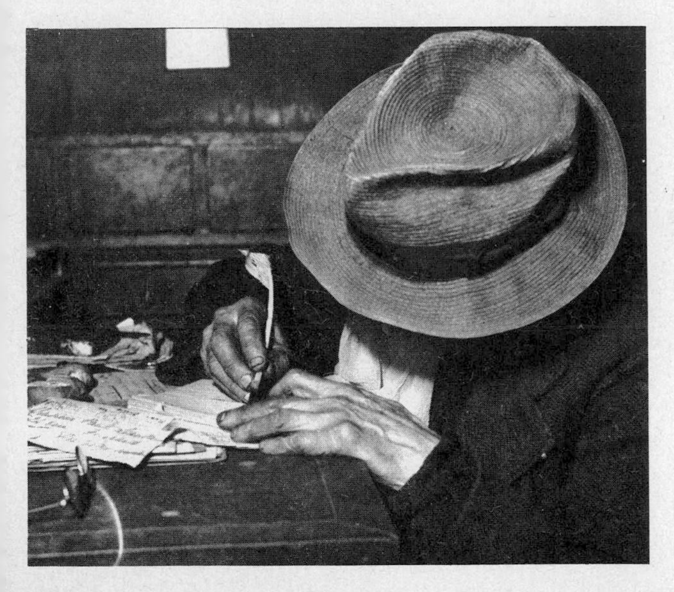

Paul Léautaud.

Edmond Jaloux (né à Marseille en 1878, mort en 1949) est un romancier délicat (*l'Incertaine*, *Le reste est silence*, *la Chute d'Icare*...), mais il agit surtout par sa critique. En avance sur son temps, il s'est intéressé à la littérature noire du XIXe siècle, aussi bien allemande qu'anglaise, et aussi à Rilke, à Milosz, etc. Ainsi, au-delà du réalisme, il a planté les premiers jalons, aujourd'hui bien dépassés, de la littérature moderne (*l'Esprit des livres*).

Consulter :
Yanette Delétang-Tardif
E. Jaloux *(La Table ronde, 1947)*.

Paul Souday (1869-1929) fut un critique rationaliste un peu étroit. Ses débats avec l'abbé Brémond sur la poésie pure resteront célèbres.

André Siegfried (1875-1959) fut le meilleur connaisseur des pays anglo-saxons et des problèmes relatifs aux démocraties libérales.

Consulter :
Henri Besseige
Herriot parmi nous *(Magnard, 1960.)*
Michel Soulié
La Vie politique d'Édouard Herriot *(Colin, 1963)*.
P.-O. Lapie
Herriot *(Fayard, 1967)*.

Édouard Herriot (né à Troyes en 1872, mort en 1957) fut le type du grand universitaire, à l'érudition sans défaut et au goût délicat.

Louis Artus (1870-1960) fut un parfait connaisseur du Moyen Age populaire et chrétien.

André Bellessort (1866-1942), sorti de l'Université, fut un historien de la littérature agréable, à l'ancienne mode, et écrivit de jolis récits de voyage.

Daniel Halévy (1872-1962) fut un des plus fidèles amis de Péguy. Il a abordé tous les genres et tous les sujets avec une égale honnêteté intellectuelle.

Le baron **Ernest Seillière** (1866-1955) a développé systématiquement son antirousseauisme dans plus de cinquante volumes aux vues étroites et au style pâteux.

La critique d'art offre aussi des noms innombrables. Il faut reconnaître que dans ce domaine comme dans les autres, cette génération a bien travaillé. On lui doit la plupart des grands livres qui couvrent les rayons des bibliothèques.

Autour d'**André Michel** (1853-1925) se sont groupés une belle pléiade de critiques d'art, qui ont édifié une monumentale *Histoire de l'Art* en 17 volumes. **Jules Combarieu** (1859-1916) écrivit une classique *Histoire de la Musique*, que **René Dumesnil** (1879-1967) a magistralement complétée (1960).

Émile Mâle (1862-1954), dont les travaux définitifs sur l'*Art religieux en France* ont contribué à renouveler l'art catholique contemporain.

Louis Gillet (1876-1943), au style excellent, qui fut aussi un bon critique littéraire.

Louis Hourticq (1875-1944), plein d'idées générales, peu amateur d'art moderne, mais d'une grande solidité sur l'art antique et classique. Qui veut connaître l'esprit de l'art français doit lire *Génie de la France* (1942).

Louis Réau (1881-1961), spécialiste de l'art de l'Europe centrale et orientale, directeur et auteur pour la plus grande partie d'une claire et précieuse *Histoire universelle des Arts* (1930-1936).

Henri Focillon (1881-1943), qui a laissé des disciples fervents, unissait à une science sans défaut une merveilleuse sensibilité esthétique (*la Vie des formes*, 1934).

Enfin il convient de faire une place toute spéciale à **Élie Faure** (né dans la Gironde en 1873, mort en 1937). Avec lui l'Histoire de l'Art s'élève à la hauteur d'une véritable philosophie de l'Histoire. Il est incomparable pour décrire et analyser une civilisation. L'étranger lui a fait une réputation plus grande que son propre pays : *Histoire de l'Art* (1909-1921), *Découverte de l'Archipel*, *l'Esprit des formes*, etc.

Ses œuvres complètes ont fait l'objet d'une belle réédition (Pauvert, 1964). Malraux lui doit beaucoup.

A ces quelques noms de la philosophie et de la critique française, il faudrait ajouter ceux des romanciers et des poètes qui ont également fait œuvre de critiques et de penseurs. C'est-à-dire presque tous. La première génération du XXe siècle fut en effet une grande génération critique. En dehors des professionnels, des écrivains comme Valéry, Claudel, Barrès, Péguy, Romain Rolland, André Gide, Schlumberger, Alain, etc., ont contribué plus que tous à rajeunir les grandes figures du passé, à mettre à leur place les modernes, et surtout à imposer les idées nouvelles. Aidés par le prestige de leur style, ce sont eux, finalement, qui ont eu le plus d'influence sur les doctrines de notre temps. Nous verrons qu'il en sera de même pour la génération suivante, qui continuera et approfondira l'action de ses glorieux aînés.

Consulter :
Hommage à Élie Faure *(Revue « Europe », 15 décembre 1937).*

Paul Desanges
Elie Faure *(Éd. Univ., 1966).*

Elie Faure

CHAPITRE II

la génération de 1920

Vers 1914 arrivait à l'âge d'homme une autre génération. Sans la guerre, la littérature nouvelle aurait sans doute commencé vers cette date. En 1913 (grande année, remarque René Lalou) paraissent simultanément le premier volume de Proust, *Barnabooth* de Valéry Larbaud, *le Grand Meaulnes* d'Alain-Fournier, *Jean Barois* de Roger Martin du Gard, *Alcools* d'Apollinaire... Le XXe siècle littéraire était lancé.

Mais la guerre survint. Elle retarda de cinq ans l'essor de cette génération et la mutila gravement. *L'Anthologie des écrivains morts à la Guerre* (1914-1918) ne comprend pas moins de 556 écrivains disparus. Parmi eux, des hommes de tout premier ordre : Péguy, Apollinaire, Émile Clermont, Paul Drouot, André Lafon, Jean-Marc Bernard, Pierre-Maurice Masson... Outre les deux premiers, trois au moins ont eu tout juste le temps de laisser une œuvre qui leur survit : **Alain-Fournier** (né dans le Cher en 1886, tué en 1914), avait donné son immortel *Grand Meaulnes* (1913); **Ernest Psichari** (né à Paris en 1883, tué en 1914), catholique d'esprit nouveau et dans la lignée de Péguy, *l'Appel des Armes* (1913) et *le Voyage du centurion* (1916); **Louis Pergaud** (né en 1882 dans le Doubs, tué en 1915), instituteur campagnard, ses histoires de bêtes : *De Goupil à Margot* (1910), *le Roman de Miraut* (1914). Jeunesse sacrifiée... Comme le dit Thibaudet, son grand écrivain, c'est peut-être

Consulter :
Jean Guéhenno
Journal d'un homme de quarante ans *(Grasset, 1934)*.

le Soldat inconnu qui repose sous l'Arc de triomphe. Ainsi affaiblie, on comprend qu'elle ait cherché appui sur la génération précédente.

A ces survivants on ajoutera les « moins de vingt ans en 1914 », qui n'ont pas eu le temps de faire la guerre. Mais ils en ont été les témoins à un âge où la sensibilité est encore tendre. Ils ont connu l'expérience de l'« arrière ». Ce fut, en un sens, aussi terrible que celle du feu. Meurtris pour toujours par le désordre inévitable des mœurs, ils ont conclu au néant des valeurs morales traditionnelles. Ce fait n'est pas étranger à la naissance d'écoles explosives comme le dadaïsme et le surréalisme.

Consulter :
On méditera utilement sur les romans autobiographiques de :
Raymond Radiguet (*1903-1923*).
Le Diable au corps.
Jean Prévost (*1901-1944*).
Dix-huitième année.

Les uns et les autres, blessés par la guerre dans leur chair ou dans leur sensibilité, forment une nouvelle couche sociale. D'abord le régime scolaire de la France a changé depuis 1902. Son humanisme traditionnel, hérité des Jésuites, s'est adapté à la vie moderne. On a augmenté la part des sciences et des langues. L'école s'ouvre davantage sur la réalité; mais certains cadres de la pensée se disloquent. D'autre part, la vie change. Les grandes inventions du XIXe siècle, simples sujets d'étonnement pour les aînés, mettent bientôt leurs merveilles à la disposition de tous et deviennent pour les jeunes les instruments de sensations nouvelles. On verra naître une littérature de l'avion, de l'auto, du steamer. Les distances se raccourcissent, les pays étrangers se rapprochent et le Français, qui jusqu'alors voyageait assez peu, se lancera sur les routes du monde. Le monde lui-même deviendra trop petit; l'éternel besoin d'évasion, incapable désormais de s'assouvir dans des régions trop connues, se tournera vers des aventures intellectuelles autrement passionnantes!

Les écrivains rapprendront les joies du corps et de l'action. Finis l'« homme de lettres », le « rat de cabinet », le « cher maître »! Jean Prévost fera l'apologie du sport; Jean Giraudoux sera joueur de rugby; Paul Morand parcourra toutes les ambassades du monde, un verre de champagne à la main et une orchidée à la boutonnière. Le cinéma commence à revendiquer sa part. Non seulement les écrivains seront amenés à travailler pour l'écran, mais même ils s'inspireront de ses techniques. La radio, de son côté, leur prêtera sa voix; en retour elle agira sur leur art, sur leur style; car toute forme de l'expression détermine plus ou moins son contenu.

Consulter :
Gilbert Prouteau
Anthologie des textes sportifs de la littérature *(Défense de la France, 1948).*

Quelles que soient ses tendances philosophiques, cette génération vit sous le signe de la *mobilité*. La plupart de ses maîtres l'y incitaient, puisqu'ils avaient déjà sapé le rationalisme : Bergson et Péguy au nom de l'intuition, Gide de la disponibilité, Proust de la durée pure... Et voilà maintenant que Freud ouvre les vannes de l'inconscient, que Pirandello nie toute vérité absolue... Les jeunes poussent à fond ces tendances. Ainsi cette époque est le lieu de toutes les audaces.

Le point de rassemblement de ces écrivains (les jeunes et les moins jeunes) fut la *Nouvelle Revue Française*. Fondée en 1909 par André Gide, Jacques Copeau et Jean Schlumberger, animée par Jacques Rivière, puis par Jean Paulhan, elle réunit bientôt la majorité des noms qui comptaient alors. Ensuite elle s'adjoignit une maison d'éditions, Gallimard, qui publia la plupart des grands textes. Accessible à toutes les nouveautés, elle rendit des services considérables aux lettres françaises. Peut-être lui reprochera-t-on d'avoir vers la fin imposé un certain « ton » qui lui était particulier. Le style de cette maison était à la fois très intelligent et très artiste, avec des relents de symbolisme, certaines complaisances pour le surréalisme et un goût marqué pour tous les entrechats. Elle a ainsi déterminé une espèce de snobisme, et même d'académisme, aussi détestable que l'autre... Malgré ces quelques réserves, c'est dans la collection de cette revue qu'on ira chercher le meilleur de la pensée française entre les deux guerres.

Consulter :
L. Morino
La NRF dans l'histoire des Lettres *(Gallimard, 1939)*, et surtout les travaux d'Auguste Anglès, en cours de publication.

Isolés et fantaisistes

Tous les hommes qui avaient atteint la trentaine vers la fin de la Première Guerre ne sont pas des novateurs. On remplirait des catalogues avec les noms de ceux qui écrivent des vers à la manière classique, ou romantique, ou pseudo-romane, ou qui sont simplement des symbolistes attardés. Il en est aussi qui ont fait une œuvre d'un ton très personnel, sans qu'on puisse les rattacher à un grand mouvement idéologique ou esthétique de ce temps. Voici les principaux :

Vincent Muselli (1879-1956) a recueilli sans souci d'école tout l'héritage des thèmes et des techniques traditionnels. Poète délicat, il n'en conserve pas moins une sève vigoureuse. On lira de lui : *les Travaux et les Jeux*, *les Strophes de Contre-fortune* (1931), *les Masques* et *les Sonnets moraux*, des *Épigrammes*, des *Chansons*, dont un excellent choix intitulé *Œuvre poétique de Vincent Muselli* (1957).

Consulter :
J. Loisy
Vincent Muselli *(Points et Contrepoints, 1961).*

Valéry Larbaud (né à Vichy en 1881, mort en 1957) créa en 1913 un type curieux et complexe, « Barnabooth », qui subit toutes les influences de Baudelaire

Valéry Larbaud.

à Gide. Poésie pour dilettantes et grands voyageurs. Depuis, il s'est spécialisé dans la critique d'essais sur des sujets français et anglais. Il réunit ses *Œuvres complètes* (10 vol., 1950-1955) et publia son important *Journal* avant de mourir.

Consulter :
G. Jean-Aubry
Valéry Larbaud *(Éd. du Rocher, 1949).*
Bernard Delvaille
Valéry Larbaud *(Seghers, 1963).*

Henry Charpentier (né à Paris en 1889) a construit son œuvre dans le sillage de Mallarmé. Poésie hautement philosophique : *Odes et Poèmes* (1932).

Léo Larguier (1878-1950) s'est adonné patiemment, en vrai indépendant, à ses fameux *Quatrains d'automne.*

Marie Noël (née à Auxerre en 1883, morte en 1967), poétesse catholique, chante sous l'élan de sa foi. Poésie populaire, ingénue, touchante, qui parle au cœur : *les Chansons et les Heures* (1922), *le Rosaire des joies* (1930), *Chants et Psaumes d'automne* (1947). Toutes ses œuvres poétiques ont été réunies en 1957 (Stock). Ses *Chants d'arrière-saison* (1961) ont contribué à sa tardive et légitime consécration.

Consulter :
André Blanchet
Marie Noël *(Seghers, 1961).*
Michel Manoll
Marie Noël *(Éd. Univ., 1962).*

Roger Allard (né à Paris en 1885) est un fantaisiste tempéré par le souci constant de la perfection formelle. Pendant la guerre, il a écrit d'émouvantes *Elégies martiales* (1918). Ses *Poésies légères* (1930) sont agréables. De nos jours, il se consacre surtout à l'étude des papillons.

Fernand Fleuret (né dans la Manche en 1884, mort en 1945), joyeux compagnon d'Apollinaire, mérite qu'on relise ses vers spirituels et satiriques (*Friperies*, 1907, *le Carquois du sieur Louvigné du Dézert, rouënnois*, 1912, *Falourdin, macoronée satirique*).

Francis Carco (né en Nouvelle-Calédonie en 1886, mort en 1958) a mis en vers dès 1912 ses premiers souvenirs de jeunesse : *la Bohème de mon cœur.* Ensuite il n'a guère écrit — outre ses nombreux romans (cf. p. 135) — que des chansons simples,

Francis Carco.

parfois vulgaires, sans prétentions à la haute poésie, mais où revit le charme de Montmartre. Ses *Poèmes en prose* (1948) constituent une jolie collection de croquis.

Consulter :
Philippe Chabaneix
Carco *(Seghers, 1949).*

Philippe Chabaneix (né en 1898) publie régulièrement des poèmes nourris d'une sensibilité douce et discrète, et remarquables par la plénitude de la forme, depuis *les Tendres Amies* (1932) jusqu'aux *Sources de la nuit* (1955).

Consulter :
A. Blanchard
et R. Houdelot
Philippe Chabaneix
(Seghers, 1966).

Jean Pellerin (né dans l'Isère en 1885, mort en 1921) sut créer un genre cocasse pour décrire ses sentiments de soldat démobilisé : *la Romance du retour* (1921), *le Bouquet inutile* (1923). Son art, très original, est d'une perfection achevée.

Tristan Derême (né à Marmande en 1889, mort en 1941) est un virtuose dans la tradition de Théodore de Banville. Mais il sait admirablement mêler des sentiments tendres, élégiaques, parfois désespérés, à ses cabrioles de poète-clown : *la Verdure dorée* (1922), *le Ballet des muses* (1929) et tout un bestiaire multicolore : *le Poisson rouge* (1934), *l'Escargot bleu* (1936), *la Tortue indigo* (1937), *l'Onagre orangé* (1939).

Georges Gabory (né en 1899) est un poète sentimental et ironique dans le mode verlainien (*la Cassette de plomb*, 1920, *Cœurs à prendre*, 1920, *Poésies pour dames seules*, 1922).

Odilon-Jean Périer (né à Bruxelles en 1901, mort en 1928) mérite qu'on n'oublie pas son *Combat de la neige et du poète* (1922) ni son *Promeneur* (1927), bien que, selon ses prévisions, il n'ait pas « chanté très haut ni très longtemps. »

Catherine Pozzi (née à Paris en 1882, morte en 1934) atteint à une sorte de perfection dans un registre profondément, quoique discrètement religieux (*Poèmes*, 1959).

André Berry (né à Bordeaux en 1902) perpétue une certaine tradition de poésie « gasconne », souvent inspirée, parfois débraillée, ou au contraire érudite, et se trouve au centre de toute une école provinciale et populaire (*le Trésor des lois*, 1946, *Songe d'un païen moderne*, 1951, etc.).

Tous ces poètes sont indépendants. S'ils sont de « leur temps » (comment y échapperaient-ils?), ils n'expriment pas l'esthétique de leur temps. Ils auraient écrit à peu près de la même façon en un autre siècle. C'est peut-être après tout, pour ces poètes mineurs mais charmants — et quelquefois émouvants — la meilleure chance de n'être jamais démodés.

Ici, nous insérons **Léon-Paul Fargue** (né à Paris en 1876, mort en 1947). Celui-ci ne s'est agrégé à aucune école, bien qu'il les ait côtoyées toutes. Influencé par le symbolisme de Verlaine et de Laforgue, familier des peintres et des musiciens d'avant-garde, très favorable même aux poètes surréalistes, ses amis, Fargue n'a pas voulu choisir, il est resté lui-même. Tout au plus pourrait-on le classer dans les poètes de la *Nouvelle Revue Française* (dont il fut l'un des fondateurs) dans la mesure où ce groupe constitue une école. Ses œuvres resteront, car nul n'a su concilier mieux que lui l'humanisme et la vie moderne. Grâce

Léon-Paul Fargue.

à Fargue, les grandes villes et leurs machines s'enrobent de poésie douce. Des sensations nouvelles jaillissent en images vives, en mots clairs dont l'humour, souvent, dissimule mal l'effusion d'un cœur trop tendre. *Tancrède* (1911), *Poèmes* (1912), *Sous la lampe* (1929), *D'après Paris* (1931), *Haute Solitude*, où le vers régulier alterne avec le vers libre ou avec la prose poétique, pâlissent auprès du *Piéton de Paris* (1932). Tous ses recueils poétiques sont réunis sous le titre *Poésies* (1963), avec une belle préface de Saint-John Perse.

Consulter :
Hommage à L.-P. Fargue *(Cahiers du Sud n° 285, 1947).*
André Beugler
Vingt ans avec Léon-Paul Fargue *(Milieu du Monde, Genève, 1952).*
Claudine Chonez
Léon-Paul Fargue *(étude et textes — Seghers, 1950).*

Son ami **Marcel Abraham** (1898-1955) a réuni en 1953 (*Routes*, 1920-1953) ses beaux poèmes, d'une sensibilité tour à tour ironique et mélancolique.

L'unanimisme

Avant 1914, de nombreux essais avaient été tentés pour faire cesser l'anarchie littéraire. (Voir Florian Parmentier : *Histoire contemporaine des Lettres françaises de 1885 à 1914.*) Synthétisme, intégralisme, impulsionisme, aristocratisme, sincérisme, subjectivisme, druidisme, intenséisme, simultanéisme, dynamisme, etc., et surtout le futurisme, en 1911, avec l'Italien Marinetti (1876-1944), voulurent successivement rassembler tous les écrivains autour d'un concept. Ils échouèrent l'un après l'autre, et rien ne sortit de cette poussière d'écoles. L'une d'elles, pourtant, eut une destinée plus longue et plus brillante : l'unanimisme, fondé en 1909.

Parmi ses ancêtres, l'unanimisme compte le grand poète belge Émile Verhaeren (1855-1915), génie viril qui a su allier au romantisme halluciné des Flandres le sens de la vie moderne. Il descend aussi de Victor Hugo, naturellement.

En fait, l'unanimisme, distinct du groupe de l'Abbaye, — « l'Abbaye » de Créteil, où Duhamel et ses amis se réunissaient dès 1906 — se nourrit de tendances très diverses; on y décèle aisément les influences du romantisme, de Baudelaire, du symbolisme, de Whitman, de Zola, de Durkheim, etc. Mais tous ces éléments se fondent dans un puissant mysticisme social. Ses thèmes sont collectifs : naissance d'un village, premiers pas de l'humanité, progression de la civilisation d'est en ouest tout autour de la terre, conscience de l'Europe, âme des grandes villes, grand rêve de république universelle, hymne à l'instruction et à l'instituteur, « calme fantassin » de la paix, telles sont les idées essentielles pour lesquelles se passionne un petit groupe d'hommes jeunes et intelligents, volontaires et souvent inspirés, groupés autour de Jules Romains, leur chef. Pour s'exprimer, ils inventèrent une versification hardie, ayant pour but d'établir un ordre nouveau après l'anarchie du vers libre : ce fut le *Petit Traité de versification* (1923) de Jules Romains et Georges Chennevière. A l'usage, cet

Consulter :
M.-L. Bidal
Les Écrivains de l'Abbaye
(Boivin), 1938.

Gilbert Guisan
Poésie et Collectivité
(Lausanne, 1938).

instrument poétique se révéla médiocre et Romains seul semble encore croire à son efficacité.

Jules Romains (né en 1885 dans la Haute-Loire) sera étudié plus loin comme romancier (cf. p. 176) et comme dramaturge (cf. p. 200). Comme poète, il a poursuivi lentement une œuvre qui comprend de nombreux volumes, depuis *la Vie unanime* (1908)

Jules Romains.

jusqu'à *l'Homme blanc* (1937), à *Pierres levées* (1948) et à *Maisons* (1954). *L'Homme blanc* est une véritable épopée de la civilisation. Il est précédé d'une importante préface, où Romains pose, avec sa lucidité habituelle, le problème de la poésie française contemporaine. En 1948, a paru un *Choix de poèmes* (Gallimard).

Consulter :
André Figueras
Jules Romains *(Seghers, 1952).*

Georges Chennevière (né à Paris en 1884, mort en 1927), esprit modeste et discret, fut un peu écrasé par la forte personnalité de son ami Jules Romains. Il a pourtant laissé après sa mort prématurée un excellent recueil, où la doctrine unanimiste se tempère de poésie intime : *Œuvres poétiques* (1929).

D'autres écrivains de renom ont participé au groupe de l'Abbaye. Ce sont : **René Arcos** (né en 1881) et son *Sang des autres* (1918), **Charles Vildrac** (cf. p. 199) son *Livre d'amour* et ses *Chants du désespéré* (1920), **Georges Duhamel** (cf. p. 177) et ses *Élégies* (1920), **Luc Durtain** (cf. p. 168) avec *Lise* (1919), **Pierre-Jean Jouve** (cf. p. 116) avec ses *Tragiques* (1923), etc. Une revue éphémère, mais riche, les groupa momentanément : *le Mouton blanc*. Bien des talents, illustres aujourd'hui, y ont fait leurs débuts.

Mais tous les auteurs qu'on vient de citer sont sortis très tôt de la poésie pour devenir des romanciers ou des dramaturges; ou bien, s'ils sont demeurés des poètes, comme Jouve, ils sont sortis de l'unanimisme. Chennevière étant mort, Jules Romains demeure seul à porter tout le poids de son école. Et encore depuis longtemps néglige-t-il ses vers au profit de ses romans. Bien que certains de ses thèmes survivent, avec son chant de joie et son besoin de communion, chez quelques poètes plus récents comme **Gabriel Audisio** (né à Marseille en 1900), chantre de l'humanisme méditerranéen : *l'Homme au soleil* (1923), *Ici-bas* (1927), *Blessures* (1940), on peut considérer ce mouvement comme terminé — ce qu'Audisio commente dans *Misères de notre poésie* (1943). Il lui reste cependant le mérite d'avoir contribué à former quelques bons écrivains de cette génération et d'avoir produit trois ou quatre recueils de vers encore lisibles.

Le courant surréaliste

Le surréalisme a réussi, là où tant d'autres avaient échoué auparavant. Il faut croire qu'après la guerre le monde était plus mûr pour l'aventure. Toujours est-il qu'il est devenu, bon gré mal gré, le principal courant poétique du siècle. Son importance est apparue en 1945. Quand les Français — entre autres bilans — ont fait celui de leur poésie, ils ont découvert

Consulter :
Maurice Nadeau
Histoire du surréalisme
(Éditions du Seuil, 1945).
Maurice Nadeau
Documents surréalistes
(Éditions du Seuil, 1948).

Marcel Raymond
3e partie de l'ouvrage déjà cité : De Baudelaire au surréalisme *(L'Aventure et la Révolte).*

Ferdinand Alquié
Philosophie du surréalisme *(Flammarion, 1955).*

Victor Crastre
Le Drame du surréalisme *(Éd. du Temps, 1963).*

Jean-Louis Bédouin
La Poésie surréaliste *(anthologie — Seghers, 1964).*

que neuf sur dix de leurs meilleurs poètes contemporains avaient été formés par le surréalisme.

Il est l'expression brutale des convulsions modernes. Il rend périmées toutes les recettes de sagesse. Il ouvre l'esprit à la révolte. Il crée le chaos et recommence inlassablement la construction du monde. Les rassurants critiques de 1925, installés frileusement dans leur rêve d'immobilité éternelle, ne se doutaient guère de l'ampleur de cette révolution. Aujourd'hui l'histoire de la littérature entre les deux guerres doit lui accorder la première place.

Ses antécédents

Consulter :
Albert Béguin
L'Ame romantique et le rêve *(Corti, 1939).*

Denis Saurat
La Religion de Victor Hugo *(Hachette, 1929).*

Le surréalisme a des ancêtres. Sans parler du romantisme allemand, on pourrait trouver, en France même, une tradition littéraire qui l'annonce. D'excellentes études ont mis l'accent sur l'importance des éléments occultes dans la poésie française :

La littérature française, qu'on a crue trop longtemps raisonnable et classique, s'est abreuvée, elle aussi, aux sources du mystère : le Moyen Age, Sade, Nerval, Lautréamont, Rimbaud et d'autres l'attestent. Et les anthologies de Pierre Castex : *Anthologie du Conte fantastique moderne* (Corti, 1947), de Robert Amadou et Robert Kanters : *Anthologie littéraire de l'occultisme* (1953), de Roger Caillois : *Anthologie du Fantastique* (Gallimard, 1966), de Louis Vax : *la Séduction de l'Étrange* (PUF, 1965), de la revue « Planète » : *les Chefs-d'œuvre du Fantastique* (1967).

Guillaume Apollinaire de Kostrowitzky (né à Rome en 1880, mort en 1918) était le fils d'une princesse polonaise et d'un officier italien d'origine suisse. Bien français pourtant par son éducation, très patriote même, il s'est engagé en 1914, et il a été victime des suites indirectes d'une blessure. Malgré les dates de sa naissance et de sa mort, il appartient plutôt à la

Guillaume Apollinaire.

génération de 1920, qu'il a orientée plus que tout autre vers « l'esprit nouveau », après que, dès 1908, il eut opéré son « changement de front ». Légitimement, les surréalistes se sont réclamés de lui. Son rôle fut également capital dans la définition du cubisme et dans la genèse de la peinture moderne, qu'il a aidée à prendre conscience d'elle-même. Peut-être parlera-t-on du « siècle d'Apollinaire », comme le prophétisait Max Jacob, pour définir le XXe siècle! Certains critiques ne le considèrent pas comme un très grand poète, dénonçant un certain fatras dans ses recueils posthumes, comme *Ombre de mon amour* (1948), *Tendre comme le souvenir* (1952), *le Guetteur mélancolique* (1952), qui sont surtout composés de lettres lyriques à ses marraines de guerre. Mais dans *Alcools* (1913), *Calligrammes* (1918), *Il y a* (1925), on trouvera d'une part d'admirables morceaux, d'un ton toujours juste, apparentés à « l'ancien jeu des vers », comme *le Pont Mirabeau*, d'autre part des textes qui, dans « cette longue querelle de l'Ordre et de l'Aventure » (*la Jolie Rousse*) donnent un merveilleux exemple aux créateurs de formes nouvelles (*Zone*, *les Collines*, etc.). Apollinaire est également un conteur subtil, épris de fantastique (*l'Enchanteur pourrissant*, *l'Hérésiarque et Cie*). Il a contribué enfin à renouveler l'esthétique du théâtre (cf. p. 59). On se référera à la grande édition des Œuvres complètes, procurée par Michel Décaudin (Éditions Balland et Lecat, 28, rue du Bac, Paris, 1965-1966).

Consulter :
André Rouveyre
Apollinaire *(Gallimard, 1945).*
André Billy
Apollinaire *(Études et Textes — Seghers, 1947).*
Jeanine Moulin
Textes inédits *(Droz, 1952).*
Pascal Pia
Apollinaire *(Seuil, 1954).*
Marie-Jeanne Durry
Guillaume Apollinaire : Alcools *(Sedes, 1955).*
Michel Décaudin
Le Dossier d'« Alcools » *(Droz-Minard, 1960), et l'indispensable édition de la Pléiade.*

Blaise Cendrars (né à Paris en 1887, mort en 1961) témoigne d'une œuvre rigoureusement personnelle et fondée directement sur sa vie. La poésie n'est point pour lui affaire d'école; il s'est toujours voulu le contraire d'un « homme de lettres »; aussi les critiques le négligèrent-ils longtemps. Mais quand parurent ses *Poésies complètes* (1948), il fallut se rendre à l'évidence : la littérature moderne lui doit beaucoup. Dès les *Pâques à New York* (1912) et la *Prose du Transsibérien et de la Petite Jeanne de France* (1913), Cendrars créait un style direct, dynamique, volontairement négligé, mais bouleversant, dont l'influence sur ses contemporains est indiscutable. Pour bien des innovations, même formelles, attribuées à Apollinaire, il faut laisser à Cendrars la priorité. Ses romans-films, écrits dans une sorte de prose lyrique, paraissent

Blaise Cendrars.

appartenir au domaine du merveilleux : ils sont en fait l'épopée vécue du parfait aventurier. On lira : *l'Or* (1925), *Moravagine* (1926), *les Confessions de Dan Yack* (1929), *Rhum* (1930), *Histoires vraies* (1937), *la Vie dangereuse* (1938) et surtout son autobiographie lyrique : *l'Homme foudroyé* (1945), ainsi que *Bourlinguer* (1948), *le Lotissement du ciel* (1949) et *Emmène-moi au bout du monde* (1956). Il a exprimé ses idées maîtresses dans un recueil d'essais : *Aujourd'hui* (1931), où figure en particulier son fameux *Éloge de la vie dangereuse*. Ses *Œuvres complètes* sont réunies chez Denoël (6 vol., 1960-1965).

Consulter :
J.-H. Lévesque
Blaise Cendrars *(NRC, 1948).*
Louis Parrot
Blaise Cendrars *(étude et textes — Seghers, 1948).*
Blaise Cendrars vous parle *(Denoël, 1952).*
Jean Rousselot
Blaise Cendrars *(Éd. Univ., 1955).*

André Salmon (né à Paris en 1881) fit beaucoup également pour imposer au public les nouveaux peintres, comme Rousseau, Modigliani, Derain ou Chagall. Un de ses poèmes s'appelle *Peindre* (1921) et ses dessins sont plus célèbres que ses poèmes. Ces derniers pourtant, transfiguration hallucinée du réel, sont d'une beauté d'Apocalypse : *Prikaz* (1921), *l'Age de l'humanité* (1922). Il écrit ses souvenirs (*Souvenirs sans fin*) et rassemble ses poésies (*les Étoiles dans l'encrier*, 1952).

Consulter :
Pierre Berger
André Salmon *(Seghers, 1956).*

Raymond Roussel (né à Paris en 1887, suicidé à Palerme en 1933) a inventé hors du monde (qu'il a pourtant parcouru) un univers extra-humain où seules comptent les combinaisons verbales. *La Doublure* (1897), *Impressions d'Afrique* (1910), *Louis Solus* (1914), *l'Étoile au front* (1925) impressionneront et inspireront les surréalistes. Ses œuvres complètes reparaissent chez Pauvert après 1963.

Consulter :
Numéro spécial de la revue Bizarre, *n° 34-35 (Pauvert).*
Michel Foucault
Raymond Roussel *(Gallimard, 1963).*

Max Jacob (né à Quimper en 1876, mort en 1944) eut une destinée singulière. Poète tardif, cet ami

Max Jacob.

d'Apollinaire et de Picasso écrivit d'abord des contes pour les enfants, puis des chants bretons, inventa le « druidisme », simple plaisanterie, et publia en 1917 son *Cornet à dés* qui le rendit célèbre. C'était un jeu explosif de vocables en liberté. Le but était de « transplanter » le lecteur dans une autre planète. Il y réussit et renouvela l'expérience, en 1921, dans *le Laboratoire central.* Dès 1919, toutefois, il s'était converti au catholicisme (*Défense du Tartuffe* qu'on relira dans l'édition de 1964 avec les commentaires du R.P. Blanchet). Depuis lors parurent des fantaisies souvent obscures, qui tantôt sont les pitreries d'un clown, tantôt les remords et les sanglots d'un saint. Après s'être fait l'humble portier de la basilique de Saint-Benoît-sur-Loire, le vieillard en fut arraché par les nazis. Ils le firent mourir au camp de Drancy. On lira parmi ses œuvres posthumes, ses sublimes *Méditations chrétiennes*, ses *Conseils à un jeune poète* (1945) et ses *Derniers poèmes en vers et en prose* (1945).

Consulter :
André Billy
Max Jacob *(Seghers, 1945).*
Louis Emié
Dialogues avec Max Jacob *(Corréa, 1954).*
Numéro spécial d'Europe *(1958).*
René-Guy Cadou
Esthétique de Max Jacob *(Seghers, 1956).*
Pierre Andreu
Max Jacob *(Wesmael-Charlier, 1962).*

Pierre Reverdy (né à Narbonne en 1889, mort en 1960 près de l'abbaye de Solesmes) commença à publier d'étranges vers dans des revues comme *Sic* et *Nord-Sud.* Il a surtout subi l'influence de Rimbaud, « Le poète, dit-il, se tient à l'intersection du rêve et de la réalité. » C'est là que prennent naissance de bouleversantes images, dont Reverdy est le magicien. Poésie hermétique, illogique, amorale, nature morte, qui provoque chez le lecteur une angoisse intolérable. Ses premiers poèmes (1915-1922) ont été réunis sous le titre : *Plupart du temps* (1945). Autres recueils prinpaux : *les Épaves du ciel* (1924), *Flaques de verre* (1929), *Ferraille* (1937), *Plein verre* (1940), *Sources du vent* (1945) réunis dans *Main-d'Œuvre* (1949). Les notes du *Gant de crin* (1927) et du *Livre de mon bord* (1948) éclairent son art.

Pierre Reverdy.

Consulter :
J. Rousselot-M. Manoll
P. Reverdy *(études et textes — Seghers, 1951).*
Hommage à Pierre Reverdy *(Le Point, 1961).*

Tristan Tzara (né à Moinesti, Roumanie, en 1896, mort en 1963), fonda dès 1916, à Zurich, le groupe « Dada » qui se transporta à Paris, vers 1919, et se confondit dans les autres courants parisiens. Depuis

Consulter :
René Lacôte
Tristan Tzara *(Seghers, 1952).*
G. Ribemont-Dessaignes
Déjà jadis... *(Julliard, 1958).*
Michel Sanouillet
Dada à Paris *(Pauvert, 1965).*
Bibliographie des œuvres de Tristan Tzara *(Bergruen, 1951).*

la *Première aventure de M. Antipyrine*, jusqu'à *la Fuite* (1947), poème dramatique, jusqu'au *Poids du monde* (1951) et à la *Face intérieure* (1953), Tzara déchaîna des mots si gorgés de substance qu'ils se fondent difficilement en une pensée définie. C'est un chaos d'images obscures. Son œuvre maîtresse reste *l'Homme approximatif* (1936), sorte d'épopée informe parsemée de vers éclatants. Son art poétique s'exprime dans l'*Antitête* (1933). Tzara s'est employé sur la fin à réconcilier le surréalisme et le marxisme. Mais il est resté prisonnier de la réputation que lui fit jadis Dada. Les principaux documents dadaïstes sont republiés dans *Lampisteries* (Pauvert, 1963).

Tristan Tzara.

L'école surréaliste

Le surréalisme proprement dit est né exactement en 1922, quand Breton et ses amis quittèrent Tzara et fondèrent la seconde série de la revue *Littérature*.

Dès lors, il vole de ses propres ailes, constitue sa doctrine, produit ses œuvres. Le terme même de « surréalisme » passe pour avoir été inventé par Apollinaire. La définition de Breton est la suivante : « Automatisme psychique par lequel on se propose d'exprimer, soit verbalement, soit par écrit, soit de toute autre manière, le fonctionnement réel de la pensée, en l'absence de tout contrôle exercé par la raison, en dehors de toute préoccupation esthétique ou morale. » Cette phrase contient, explique et justifie tous les aspects possibles du surréalisme. Il est bon d'en méditer attentivement les termes si l'on veut juger en connaissance de cause ses productions, littéraires ou autres.

La vie interne du groupe surréaliste fut extrêmement agitée. Nous renvoyons le lecteur à l'ouvrage cité de Maurice Nadeau. Les épisodes les plus importants concernent ses rapports avec le matérialisme dialectique. Pendant vingt ans, surréalistes et marxistes ont tour à tour lutté ou flirté ensemble, s'associant parfois contre un ennemi commun, se séparant à nouveau, selon les fluctuations de la vie nationale et internationale. Conversions, reniements, reconversions, expulsions, renouvellements, manifestes, les incidents ne se comptent plus. Les principaux sont l'affaire Naville (1926), la crise de 1929, l'affaire Aragon (1931), les conséquences de la guerre et de la Résistance, le retour de Breton et l'affaire Benjamin Péret (1946). Après la guerre, les pionniers du groupe surréaliste se sont retrouvés dans trois principales tendances : 1° ceux qui ont pris parti devant le péril fasciste et dans la Résistance, et qui sont devenus des écrivains *engagés* (type Éluard); 2° ceux qui n'ont pas suivi la cause de la révolution et qui ont adapté l'art surréaliste aux goûts et aux modes d'un certain snobisme capitaliste (type Salvador Dali); 3° ceux qui prétendent conserver pure la doctrine initiale, et qui politiquement s'apparentent aux trotzkystes ou aux anarchistes (type Breton). Naturellement, il faut établir des distinctions individuelles.

« Au rendez-vous des amis », tableau de Max Ernst, décembre 1922. 1. René Crevel, 2. Philippe Soupault, 3. Arp, 4. Max Ernst, 5. Max Morise, 6. Dostoïevski, 7. Raffaello Sanzio, 8. Théodore Fraenkel, 9. Paul Éluard, 10. Jean Paulhan, 11. Benjamin Péret, 12. Louis Aragon, 13. André Breton, 14. Baargeld, 15. Giorgio di Chirico, 16. Gala Éluard, 17. Robert Desnos. ▶

2
3
7
4
10

12
13
15
16
14
17
11 Benjamin Péret
12 Louis Aragon
13 André Breton
14 Baargeld
15 Giorgio di Chirico
16 Gala Eluard
17 Robert Desnos
Décembre
1922

Quelques remarques s'imposent :

— Le surréalisme n'est pas seulement un mouvement littéraire. Il a même professé un grand mépris pour la « chose littéraire ». C'est avant tout une philosophie (ou plutôt une non-philosophie) et une manière de vivre, qui s'exprime aussi bien par la musique, le cinéma, la photographie, l'invention d'objets, etc. Tous les arts subirent son influence.

— Le surréalisme n'est pas seulement français, quoiqu'il soit né en France et qu'il ait établi son siège à Paris. En 1938, l'exposition internationale du surréalisme y réunit quatorze pays du monde : Angleterre, Belgique, Espagne, Suisse, Tchécoslovaquie, Yougoslavie, Allemagne, Afrique, Japon, Mexique, Brésil, États-Unis. Pendant la guerre de 1939-1945, son centre s'est déplacé avec Breton vers les Antilles, la Martinique, Haïti, la Floride... Mais il est revenu à Paris; et c'est toujours à l'ombre de Saint-Germain-des-Prés que bat le cœur du surréalisme mondial.

Consulter :
Surréalistes étrangers, *n° 280 (1946) des Cahiers du Sud.*

Le surréalisme, aujourd'hui, n'est pas mort. Contrairement à ce qu'on aurait pu penser, la Seconde Guerre mondiale ne l'a pas rendu périmé. En 1947, une exposition a montré sa vitalité, aux États-Unis surtout. La dernière, en 1959, à Paris, a été placée sous le signe de l'érotisme. Si Breton a perdu presque tous ses disciples de la première heure, il en a conquis d'autres parmi les jeunes (cf. notre troisième partie : la génération de 1940).

Consulter :
Georges Hugnet
Petite anthologie poétique du surréalisme *(J. Bucher, 1934).*
Almanach surréaliste du demi-siècle *(La Nef, n° spécial, 1950).*
F. Alquié
Philosophie du surréalisme *(Flammarion, 1955).*

Le surréalisme n'a pu réussir à *changer le monde*, comme il le voulait, mais il a profondément influencé le style de son époque. Aujourd'hui, on retrouve partout ses éléments, dégradés ou vulgarisés, dans bien des objets de la vie moderne, dans les affiches, dans la mode, ou dans les slogans publicitaires...

Ses principales personnalités sont :

André Breton (né dans l'Orne en 1896, mort en 1966), le chef incontesté du mouvement. Il en est aussi, sinon le fondateur (ce titre paraît revenir à Jacques Rigaut et à Jacques Vaché, suicidés tous deux), du moins le principal théoricien. Breton fut une des intelligences les plus aiguës de ce temps. Aucun de ses amis n'égale la puissance de sa dialectique, nourrie à la fois de philosophie classique et de matérialisme marxiste. On lui a reproché son esprit autoritaire, son intransigeance à la Saint-Just, ses allures de pape... Sans doute, mais c'est à ce prix qu'il est demeuré la conscience de son école, seul accroché contre vents et marées à un idéal qui n'a pas varié. Sa doctrine s'exprime surtout dans ses *Trois Manifestes* (1924, 1930, 1942) réimprimés en 1946 (Sagittaire). Également dans *les Champs magnétiques* (écrits avec Philippe Soupault, 1921), *Qu'est-ce que le surréalisme?* (Bruxelles, Henriquez, 1934), *Position politique du surréalisme* (Sagittaire, 1935), etc. Il est poète aussi, si l'on peut appeler poésie un tissu d'hallucinations violentes, nées sans cause sous la dictée de l'inconscient et associées selon un rythme irréductible à toute loi. Pour goûter Breton, il faut s'abandonner à cette orgie d'images denses : *les Pas perdus* (1924), *Nadja* (1928), *Ralentir Travaux* (1930, avec Éluard et Char), *le Revolver à cheveux blancs* (1932), *les Vases communicants* (1932), *l'Amour fou* (1937), *Ode à Charles Fourier* (1937), *Arcane 17* (1947), *Constellations* (1959), etc. On prendra plaisir à sa curieuse *Anthologie de l'humour noir* (Sagittaire 1945, nouvelle édition 1950). En 1949, ont paru des Morceaux choisis (Gallimard).

Consulter :
Julien Gracq
André Breton *(Corti, 1948).*
M. Carrouges
André Breton et les données fondamentales du surréalisme *(Gallimard, 1950).*
J.-L. Bédouin
André Breton *(études et textes — Seghers, 1950).*
Claude Mauriac
André Breton *(Éditions de Flore, 1949).*
André Breton. Essais et témoignages par ses disciples et amis *(Baconnière, 1950).*
André Breton. *Numéro spécial de la NRF, avril 1967.*

Louis Aragon (né à Paris en 1897) incarne à ses débuts, plus encore que Breton, l'esprit de révolte. Il aimait le scandale et entreprit de choquer le public bourgeois. Il y réussit admirablement dans ses traités en prose : *Anicet* (1921), *le Libertinage* (1924), *le Traité du style* (1929). Plus profond est son *Paysan de Paris* (1926), prose magique qui s'élève aux vertus de la poésie par une sorte de fantastique quotidien. En poésie proprement dite, ses premières œuvres sont le très sincère *Feu de joie* (1917-1919), *le Mouvement perpétuel* (1925), *la Grande Gaieté* (1929). Comme romancier (cf. p. 126), puis comme grand poète national, nous retrouverons un nouvel Aragon, admi-

Consulter :
Claude Roy
Aragon *(Seghers, 1945).*
Hubert Juin
Aragon *(La Bibliothèque idéale, NRF. 1960).*
Roger Garaudy
L'Itinéraire d'Aragon *(Gallimard, 1961).*

Georges Raillard
Aragon *(Éd. Univ. 1964).*
Jean Sur
Aragon, le réalisme de l'amour *(Centurion, 1966).*
Georges Sadoul
Aragon *(Seghers, 1967).*

rablement doué, mais qui a presque totalement abandonné ses premières amours surréalistes. La transition entre les deux personnages se fait dans *Hourra l'Oural* (1934), où il chante la Russie soviétique. Sa poésie postérieure à 1940 est traitée d'autre part (cf. p. 221).

Paul Éluard (né à Saint-Denis en 1895, mort en 1952), personnalité moins dominatrice que les deux précédentes, restera sans doute comme le plus « pur » poète de sa génération. Il n'a pas eu besoin de se forcer pour rêver à voix haute. Tous les mots qu'il profère sont de douceur virile, de lumière et de bonté. Jusqu'à la guerre d'Espagne, son thème presque unique fut l'amour. Les yeux clos sur la réalité, il contemple son univers intérieur, qu'illumine le soleil de la femme aimée. Cette contemplation devient acte de foi et prière, tout comme chez Platon l'aspiration à l'Idée éternelle. Il décrit le Couple, dans son unité vivante et pensante. Sa langue est faite de mots simples, purs, aux contours exacts, auxquels il sait donner tout leur poids de matière — des mots lourds et clairs comme du diamant. Un peu de préciosité l'apparente à une certaine tradition française, de Maurice Scève à Jean Giraudoux. Son œuvre considérable comprend surtout : *Capitale de la douleur* (1926), *l'Amour, la Poésie* (1929), *la Vie immédiate* (1932), *la Rose publique* (1934), *les Yeux fertiles* (1939), *Donner à voir* (1939), etc., réédités dans *La jarre peut-elle être plus belle que l'eau?* (1951). On trouvera ses meilleures pages dans *Choix de poèmes* (1914-1941). Avant la Seconde Guerre mondiale, dès la guerre d'Espagne, il s'engagea résolument dans la poésie militante (cf. p. 220). Mais, contrairement à son ami Aragon, son art n'a nullement rejeté l'esprit et la forme du surréalisme, dont l'esthétique correspond à sa vision poétique du monde. En 1968, la monumentale édition de Lucien Schéler et l'album, dans la collection de la Pléiade, lui donnent droit de cité parmi les classiques.

Consulter :
Michel Carrouges
Éluard et Claudel *(Seuil, 1945).*
Louis Parrot et Jean Marcenac
Paul Éluard *(Seghers, 1953).*
Numéros spéciaux des Cahiers du Sud *(315, 1952) et* d'Europe *(1953).*

René Char (né dans le Vaucluse en 1907) est entré dans le groupe vers 1930. Tout de suite, il en a été une des figures les plus marquantes. D'atmosphère méridionale, sa poésie est solide comme du fer. C'est une espèce de classique du surréalisme. Son œuvre peu volumineuse comprenait avant 1938 plusieurs petites plaquettes, dont *le Marteau sans maître* (1934). Sorti du groupe, il écrivit quelques-uns des plus beaux poèmes de la Résistance : *Seuls demeurent*, *Feuillets d'Hypnos*. Puis il s'enfonce dans un art dense, concis, difficile, mais toujours pénétré d'un humanisme généreux — la quintessence d'Éluard, en quelque sorte. Après *Fureur et Mystère* (1948), qui réunit toute son œuvre depuis 1938, il sécrète lentement de précieuses plaquettes, dont la jeunesse française se nourrit avidement, et qui sont réunies dans *Recherche de la Base et du Sommet* (1965). Le recueil *Commune Présence* (1964) constitue un excellent choix, préfacé par Georges Blin.

Consulter :
Georges Mounin
Avez-vous lu Char? *(Gallimard, 1946).*
Pierre Guerre
René Char *(Seghers, 1961).*
Greta Rau
René Char ou la poésie accrue *(Corti, 1957).*
Numéro spécial de la Revue L'Arc *(22).*

Robert Desnos (né en 1900, mort en 1945) fut un poète authentiquement onirique : son inspiration prend naissance dans le rêve. Comme tel, ce fut un des plus étonnants phénomènes de la « centrale surréaliste ». Il est l'auteur de beaux recueils : *la Liberté ou l'Amour* (1927), *Corps et Biens* (1930), *Fortunes* (1942). Entré lui aussi dans la Résistance, il ajouta à sa lyre une « corde d'airain » pour prêcher la révolte (cf. p. 223). Les nazis le déportèrent à Terezin en Bohême, où il mourut. Un bon *Choix de poèmes* parut aux éditions de Minuit (1945), et, mieux, en 1953, sous le titre *Domaine public*, ses poèmes furent réimprimés par Gallimard.

Consulter :
Pierre Berger
Robert Desnos *(Seghers, 1949).*
Youki Desnos
Souvenirs *(Fayard, 1957).*

Philippe Soupault (né à Chaville en 1897) écrivit *les Champs magnétiques* (1921) en collaboration avec André Breton. Ses poésies complètes furent réunies en 1937 et publiées chez G.L.M. Elles sont extrêmement intéressantes, mais jusqu'à présent n'ont pas conquis la grande célébrité, sauf quand elles prennent la forme de *Chansons* (1952). Il a produit également des romans, de remarquables études critiques : *Labiche* (1946), et s'est fait le présentateur de plusieurs peintres et poètes, en particulier de Lautréamont (Seghers, 1946) et d'Alfred de Musset (Seghers, 1956).

Consulter :
Henri-Jacques Dupuy
Philippe Soupault *(Seghers, 1957).*

René Crevel (né à Paris en 1900, mort en 1935) a beaucoup écrit jusqu'à son suicide héroïque, déterminé, semble-t-il, par le désespoir de voir séparés ses amis surréalistes et communistes. *Détours* (1924), *Mon corps et moi* (1925) sont de difficiles entreprises de synthèse poétique. Il réussit mieux dans sa satire de la bourgeoisie : *Etes-vous fous?* (1929), *Les pieds dans le plat* (1933), etc. *Le Clavecin de Diderot* (1932, réédité en 1966) fait preuve d'une belle violence dans un esprit de totale liberté. Avec Vaché et Rigaut, Crevel est un des « héros » du surréalisme.

Consulter :
Robert Montero
René Crevel *(Seghers)*.

Michel Leiris (né en 1901) a quitté lui aussi l'école surréaliste, mais reste fortement influencé par sa première expérience. De ses premiers recueils, on retiendra : *Simulacre* (1925), *le Point Cardinal* (1927) et *Aurora* (écrit en 1928, publié seulement en 1946), étrange histoire d'amour racontée avec une folle imagination. Ajoutons *l'Age d'homme* (1939), précédé de *De la littérature considérée comme une tauromachie* et *Haut-Mal* (1943). *Biffures* (1948) et *Fourbis* (1955), en attendant *Fibrilles* (1966), rassemblent ses souvenirs et ses rêves, que *Nuits sans nuit* (1960) explore systématiquement.

Consulter :
Maurice Blanchot
La Part du feu *(Gallimard, 1949)*.

Benjamin Péret (né en 1899, mort en 1959) cultiva le scandale vers les années 1920-1930 : *Épitaphe pour un monument aux morts de la guerre*, etc. Comme Breton et Aragon, c'est un homme d'action. Ses nombreux poèmes sont des actes : *le Grand Jeu* (1928), *Je ne mange pas de ce pain-là* (1936). Il s'est engagé dans la guerre d'Espagne, a connu la prison, l'exil, et pourtant ces expériences ne l'ont pas empêché de rester attaché à une conception purement individualiste de l'art. Dans son *Déshonneur des poètes* (1946), il s'attaqua à la poésie de la Résistance. Rentré à Paris, il publie à la Revue *K* : *Un point c'est tout*, *A tâtons* (1947) et des Morceaux choisis.

Consulter :
Jean-Louis Bédouin
Benjamin Péret *(Seghers, 1961)*.

Antonin Artaud (né en 1896, mort en 1948), après des débuts éclatants dans la poésie : *l'Ombilic des*

Antonin Artaud.

limbes (1924), *le Pèse-Nerfs* (1927) et dans le cinéma, fut enfermé neuf ans dans un asile d'aliénés. Son œuvre, parfois géniale, parfois toute proche du délire, est parcourue d'extraordinaires éclairs de pensée qui renouvellent tous les vieux problèmes du théâtre, de l'art, de la morale, de la vie. (*Héliogabale ou l'anarchiste couronné*, 1934, *le Théâtre et son double*, 1938, *Artaud le Momo*, 1947, *Van Gogh*, 1947, *Pour en finir avec le jugement de Dieu*, 1948.) Ses *Œuvres complètes* sont en cours de publication (Gallimard).

Consulter :
les numéros spéciaux de la Revue 84 *(Éditions de Minuit, 1947)* et de la Revue K (*1949*), *ainsi que*
G. Charbonnier
Essai sur Antonin Artaud *(Seghers, 1959)*.

Nous citerons encore des personnalités curieuses et représentatives de leur époque, telle que **Pierre-**

Albert Birot (1885-1967), auteur d'une gigantesque épopée sans ponctuation : *Grabinoulor* (1933) et d'émouvantes et pénétrantes poésies réunies en 1967 (voir aussi l'étude et le choix de Jean Follain, Seghers, 1967); **Georges Hugnet** (né en 1906), excellent témoin et historien du mouvement; **Maxime Alexandre; Georges Ribemont-Dessaignes** (né en 1884) : *Ecce Homo* (1945); **Yvan Goll** (1891-1950), poète triste, profond et tendre du *Mythe de la Roche Percée et de Jean sans Terre* (consulter le volume de la collection Poètes d'aujourd'hui, Seghers, 1956); **Francis Picabia,** d'origine espagnole (1879-1953), qui est surtout un peintre, mais a publié treize recueils de poèmes (un *Choix de poèmes* a paru en 1947); **Salvador Dali** (né en 1904), dont les outrances picturales et verbales ont conquis les snobs du monde entier; **Pablo Picasso** (né en 1881), qui écrivit *le Désir attrapé par la queue* (1945); **Max Ernst** (né en 1891 à Brühl, en Allemagne), peintre et poète, dont Patrick Waldberg s'est fait le remarquable critique et biographe; **Jean Arp** (1887-1966), un Alsacien, poète, peintre et sculpteur d'objets surréalistes (*Jours effeuillés*, 1966); **Yves Tanguy,** peintre (1900-1955); **Man Ray** (né en 1890 à Philadelphie), admirable photographe; **René Clair** (né en 1898), dont le film *Entr'acte* a porté le surréalisme au cinéma; le compositeur **Erik Satie** (1866-1925), etc. — bref, une équipe d'amis, plus qu'une famille d'esprits, qui porte à l'incandescence toute la vie parisienne dans les belles années Vingt!

C'est ici qu'il faut placer deux écrivains qui ont appartenu au courant surréaliste et qui exercent aujourd'hui une forte influence, non seulement sur les lettres, mais sur l'édition française.

Jean Paulhan (né à Nîmes en 1884) a été le disciple de Félix Fénéon, critique littéraire et anarchiste. De cette influence et de son passage dans le surréalisme, il a gardé un certain goût pour la « terreur » — ou pour la mystification... (*les Fleurs de Tarbes*, 1941; *Petite Préface à toute critique*, 1951). Sa prédilection pour les paradoxes s'exprime encore dans *Clef de la poésie* (1944), dans *Entretiens sur des faits divers* (1945) et dans *les Causes célèbres* (1950). Très intelligent, il n'a créé que des œuvres denses et rares. Paulhan adore jouer avec les idées, fût-ce les plus graves. Il a même joué avec sa vie dans la Résistance. Puis il a travaillé à l'apaisement des esprits. Il joue aussi à découvrir des talents inconnus tel **Malcolm de Chazal** (né en 1902), écrivain mauricien. En fait, sa puissance est considérable. Déjà, ent tant que directeur de la *Nouvelle Revue Française* de 1925 à 1940, il avait été comme le secrétaire général de la république des Lettres. Après la guerre, il étendit son influence à d'autres milieux, et il se trouva ainsi contrôler une grande partie de l'intelligence française. Les uns croient en son génie critique. Les autres lui dénient toute véritable autorité.

Consulter :
M.-J. Lefebvre
Jean Paulhan *(NRF, 1949), et surtout l'édition des* Œuvres complètes *au Cercle du Livre précieux (Tchou, 1966).*

Raymond Queneau (né au Havre en 1903), surréaliste dès 1924, s'est surtout intéressé aux problèmes de langage. Peu de poèmes : *Entre Chêne et Chien, les Ziaux*, mais surtout des romans, dont les meilleurs

Raymond Queneau.

sont : *le Chiendent* (1933), *Loin de Rueil* (1944), *Saint-Glinglin* (1948), curiosités de style, genre qu'il cultive plus systématiquement dans *Exercices de Style* (1947) ou 99 manières de raconter une histoire stupide. Dans sa *Petite cosmogonie portative* (1950), il met l'univers en jeux de mots parfois profonds. Ses poèmes (1920-1951) ont été réunis sous le titre : *Si tu t'imagines* (1952), que suivent *le Chien à la mandoline* (1958) et *Cent mille milliards de poèmes* (1961). Un roman gentiment scandaleux, *Zazie dans le métro* (1958), a conquis le grand public et inspiré un film (1960). *Les Fleurs bleues* (1965) n'ont de naïf que le titre. *Courir les rues* (1967) caractérise bien sa Muse vagabonde.

Consulter :
Jean Queval
Essai sur Raymond Queneau *(Seghers, 1960)*.
Jacques Bens
Queneau *(Bibl. Idéale, Gallimard, 1962)*.
Claude Simonnet
Queneau déchiffré *(Julliard, 1962)*.
Numéro spécial de la Revue L'Arc (*28*).

Tous les noms cités dans le chapitre sur le surréalisme n'ont pas une égale importance littéraire. Mais le groupe tout entier constitue une force indéniable, qui a grandement influencé la vie moderne. Beaucoup d'hommes, célèbres aujourd'hui à des titres divers (journalisme, université, politique) sont passés jadis par l'école surréaliste et en gardent des marques profondes.

Dans le sillage du surréalisme

Certains poètes ne se sont pas formellement insérés dans le groupe et ne collaborèrent pas à ses revues. Pourtant, ils sont liés d'une certaine manière au surréalisme. Et s'ils ont parcouru leur chemin seuls, ils sont parvenus à des destinations très voisines. Les contemporains sont sensibles surtout aux différences qui les séparent; mais nul doute que les critiques de l'avenir ne les réunissent dans cette histoire de l'aventure poétique en France au début du XXe siècle.

Jean Cocteau (né à Maisons-Laffite en 1889, mort en 1963) est un de ceux qui eurent le plus d'influence sur le grand public bourgeois, avec lequel, malgré ses expiègleries d'enfant terrible, il n'a jamais perdu contact. Aussi a-t-il pu l'amener à comprendre cer-

Jean Cocteau.

taines formes de l'art nouveau. Successivement, Paris s'est enthousiasmé pour les ballets suédois, les ballets russes, le groupe des Six (célèbre groupe musical : Auric, Honegger, Milhaud, Poulenc, Durey, Germaine Taillefer), le tango brésilien, les romans de Raymond Radiguet, etc. Partout on trouve l'action personnelle de Cocteau. Enfant gâté de la société parisienne, il a adapté la poésie de la modernité à la vie sociale. Après la Seconde Guerre mondiale, c'est encore lui qui inventa une certaine forme de merveilleux, dont s'éprirent un moment Paris et le monde; des films comme *le Baron fantôme*, *l'Éternel Retour*, *la Belle et la Bête* et bientôt *l'Aigle à deux têtes* ont de nouveau rouvert les écluses du rêve. D'une intelligence sans fissure, d'une facilité quasi géniale, touchant à tout, renouvelant tout, il est le « poète » type. Il intitule d'ailleurs tous ses ouvrages « Poésies ». 1° Poésie proprement dite : *Poésie* (1916-1923), qui réunit *le Cap de Bonne-Espérance* (1919), *l'Ode à Picasso* (1919), *Poésies* (1920), *Opéra* (1925-1927), *Mythologie* (1934), *Énigme* (1939) et *Poésies* (1948), ce dernier d'une facture très classique; 2° Poésie de roman (cf. p. 164); 3° Poésie de théâtre (cf. p. 186); 4° Poésie critique : on lira surtout *le Secret professionnel* (1922), *le Rappel à l'ordre* (1926), *Poésie critique* (1945) et, confessions si humbles, si sincères et d'une peu ordinaire densité : *la Difficulté d'être* (1947), *Journal d'un inconnu* (1953); 5° Poésie graphique : Cocteau est un dessinateur remarquable; 6° Poésie cinématographique : il avait commencé en 1932 avec *le Sang d'un poète*. Enfin, des disques. Et même il ne dédaigne pas de jouer lui-même dans ses films. Activité prodigieuse d'un homme qui toujours pousse des fleurs imprévues. L'homme lui-même restera comme un merveilleux exemple du pouvoir qu'a l'intelligence de créer des mythes et des formes nouvelles.

Consulter :

Roger Lannes
Jean Cocteau *(étude et textes — Seghers, 1945). Numéro spécial de la revue* La Table ronde *(oct. 1955).*

André Fraigneau
Cocteau par lui-même *(Seuil, 1957).*

Claude Mauriac
Jean Cocteau ou la Vérité du mensonge *(Lieutier, 1945).*

Jean-Jacques Khim
Cocteau *(Bibl. Idéale, Gallimard, 1960).*

André Fermigier
Jean Cocteau entre Picasso et Radiguet *(Hermann, 1967).*

Pierre-Jean Jouve (né à Arras en 1887) a débuté par l'unanimisme. Puis, à la suite d'un de ces renouvellements absolus dont il est coutumier, il s'est lancé dans une poésie intense et solitaire, qui part du freudisme pour aboutir au christianisme (1924). Il existe tout un monde jouvien imperméable à qui n'en possède pas la clé. Mais quand on a fait un effort suffisamment vigoureux pour entrer dans son univers, alors on découvre un des plus grands, sinon le plus grand poète de sa génération. On pourra l'aborder par un essai : *Défense et Illustration* (1945), et par d'autres publiés dans la revue *l'Arche* (avril 1945). Il faut tenir grand compte des Préfaces à ses recueils poétiques, surtout de celle de *Sueur de sang*. Les principaux sont, avant la conversion (1924) : *Heures* (1919), *Tragiques* (1923); après la conversion, sa période la plus brillante : *les Noces* (1928), *le Paradis perdu* (1929), *Matière céleste* (1932), *Sueur de sang* (1933), *Kyrie* (1938), *la Vierge de Paris* (1945), qui contient toute sa poésie de la Résistance (cf. p. 222), *Diadème* (1951). Des poèmes choisis de 1930 à 1942 ont été publiés sous le titre *les Témoins* (Les Cahiers du Rhône, Neuchâtel, 1943). Sa production austère se situe désormais au plus haut sommet de la création poétique : *Langue* (1952), *Mélodrame* (1954), *Proses* (1960), *Ténèbres* (1964). Il élabore à partir de 1964 l'édition définitive de sa *Poésie* (Mercure de France). Il a fait aussi de nombreux romans, dont deux seulement ont été réédités (*Paulina 1880*, *le Monde désert*) : ce sont des « exercices » pour la vie intérieure. Jouve est par ailleurs un excellent critique littéraire et musical (*Don Juan de Mozart*, *la Musique et l'état mystique de l'âme*). Il a dévoilé quelque peu les replis de son âme et les principes de son art dans un journal intime : *En miroir* (1954).

Pierre-Jean Jouve.

Consulter :
Starobinski, Alexandre, Eigeldinger
Pierre-Jean Jouve *(La Baconnière, 1946)*.

Numéro spécial de la Revue « Lettres » *1945, n° 5.*

René Micha
Pierre-Jean Jouve
(Seghers, 1956).

Jules Supervielle (né à Montevideo en 1884, mort en 1960) est originaire de l'Uruguay, comme Lautréamont et Laforgue. L'Amérique du Sud est présente dans presque toutes ses œuvres. Supervielle est le meilleur trait d'union qui existe entre les vieux et les jeunes pays latins. Au-delà même des continents, sa poésie embrasse le monde et le ciel pour atteindre à une grandeur cosmique : *Débarcadères* (1922), *Gravitations* (1925), *le Forçat innocent* (1930), *les*

Jules Supervielle.

Consulter :
Hommage à Supervielle *(Regain, 1938).*

Claude Roy
Jules Supervielle *(étude et textes — Seghers, 1949).*
Hommage à Supervielle *(NNRF, août 1954).*

Étiemble
Supervielle *(La Bibliothèque idéale, NRF, 1960).*

J.-A. Hiddleton
L'Univers de Supervielle *(Corti, 1965).*

Amis inconnus (1934), *la Fable du monde* (1938). Mais ces hauteurs ne l'empêchent pas de descendre jusqu'aux plus petits détails de la vie familière ou animale, qu'il transfigure, un peu comme Éluard, par la pureté extrême des mots. Supervielle n'est pas un révolté; magicien du langage comme les surréalistes, il se sépare d'eux par l'harmonie heureuse qui baigne sa poésie. Il existe des poètes « maudits » : Supervielle, lui, est un poète *réconcilié*. Tous les aspects de son inspiration se retrouvent dans *Poèmes* (1939-1945). Une esquisse d'art poétique fait suite à *Naissances* (1951). Sur son théâtre, cf. p. 198.

Saint-John Perse (né en 1887 à la Martinique), c'est Alexis Léger, le fameux secrétaire général du Quai d'Orsay de 1933 à 1940. Sa vie de diplomate, passée aux quatre coins de la terre, s'est terminée dans l'exil, aux États-Unis, où il est devenu conservateur à la bibliothèque du Congrès à Washington. Cet homme, qui sait le plus de choses sur l'histoire diplomatique d'entre les deux guerres, qui fut conseiller de Roosevelt et que viennent encore consulter les diplomates du monde entier, semble avoir renoncé à sa vie ancienne. Il y a longtemps d'ailleurs qu'il a publié ses premiers vers. *Éloges* (1904-1908) sont encore pleins de symbolisme. Puis il acquit une forme plus personnelle et provoqua l'admiration d'un tout petit groupe de fidèles (*Anabase*, 1924). Les Allemands brûlèrent en 1940 quantités de ses manuscrits poétiques. Aux États-Unis, il devint tout à coup célèbre; son recueil intitulé *Exil* (1946) contient d'admirables morceaux (*Poème à l'étrangère*, *Pluies*, *Neiges*, etc.), qui lui ont ouvert le grand public à l'âge de soixante ans. Il a le souffle d'un Claudel, avec quelque chose de plus mystérieux et de plus nerveux. Il souhaite aujourd'hui une transformation profonde de l'homme (cf. *Pluies*). Puis Saint-John Perse a publié deux autres longs poèmes à tendance épique, *Vents* (1946) et *Amers* (1958). Il a produit un autre recueil, *Chronique* (1960) et reçu le prix Nobel de littérature 1960. Actuellement, Saint-John Perse partage son temps entre Washington et le Midi de la France, où il compose les versets de *Grand Age*.

Consulter :
Numéro spécial des Cahiers de la Pléiade *(1950)*.

Maurice Saillet
Saint-John Perse, poète de la gloire *(Mercure de France, 1952)*.

Alain Bosquet
Saint-John Perse *(Seghers, 1953)*.

Roger Caillois
Poétique de Saint-John Perse *(Gallimard, 1954)*.

Pierre Guerre
Saint-John Perse et l'homme *(Gallimard, 1955)*.

Christian Murciaux
Saint-John Perse *(Éd. Univ. 1961)*.

Jacques Charpier
Saint-John Perse *(Bibl. Idéale, Gallimard 1962)*.

Albert Loranquin
Saint-John Perse *(Gallimard, 1963)*.

En marge du surréalisme ou dans son sillage, c'est-à-dire dans la même tentative pour renouveler l'éthique et l'esthétique du monde moderne, on peut encore citer Henri Michaux, Audiberti, Jacques Prévert, nés tous les trois vers 1900.

Henri Michaux (né à Namur, en Belgique, en 1899) ne se laisse classer dans aucune catégorie définie, bien qu'il s'apparente aux surréalistes. Depuis 1922, il écrivit dans de petites revues belges, mais il est demeuré inconnu du grand public jusqu'à la veille de la Seconde Guerre mondiale. Gide le révéla en 1941 (cf. la plaquette : *Découvrons Henri Michaux*). Michaux est un phénomène de la littérature, un monstre du genre de Lautréamont. Sa vie a côtoyé la religion, l'aventure. Il vécu en Asie et en Amérique équatoriale, il a beaucoup lu les mystiques et les saints, il a pratiqué la musique, la peinture (ses gouaches sont célèbres). Sa poésie, dit-il, est une « explosion »; elle s'exprime en mots fulgurants, que parfois il crée lui-même et qui n'ont de sens dans aucun langage humain. Magnifique poésie barbare, renouveau absolu de l'expression verbale. On lira : *Qui je fus* (1927), *Ecuador* (1929), *Un Barbare en Asie* (1932), tous poèmes nourris de sensations de voyage. Puis *La nuit remue*, *Voyage en Grande Garabagne* (1936), *Plume* (1936), *Au pays de la magie* (1942), *Épreuves*, *Exorcismes* (1946), *Liberté d'action*, *Apparitions*, *Labyrinthe*, *Passages* (1950), etc. A partir de 1956, il fait l'expérience de la mescaline (*Misérable Miracle*), puis y renonce sans avoir calmé sa soif de l'absolu (*l'Infini turbulent*, 1957). Dans ces derniers recueils, il cherche à se libérer du monde réel, ce qu'il appelle la *Connaissance par les gouffres* (1961), à travers *les Grandes épreuves de l'esprit et les innombrables petites* (1966). A défaut de son œuvre complète, d'une lecture difficile et affolante, on peut se contenter de *l'Espace du dedans*, morceaux choisis (jusqu'à 1944).

Henri Michaux.

Consulter :
René Bertelé
Henri Michaux *(Seghers, 1946).*
Robert Bréchon
Michaux *(Bibl. Idéale, Gallimard, 1959).*
Les Cahiers de l'Herne, n° *8 (4e trim. 1966).*

Audiberti (né en 1899 à Antibes, mort en 1965) est un autre phénomène de la poésie moderne. Ses romans et son théâtre ont contribué à sa réputation (cf. p. 276 et 335), mais ses poèmes, moins connus, s'abandonnent plus franchement au fantastique. L'œuvre d'Audiberti est un torrent verbal, qui charrie toute l'expérience poétique, du Moyen Age à nos jours, dans la volonté d'embrasser à chaque instant la totalité de l'univers. Poésie éloquente, remplie d'attentats à la langue et au bon sens, farouchement insurgée contre tout conformisme. On lira principalement : *Race des hommes* (1930), *Des tonnes de semence* (1941), *Toujours* (1944), etc. A la fin de sa vie, il se consacra de plus en plus au théâtre.

Consulter :
André Deslandes
Audiberti *(Bibl. Idéale, Gallimard, 1964).*

Jacques Prévert (né en 1900 à Neuilly) a créé une poésie très personnelle, où l'élément chant, harmonie, a très peu de part. Elle se caractérise par le jeté des idées, la nouveauté des images, la simplicité des rythmes, les jeux de mots, de rimes, ou d'assonances. Prévert pratique volontiers l'allusion : il est de tendances anticléricales, socialistes, anarchistes, mais c'est aussi un poète tendre et sentimental. Ses œuvres, publiées d'abord en revues, ont été réunies sous les titres : *Paroles* (1946), *Histoires* (avec André Verdet), *Spectacle* (1951), *le Grand Bal du printemps, la Pluie et le Beau Temps* (1955), *Histoires* (1963). C'est un des poètes français les plus lus, le seul ayant dépassé des tirages de 500 000 exemplaires. Une grande part de son œuvre est consacrée au cinéma. Il a écrit le scénario et les dialogues des meilleurs films de Marcel Carné : *Drôle de drame, les Visiteurs du soir, les Enfants du paradis, les Portes de la nuit,* etc. Pour toutes ces raisons, Prévert demeure une figure très populaire auprès de la jeunesse française. Il a derrière lui une nombreuse cohorte d'imitateurs.

Jacques Prévert.

Consulter :
Jean Queval
Jacques Prévert *(Mercure de France, 1955).*

D'autres jeunes poètes s'inscrivent dans le sillage du surréalisme. Ils se sont révélés plus tard et représentent un état d'esprit différent : celui de la Seconde Guerre mondiale. Nous les introduirons avec la « volée » suivante.

LE ROMAN

La première génération du XXe siècle comptait peu de vrais romanciers. Ses grands hommes étaient plutôt des penseurs, des moralistes, des artistes, que de simples conteurs. Il est clair, par exemple, que l'intérêt d'un Gide ou d'un Rolland n'est pas essentiellement romanesque. La seconde génération, au contraire, a cédé davantage au mouvement qui emporte vers le roman toutes les formes littéraires. C'est un danger certain pour une littérature; mais il nous semble que la française s'est encore laissée moins entraîner sur cette pente que beaucoup d'autres — l'anglo-saxonne par exemple. Nous verrons qu'après 1940 la poésie et l'essai tenteront de reprendre le dessus.

Le roman, toutefois, a ses lettres de noblesse. Ses traditions remontent à l'Antiquité. Au Moyen Age, il a prodigieusement fleuri en France, à tel point que le terme « roman » est devenu synonyme de « fiction » Aux temps modernes, on peut faire commencer à Charles Sorel, à Mme de La Fayette, à Voltaire, l'essor du roman réaliste, du roman psychologique, du roman philosophique. Tous les romanciers de cette génération s'inscrivent dans l'une de ces traditions, ou en font la synthèse. Les romanciers classiques sont toujours bien vivants, demeurent beaucoup lus, et agissent fortement sur l'esthétique contemporaine, spécialement Laclos, Sade, Balzac, Stendhal, Fromentin, les Goncourt, Zola, Proust... A ces romanciers français s'ajoute l'influence de Dostoïevski, de Kafka, de James Joyce et, plus récemment, des romanciers américains. Il y a enfin des inventions originales. Ainsi le roman pose des problèmes extrêmement complexes. Un grand nombre d'ouvrages critiques ont cherché, dès l'entre-deux-guerres, à préciser les lois de ce genre. Citons entre autres :

Consulter :
C.-E. Magny
Histoire du Roman français depuis 1918 *(Seuil, 1951).*

A. Thibaudet
Réflexions sur le roman *(Gallimard, 1938).*

François Mauriac
Le Roman *(Artisan du Livre, 1928).*

René Boylesve
Opinions sur le roman *(Plon, 1929).* Feuilles tombées *(Dumas, 1947).*

Alain
Ses essais critiques sur Balzac, Stendhal, Dickens, etc., Propos de Littérature *(Hartmann, 1933).*

R.-M. Alberès
Histoire du roman moderne *(A. Michel, 1962).*

Cf. aussi les enquêtes des Nouvelles Littératures *et de la* Gazette des Lettres (1947, 1948) *et la revue* Roman, *publiée à Saint-Paul-de-Vence par Célia Bertin et Pierre de Lescure.*

Le roman réaliste

La tradition réaliste reste encore, dans cette génération, la mieux représentée. Après la réaction qui s'était acharnée contre le naturalisme et qui, nous l'avons vu, a marqué la génération précédente, on revient peu à peu à la technique sûre et solide que Balzac, Flaubert, les Goncourt et Zola avaient successivement portée à sa perfection. C'est généralement chez l'un de ces quatre maîtres que les romanciers français (comme aussi nombre de romanciers étrangers) vont chercher des leçons.

Les romans de guerre représentent une part très importante de la production d'après 1918. Les écrivains de la « génération du feu » se sont groupés dans l'« Association des écrivains anciens combattants ». Presque tous ont écrit sur la guerre. On devrait d'ailleurs y ajouter certains ouvrages publiés par des non-combattants, dont le type est représenté par les *Derniers Jours du Fort de Vaux* (1916) ou le *Guynemer* (1918) d'Henry Bordeaux. Inutile de dire que ces derniers n'offrent qu'un intérêt documentaire très limité. Nous n'en parlerons pas davantage. A défaut d'une liste complète, le lecteur trouvera une analyse de 303 livres de guerre parus avant 1929 par Jean Norton Cru, dans *Témoins* (Les Étincelles, 1929). Ce gros ouvrage ne juge les auteurs qu'au point de vue de la vraisemblance historique et au nom d'un idéal pacifiste. Ses jugements littéraires sont un peu étroits. Mais il sait poser les problèmes généraux et essentiels. Norton Cru s'est justifié dans un autre ouvrage : *Du témoignage* (Gallimard, 1931).

Parmi cette foule d'écrivains de guerre, signalons-en quatre qui valent par leurs qualités littéraires :

Henri Barbusse (né à Asnières en 1874, mort à Moscou en 1935) fut d'abord un poète tourmenté et un romancier à la fois naturaliste et humanitaire : *l'Enfer* (1908). La guerre, où il s'engagea, bien que tuberculeux, fit de lui un révolutionnaire. *Le Feu* (1916) déconcerta les patriotes, mais finalement força l'admiration : c'est une vaste fresque de facture réaliste et d'inspiration romantique. *Clarté* (1918) ne le vaut pas, quoique ce livre recèle d'admirables morceaux. On préfèrera *Ce qui fut sera*, petite plaquette contenant l'essence de sa pensée pacifiste. La révolution russe eut en lui un ardent panégyriste. Jusqu'à 1935, on le vit, le regard brûlant de fièvre et de passion, aux côtés de Romain Rolland et de Paul Vaillant-Couturier, dans toutes les manifestations communistes pour la paix. Il écrivit un convaincu *Staline*

Henri Barbusse.

Consulter :
Jacques Duclos et Jean Fréville
Henri Barbusse *(Éd. Sociales, 1946).*
Annette Vidal
Henri Barbusse, soldat de la paix *(EFR, 1955).*

(1934) et mourut au cours d'un voyage triomphal dans la patrie de son cœur. Mais son corps repose aujourd'hui au Père-Lachaise, tout près de ce fameux Mur des Fédérés où furent fusillés les derniers « communards » de 1871. Sa tombe est fleurie chaque année, en même temps que la leur, par le traditionnel cortège des Parisiens. Et c'est justice de l'associer à eux : par sa générosité, par son idéalisme, Barbusse était bien un homme du XIXe siècle.

Roland Dorgelès (né à Amiens en 1886) a connu, lui, un succès sans scandale avec ses *Croix de bois* (1919). On lira aussi *le Cabaret de la Belle Femme* (édition définitive 1928). C'est la guerre vue à travers la littérature. On n'y cherchera pas un document, mais des émotions, des sentiments et de belles phrases. Somme toute d'honnêtes romans, comme beaucoup d'autres que Dorgelès a écrits sur différents sujets. Son « récit de l'occupation », *Carte d'identité* (1945), est nettement moins réussi. On lira avec profit ses souvenirs sur Montmartre (*le Château des Brouillards*, 1932, *Quand j'étais Montmartrois*, 1936, *Au beau temps de la Butte*, 1963, *A bas l'argent*, 1965).

Roland Dorgelès.

Georges Duhamel (né à Paris en 1884, mort en 1966) sera étudié plus loin (cf. p. 177), mais il mérite ici une place pour sa *Vie des martyrs* (1917). Il y décrit les horreurs de la guerre, tant morales que physiques, auxquelles il lui a été donné d'assister comme médecin des hôpitaux militaires. *Civilisation* (1918) est de la même veine.

Maurice Genevoix.

Maurice Genevoix (né à Decize en 1890), excellent romancier régionaliste (cf. p. 137), a sans doute écrit sur la guerre les livres les plus vrais. C'est à lui que Norton Cru décerne le prix au nom de la vérité historique. Pour sa valeur littéraire, la critique doit également lui réserver une place de choix. On lira longtemps ses parfaits documentaires : *Sous Verdun* (1916), *les Éparges* (1923), *la Côte 304*, etc.

Il faudrait citer aussi des romans ou des chapitres de romans ayant trait à la guerre, dans l'œuvre de Roger Martin du Gard, de Jean Giono (*le Grand Troupeau*, 1931), etc. Il faut signaler surtout l'effort unique de Jules Romains (cf. p. 176) pour penser la guerre, dans les quinzième et seizième tomes des *Hommes de bonne volonté* : *Prélude à Verdun* et *Verdun* (1938).

Cette rubrique semble présenter une contradiction. Car le but du réalisme n'est-il pas tout simplement de photographier la réalité? Ainsi le voulaient les Goncourt. Mais on sait bien qu'il y a tout un art de présenter le réel, qui conduit invinciblement à la thèse sociale ou politique (voyez Zola et déjà Balzac). Ces romanciers, qui décrivent la société en en montrant surtout les ombres et indiquent les transformations nécessaires, comptent parmi les plus fortes personnalités du groupe.

Louis Aragon (cf. p. 107), dès son retour d'U.R.S.S., ajoute à son œuvre poétique une nouvelle carrière de romancier. Dans *Pour un réalisme socialiste* (1935), il explique et justifie cette métamorphose. Ses nouvelles œuvres sont groupées sous le titre « le Monde réel ». Ce sont *les Cloches de Bâle* (1934), *les Beaux Quartiers* (1936), *les Voyageurs de l'impériale* (1943 — édition complète 1947), *Aurélien* (1944). Dans chacun de ces romans, Aragon introduit des éléments de littérature pure : histoires d'amour, descriptions de Paris, dialogues mondains, etc., et ses personnages sont le plus souvent des bourgeois. Aussi, malgré ses idées révolutionnaires, a-t-il su toucher le grand public des liseurs. Dans *les Communistes* (1949), vaste histoire romancée de son parti pendant la guerre, son art toujours brillant porte un témoignage plus tendancieux. Cependant, avec son roman *la Semaine sainte* (1958), Aragon s'est dégagé de toute thèse politique et a fait œuvre de pur romancier, très librement inspiré de l'histoire, en l'occurrence celle des Cent-Jours. *La Mise à Mort* (1965), puis *Blanche ou l'oubli* (1967) marquent un approfondissement de son univers romanesque et un renouvellement de sa technique accordée désormais à celle du « Nouveau Roman ».

Jean-Richard Bloch (né à Paris en 1884, mort en 1947) a commencé sa carrière par des romans sur le monde juif : *Lévy* (1912)... *Et Cie* (1913). Il a étendu son registre jusqu'à l'exotisme : *la Nuit kurde* (1925). Puis il est devenu un des essayistes les plus remarquables de ce parti communiste auquel il a consacré toute la fin de sa vie (*Essais pour mieux comprendre mon temps* (1920), *Naissance d'une culture* (1935). Sur son théâtre, voir p. 61).

Consulter :
Les plus belles pages de Jean-Richard Bloch présentées par Aragon *(Bibliothèque Française, 1948)*.

Paul Vaillant-Couturier (né en 1892, mort en 1937) a sacrifié son œuvre littéraire à son action de militant. Il est mort à la tâche après avoir publié *Enfance*, où l'on voit éclore, dans ses Pyrénées natales, son âme révolutionnaire. On lira cet ouvrage dans l'édition de 1946, avec préface d'Aragon.

Elsa Triolet (née en 1896 à Moscou), belle-sœur de Maïakovski, qu'elle a, ainsi que Tchekhov, excel-

Elsa Triolet.

lemment traduit et commenté, voyagea beaucoup (jusqu'à Tahiti), publia ses premiers livres en langue russe sous le contrôle de Gorki, et devint un écrivain français après qu'elle eut fait la rencontre d'Aragon, son mari (1928). Son premier livre, *Bonsoir, Thérèse* (1937), promettait déjà un joli talent. *Le Cheval blanc* (1943), ses nouvelles de la Résistance : *Le premier accroc coûte deux cents francs* (1944), un roman psychologique : *Personne ne m'aime, les Fantômes armés* (1947) et *l'Inspecteur des ruines* (1948), sur les problèmes de l'après-guerre, attestent que le réalisme social n'a pas étouffé en elle une sensibilité et une imagination très personnelles. Son roman *le Cheval roux* (1953) est un roman fantastique qui a pour thème la société après la bombe atomique. Sous le titre général de *l'Age de Nylon* (1959-1963), elle a entrepris une peinture légère et poétique des mœurs contemporaines (*Roses à crédit, les Manigances, l'Ame*). Aragon a sélectionné et présenté d'excellents « morceaux choisis » (1960), et Jacques Madaule a commenté *Ce que dit Elsa* (1961). En 1965, *le Grand Jamais* témoigne de préoccupations presque métaphysiques et d'un art en plein renouvellement.

André Wurmser (né en 1899), journaliste brillant, pamphlétaire parfois téméraire, a commencé de publier en 1946 la longue série intitulée *Un homme vient au monde*, dont les premiers volumes retracent son adolescence de Parisien. Son art est d'un réalisme discrètement humoristique, tout imprégné d'humanisme et d'esprit révolutionnaire.

Léon Moussinac (1890-1964), critique averti du cinéma, a donné avant la guerre *Manifestation interdite* (1935), puis *le Radeau de la Méduse* (1945), souvenirs d'un prisonnier politique, et *les Champs-de-Moe* (1945), pleins d'une passion généreuse. Il est l'auteur de *Poèmes impurs* (1945).

Louis Guilloux (né en 1899 à Saint-Brieuc) avait peu écrit avant la guerre, mais un de ses livres :

le Sang Noir (1935) reste l'un des deux ou trois meilleurs romans français de ces trente années. Dans une durée de vingt-quatre heures, au milieu d'une petite ville bretonne, Guilloux a campé une figure inoubliable de philosophe raté : « Cripure » et, autour de celui-ci, tout ce qu'on appelait durant la Première Guerre « l'arrière », c'est-à-dire un grouillement immonde de passions et de bassesses. Le calvaire de cet intellectuel solitaire au milieu de la Cruauté et de la Bêtise, qui finalement ont sa peau, est digne du grand Flaubert. Ses autres romans sont honorables, mais n'égalent en rien *le Sang noir*. Ce sont : *la Maison du peuple* (1927), *Dossier confidentiel* (1928), *Hyménée* (1931), *Histoires de brigands* (1936), *le Pain des rêves* (1942). En 1949, *le Jeu de patience* mêle vingt histoires en un chaos romanesque, grande œuvre d'un art subtil et d'une merveilleuse richesse d'âme. *Parpagnacco ou la Conspiration* (1954) reste fidèle à l'esprit révolutionnaire, tempéré d'humanisme et de tendresse. *La Confrontation* (1968), sous une affabulation romanesque d'une habileté géniale, fait le bilan de sa sensibilité et de sa vie.

Louis Guilloux.

Consulter :
Albert Camus
Essais critiques *(Pléiade, II, p. 1111).*

Paul Nizan (né en 1905, mort en 1940) n'a pas eu le temps d'achever son œuvre. La guerre a interrompu une carrière brillamment commencée avec *Antoine Bloyé* (1933) et *le Cheval de Troie* (1935). Marxiste, il s'était déchaîné avec une rare force contre les philosophes officiels (*Chiens de garde*, 1932). Il avait commencé une grande série romanesque, véritable épopée réaliste de la jeunesse révolutionnaire. Le premier volume seul a paru : *la Conspiration* (1938). En 1940, il a été tué sur le front. Après la guerre, son ami Jean-Paul Sartre entreprend de défendre sa mémoire (cf. sur Nizan un article de ce dernier dans *Situations I*, 1947, et sa préface à *Aden Arabie* (Maspéro, 1960).

Consulter :
Paul Nizan, intellectuel communiste, *écrits et correspondance, 1926-1940 (Maspéro, 1967).*

Charles Plisnier (né en 1896, à Mons, mort en 1952), fut aussi un militant communiste, puis trotzkyste, avant de se consacrer exclusivement au roman, et aussi à la poésie (*Brûler vif*, 1957). Ses romans portent une condamnation implicite de la société bourgeoise. Mais au nom de quelle doctrine positive ? Les meilleurs sont : *Mariages* (1936), *Faux Passeports* (1937), qui contiennent son expérience de militant, le cycle : *Meurtres*, et un nouveau cycle : *Mères*, dont les trois volumes : *Mes Bien-Aimés*, *Nicole Arnaud*, *Vertu du désordre* (1950) sont d'un réalisme hardi, animé de générosité chrétienne.

Consulter :
R. Bopart
Charles Plisnier (*Éd. Univ., 1954*).

Louis-Ferdinand Céline (né en 1894, mort en 1961) s'était déshonoré dès avant la guerre par son antisémitisme. Les Allemands trouvèrent en lui un serviteur capricieux, et parfois rétif, dont ils se servirent pour conquérir certains milieux pacifistes et anarchisants. Peine perdue : Céline se retrouva seul. Finalement la justice française le frappa d'une condamnation symbolique. Il avait été pourtant un prodigieux ouvrier de la langue française : *le Voyage au bout de la nuit* (1932) restera l'épopée de la déchéance humaine. Son style cataracte fait penser à Rabelais et à Hugo, avec ses torrents d'ordures et son rythme vertigineux. Les volumes suivants : *Mort à crédit*, *Bagatelles pour un massacre*, *l'École des cadavres*, *Guignol's Band*, *les Beaux Draps*, *l'Agité du bocal* (pamphlet contre Jean-Paul Sartre), *le Casse-Pipe* ne sont que l'exploitation de cette veine : après *Mort à crédit*, ses admirateurs furent déçus de voir en lui un littérateur comme les autres. Céline est rentré en France, plus ou moins repenti, toujours pacifiste, vieilli et maigri, mais non moins déchaîné. Il a publié peu avant sa mort *D'un château l'autre* (1957) et *Nord* (1960), souvenirs de son exode. Ses *Œuvres complètes* ont donné lieu à une remarquable édition (Cercle du Livre précieux, 1967).

Consulter :
Robert Denoël
Apologie de Mort à crédit (*Denoël, 1937*).
Marc Hanrez
Céline (*Bibl. Idéale, Gallimard, 1962*).
Robert Poulet
Entretiens familiers avec L.-F. Céline (*Plon, 1958*).
Numéro spécial de l'Herne (*1963*).
Dominique de Roux
La Mort de L.-F. Céline (*Christian Bourgois, 1966*).

Céline a fait école, du moins dans le domaine littéraire. Le plus brillant de ses élèves nous paraît être **Albert Paraz** (1899-1957), l'auteur de *Bitru*, des *Repues franches*, de *Remous*, du *Gala des vaches*, avec des lettres de Céline.

Louis-Ferdinand Céline.

Un bon nombre de romanciers réalistes de cette génération se contentent de décrire les mœurs sans prendre parti, ce qui ne les empêche pas de ressentir et d'éveiller une certaine pitié, et de proposer certains remèdes de circonstance. Mais toute thèse générale en est absente, et ils ne songent point à tout bouleverser. Ces romanciers sont tout à fait dans la tradition des Goncourt; il est donc normal que le prix du même nom vienne récompenser chaque année un ouvrage de ce type. Bien que ces œuvres-là soient d'ordinaire beaucoup plus grises, beaucoup moins passionnantes dans leur modération que les précédentes, c'est parmi elles que les historiens de l'avenir pourront aller chercher les meilleurs témoignages sur notre société.

Pierre Hamp (1876-1962), un ancien ouvrier qui s'est laborieusement appris à écrire, s'est mis sur le tard à dépeindre le monde du travail. On lira toute la série intitulée *la Peine des hommes* : il y a là de superbes morceaux d'anthologie. Mais, comme beaucoup d'autodidactes, Hamp se met parfois à déclamer. Dès lors, il devient exécrable.

Guy Mazeline (né en 1901) met en scène des familles de marins et d'armateurs. Ses meilleurs romans, d'une facture toute balzacienne, sont *les Loups* (1932), *le Capitaine Durban* (1934) et une série en cours : *le Roman des Jobourg.*

Thierry Sandre (1890-1955) a décrit les milieux d'après guerre et la vie des faubourgs : *le Chèvrefeuille, le Purgatoire* (1924), *Mousseline* (1925).

Lucien Fabre (1889-1952) a écrit le roman d'un homme d'affaires : *Rabevel* (1923).

Charles Braibant (né en 1889) a utilisé toute son érudition de chartiste pour l'étude de la vie de province : *Le roi dort* (1935).

Irène Némirovsky (1903-1944) se rendit célèbre en 929 par son *David Golder*. On retrouve ses dons ramatiques et son pessimisme passionné dans trois utres bons romans : *le Pion sur l'échiquier* (1934), *Vin de solitude* (1935), *Jézabel* (1937).

Louise Hervieu (1873-1954), dans la bonté de son œur de femme, n'hésite pas à débrider les plaies ociales les plus affreuses : *Sangs* (1936).

Maxence Van der Meersch (1907-1951) a surtout lécrit les milieux d'industriels et de contrebandiers lu Nord de la France : *la Maison dans la dune*, *nvasion 14* (1935), *l'Empreinte du dieu* (1936), etc. *Corps et Ames* analyse avec une sévérité peut-être xcessive le monde des médecins. A son réalisme se uperpose une morale catholique. *La Fille pauvre* 1948) en trois volumes peut passer pour son œuvre naîtresse. Il existe des *Pages choisies* (1950).

Consulter :
Robert Reus
Portrait morpho-psychologique de M. Van der Meersch *(Aurillac, Clairac, 1952).*

Maxence
Van der Meersch.

Philippe Hériat (né à Paris en 1898) se plaît à d
crire les milieux bourgeois. Il les peint sous de noir
couleurs, mais en artiste, et non en doctrinaire. S
chefs-d'œuvre sont : *l'Innocent* (1931), *les Enfan
gâtés* (1939), qui lui a valu le Grand Prix du roma
de l'Académie française, repris dans le cycle de
Famille Boussardel. Il réussit assez bien au théât
avec *l'Immaculée* (1950), *Belles de jour* (1950), *l
Noces de deuil* (1953).

Robert Bourget-Pailleron (né en 1897) promène so
regard perspicace sur le monde des affaires et de l
politique, où l'amour se mêle à l'argent.

Pierre Mac Orlan (né à Péronne en 1882) s'est fa
le spécialiste de certains milieux louches et cosmo
polites, qu'on trouve aussi bien à Montmartre
la Tradition de minuit (1930), que dans la Légio
étrangère : *la Bandera* (1931), ou dans les grand
ports : *le Quai des Brumes* (1927). C'est aussi u
maître de roman d'aventures : *A bord de « l'Étoile*

Pierre Mac Orlan.

Matutine » (1920). On lira son *Petit Manuel du parfai
aventurier* (1920). Il excelle encore dans ses chansons
ses souvenirs de la vie des peintres et ses *Image
de Paris*. Il prend conscience de l'originalité de so
art dans *Masques sur mesure* (1965).

Consulter :
(surtout sur sa poésie) :
Pierre Berger
P. Mac Orlan *(Seghers, 1951)*.

Francis Carco (cf. p. 89), poète de Montmartre, en
t aussi le sympathique romancier. Ses mauvais gar-
ns ont plus de couleur locale que de perversité :
sus-la-Caille (1914), *l'Homme traqué* (1921), *Rue
galle* (1927), etc. On lira ses délicieux souvenirs :
e Montmartre au quartier Latin (1944) auxquels on
ourra ajouter les mémoires de son ami **Maurice
hevalier** (né en 1888) : *Ma route et mes chansons*
vol.).

Romans populistes et prolétariens

Plus près encore de la réalité, et dédaignant tout
tifice romanesque, le mouvement populiste fut créé
rs 1930, par **André Thérive** (1891-1967) et **Léon
emonnier** (1890-1953). On lira leur *Manifeste du
opulisme* (1930). Mais ses créateurs se sont réfugiés
ans la critique littéraire. La technique du roman
lat, et presque sans intrigue, n'a vraiment bien réussi
u'à deux écrivains morts trop tôt : Eugène Dabit et
ean Prévost, et à Tristan Rémy.

Eugène Dabit (né en 1898, mort en 1936), jeune
uvrier parisien, a su rendre fidèlement la vie d'un
etit hôtel de quartier. C'est *Hôtel du Nord* (1930),
n roman qui restera. On y ajoutera *Petit-Louis*
931), une autobiographie, et *Faubourgs de Paris*
933), vibrant de sympathie pour le petit peuple des
availleurs; et aussi quelques bonnes pages de *Villa
Oasis*, *l'Ile*, etc. Dabit était devenu l'égal et l'ami de
rands écrivains, en particulier de Gide. Avec lui il
ntreprit, en 1936, le fameux voyage en U.R.S.S. Il
mourut brusquement. Il faut lire son *Journal*, où se
évèle l'âme candide et loyale de ce grand garçon
esté simple.

Consulter :
Hommage à Eugène Dabit
(Gallimard, 1936).

Jean Prévost (né en 1901, tué en 1944) fut un intel-
ectuel précoce et brillant (*Dix-huitième année*, 1929).
es essais critiques en témoignent (travaux sur Mon-
aigne, Saint-Evremond, Stendhal, etc.). Ses *Carac-*

tères (1948) posthumes sont dignes de la grande tr
dition. Mais il ne dédaigna pas de se pencher sur
vie des humbles. C'est ainsi qu'il écrivit deux exce
lents romans populistes : *les Frères Bouquinqua*
(1930) et *le Sel sur la plaie* (1935). On lui doit u
guide original de culture pour les autodidactes
Apprendre seul (1940). Enfin, il a célébré le sport. L
même mouvement de générosité le conduisit à comba
tre dans le maquis du Vercors en 1944, où il trouv
une mort glorieuse. Un poème de lui, au moins, re
tera : son léger et atroce *Petit Testament*. Et so
recueil de poèmes traduits (notamment pour les tr
ductions de Fed. Garcia Lorca) est un modèle d
genre : *l'Amateur de poèmes*. Son fils **Alain** a digne
ment repris sa plume alerte et généreuse.

Consulter :
André Maurois
Destins exemplaires
(Plon, 1952).

Tristan Rémy (né en 1897) est un authentiqu
homme du peuple qui s'est élevé à la création litté
raire sans rien perdre des qualités de sa classe. Honné
teté, modestie, humour, généreuses révoltes, réalism
sain : *Porte Clignancourt* (1928), *Faubourg Saint*
Antoine (1936), son chef-d'œuvre, *l'Homme du Cana*
(1949) nous promènent dans Paris. *La Grande Lutt*
(1937) décrit l'atmosphère du Front populaire. I
s'est fait un spécialiste des histoires de cirque (*le*
Clowns, 1946).

La tradition du roman « populiste » n'est pas perdue
Chaque année le « prix populiste » récompense un
œuvre de cette tendance. Genre moins facile qu'il n'
paraît: les chefs-d'œuvre en sont rares.

A côté des romanciers populistes, on peut place
les romanciers « prolétariens ». Ils se distinguent de
premiers en ce sens qu'ils préconisent une littératur
pour le peuple, faite par le peuple lui-même, et no
par des écrivains professionnels. Le chef de ce mouve
ment est :

Henry Poulaille (né en 1896), dont on lira notam
ment *Pain de soldat* (1937). Poulaille anima plusieur
revues qui prétendent s'adresser aux ouvriers. E
fait, il est douteux qu'elles y soient vraiment parvenues

Consulter :
Michel Ragon
Les écrivains du peuple
(Jean Vigneau, 1947).
Histoire de la littérature
ouvrière *(Éd. ouvrières, 1953)*.

Romans régionalistes

Cette branche du roman réaliste est l'une des plus condes. Depuis le XIXe siècle, on assiste à des ten-tives de décentralisation littéraire : Balzac (Scènes la vie de province), George Sand, Flaubert lui-ême, Fromentin, Loti, etc., ont retiré à Paris le uasi-monopole de la matière romanesque. Mais la ine est loin d'être épuisée, car les ressources sont nmenses. La France est un pays extrêmement diver-fié; chaque province possède ses mœurs propres, s types, son style, son histoire, et peut grâce à cette ariété susciter des romans originaux.

Ainsi les romanciers trouvent-ils là l'occasion de nouveler l'intérêt de leur public. Il a paru des illiers de romans de ce genre. Il y a pourtant encore aucoup à dire sur les provinces françaises.

Le maître actuel de ce genre, le plus honnête, le us consciencieux, est à notre avis **Maurice Genevoix** f. p. 125). Il y pratique le même réalisme objectif ue dans ses livres de guerre. *Raboliot* (1926) est la e d'un braconnier de Sologne. C'est le meilleur 'une longue série de la même veine : *la Forêt voisine*, *roû*, *Marcheloup*, *Rémy des Rauches*, *la Dernière arde*, *la Loire*, *Agnès et les garçons*, etc. (Pour ses uvrages sur le Canada, cf. p. 143.)

Consulter :
Quelques anthologies déjà anciennes :
Septime Gorceix
Le Miroir de la France, Géographie littéraire des grandes régions françaises *(Delagrave, 1923).*
Marcel Clavel
Terres et gens de France *(New York, Henry Holt & Co., 1924).*
Gaston Roger
Situation du roman régionaliste français *(Jouve, 1951).*
Signalons une très utile histoire littéraire conçue par régions :
Auguste Dupouy
Géographie des Lettres françaises *(Colin, 1942)*, *et l'indispensable* Guide littéraire de la France *(Hachette, 1964).*
On trouvera une liste d'ouvrages assez méthodiquement classés dans :
René Lalou
Le roman français contemporain *(PUF, 1941).*

Ernest Pérochon (1885-1942) a mis tout son cœur décrire les paysans du Poitou (*Nêne*, 1920).

Jean de la Varende (1887-1959) a écrit, entre autres, excellent *Nez-de-Cuir* (1937), vie d'un gentihomme ormand.

Consulter :
Ph. Brunetière
La Varende le Visionnaire *(Flammarion, 1959).*

Charles Silvestre (1889-1948) prend pour cadre le imousin, dont il exalte les coutumes naïves : *le id d'épervier* (1934), *le Démon du soir* (1936), *la rairie et la Flamme* (1939).

Jean Rogissart (1891-1961) a illustré la vie des rdennes (*les Mamert*, 6 vol., 1941).

Henri Pourrat (1887-1959) restera le romancier de Auvergne : *Gaspard des Montagnes* (1922), etc.

Quelques écrivains régionalistes furent amenés collaborer à la politique paysanne de Vichy. D'autı allèrent même plus loin, tel Alphonse de Chatea briant. Le cas de Jean Giono s'y apparente, quoiq plus compliqué.

Jean Giono (né à Manosque en 1895) a des côt de grand écrivain, et bien des lecteurs tant en Fran qu'à l'étranger (en Allemagne surtout) le placent tı haut. Mais, pendant la Seconde Guerre mondia son pacifisme (*Refus d'obéissance*, 1937) fit de grav concessions à l'occupant, et sa réputation en souffr Sur le plan littéraire, on peut admirer sans réser ses nouvelles du début, où souffle le grand vent de Provence : *Colline* (1928), *Un de Baumugnes* (192 *Regain* (1930), *Solitude de la pitié* (1932), *l'Eau vi* etc. Ensuite, on se lassa de ses gros romans touffı au style verbeux, aux prétentions cosmiques, à philosophie vague : *le Chant du monde* (1934), *Batail dans la montagne* (1937), *Poids du ciel* (1938). Son idé de retour à la terre apparut comme l'utopie fumeu d'un esthète : *les Vraies richesses* (1936), *Lettre a paysans sur la pauvreté et la paix* (1938). *Que ma j demeure* (1935) fut le dernier beau livre de sa premiè manière : il dut reconquérir ensuite tout son publ Il y parvint vers 1950 par d'admirables « chroniques où il conte son enfance, la vie des simples ou de hér à la Stendhal dans de longs monologues dramatiqu et lyriques : *Un roi sans divertissement* (1947), *M d'un personnage, les Ames fortes, les Grands Chemi le Hussard sur le toit* (1951), *le Moulin de Polog* (1952), *le Bonheur fou* (1957), *Angélo* (1958). bonheur d'écrire et de chanter les paysages et hommes de sa chère Provence lui inspire de nouve des œuvres chaleureuses et lyriques, non sans u secrète amertume (*Deux cavaliers de l'orage*, 196 *Ennemonde et autres caractères*, 1967).

D'autres romanciers régionalistes n'ont point de peine à colorer d'humour leur peinture des mœu villageoises.

Consulter :
Christian Michelfelder
Jean Giono et les religions de la terre *(Gallimard, 1938)*.
Claudine Chonez
Giono par lui-même *(Seuil, 1956)*.
Pierre de Boisdeffre
Giono *(Bibl. Idéale, Gallimard, 1963)*.

Jean Giono.

Marcel Aymé.

Consulter :
Pol Vandromme
Aymé *(Bibl. Idéale, Gallimard, 1960)*.

Marcel Aymé (né à Joigny en 1902, mort en 1967, un des meilleurs conteurs de notre temps, a su fondr le réel et le fantastique. Sa scandaleuse et truculent *Jument verte* (1933) contient une analyse très fine de milieux paysans. D'une vingtaine de volumes, dor pas un n'est insignifiant, citons encore *le Nain* (1934) *Travelingue* (1941), *le Chemin des écoliers* (1946), qu décrit l'occupation à sa manière, et *Uranus* (1948) qui décrit l'épuration. *Les Tiroirs de l'inconnu* (1960) reprennent le filon satirique et érotique sans rie ajouter à la gloire de son auteur. Nous le retrouveron plus loin comme romancier fantastique (cf. p. 166), comme un des maîtres de la nouvelle (cf. p. 316) e comme auteur de théâtre (cf. p. 326).

Gabriel Chevallier (né à Lyon en 1895) est l'auteu d'un des plus grands succès de rire entre les deu guerres : *Clochemerle* (1934). C'est toute la vie d'u village sur le mode caricatural et grotesque. Mai l'outrance enlevée, ce roman demeure, quant au fond un excellent documentaire. Gabriel Chevallier a écri quelques autres romans fort bien venus (*Sainte Colline*, 1937), mais demeure prisonnier de la gloir de *Clochemerle*.

Romans français ou d'expression françai
consacrés aux pays étranger

Une telle rubrique dépasse encore le cadre de c petit Guide. Nous nous consolons de ne pouvoi qu'à peine esquisser le bilan de cette littérature parce que nous n'y discernons, pour notre part, rie d'essentiel qui n'ait été mentionné déjà dans les autre chapitres de ce guide. C'est que la littérature françai demeure très fortement centralisée à Paris. Les écri vains étrangers de langue française eux-mêmes vien nent se fondre rapidement dans le creuset centra Les Belges, les Suisses, les Égyptiens, les Libanais les Roumains, les écrivains de l'Afrique du Nor ne sont point, en majeure partie, des particularistes. Seuls les Canadiens français sont restés longtemps retranchés dans leurs traditions autonomes. C'est pourquoi nous abrégerons beaucoup ce chapitre : les grands écrivains, quelle que soit leur provenance, savent s'élever au-dessus de l'esprit local et s'adressent à tous les hommes. On les trouvera, sans distinction d'origine, à la place qu'ils occupent dans le panorama général de la littérature. (*L'Histoire des littératures* de l'Encyclopédie de la Pléiade contient un bon chapitre sur ce sujet. Tome III, p. 1367-1413.)

La Belgique a vu naître de grands écrivains (Verhaeren, Maeterlinck...). Nous en avons cité bon nombre déjà, et nous en rencontrerons d'autres. La plupart se rattachent aux courants de la pensée et de l'art français. Les plus fidèles à l'esprit des Flandres, les meilleurs peintres de leur folklore sont — après **Camille Lemonnier** (1844-1913) et **Georges Eckhoud** (1854-1927) — l'Anversois **André Baillou** (1875-1932) : *En sabots* (1922), *Histoire d'une Marie* (1926), **Franz Hellens, Poulet, T'Serstevens, Plisnier, Simenon** que nous retrouverons plus loin.

Il devient en effet de plus en plus arbitraire d'isoler les romanciers belges (qu'ils soient flamands ou wallons) de la communauté littéraire française. C'est à peine si l'on peut retenir comme plus spécifiquement belges, marqués plus profondément par le contexte historique ou social de leur pays, des romanciers-poètes tels que **Marcel Thiry** (né en 1897) : *Échec au temps* (1945), *Voie lactée* (1961), *Non dum jam non* (1966) et son beau et classique recueil : *Poésie 1924-1957* (1958); **Robert Goffin** (né en 1898) : *l'Apostat, le Roi du Colorado* (1955) et une importante œuvre poétique; **Robert Vivier** (né en 1894) : *Avec les hommes* (1963); **Pierre Nothomb** (1887-1966) : *Miracles, Mormeuil*; **Constant Burniaux :** *les Temps inquiets* (5 vol. 1942-1945); **Alexis Curvers** (né en 1906) : *Tempo di Roma* (1957), *Printemps chez les ombres*; **José-André Lacour** (né en 1919) : *Châtiment des victimes, la Mort en ce jardin*, etc.

Consulter :
Gustave Charlier
Les Lettres françaises de Belgique *(1938)*.

Georges Doutrepont
Histoire illustrée de la littérature belge d'expression française *(Bruxelles, 1939)*.

Bibliographie des écrivains français de Belgique 1881-1960 *(Bruxelles, Académie royale, en cours de publication)*.

La Suisse possède **Charles Ferdinand Ramuz** (né à Lausanne en 1878, mort en 1947). Ramuz réussit à devenir un grand écrivain universel, sans rien abandonner de ses particularités. Son style doit peu de chose aux maîtres français : il est âpre et raboteux comme son pays. On appréciera ses douces pastorales, ses romans lyriques, dramatiques, mystiques, tels que Giono aurait pu en écrire s'il avait su se discipliner davantage : *la Grande Peur dans la montagne* (1926), *la Beauté sur la terre* (1928), *Derborence* (1936), *Si le soleil ne se levait pas* (1939), *la Vie de Samuel Belet* (1944), etc. Tous sont marqués d'une profonde empreinte régionale : ce sont pourtant de beaux cadeaux de la Suisse à la littérature française. Il existe des *Morceaux choisis* (Gallimard), des *Belles Pages* (Trois Collines, 1950) et un *Journal 1896-1942* (1945), mais les vrais amateurs de Ramuz et de la Suisse n'hésiteront pas devant la profusion de ses *Œuvres complètes* (20 vol., Rencontre, 1967).

Consulter :
Pour et contre Ramuz *(Éditions du Siècle, 1926)*.
Charles Guyot
Comment lire C.F. Ramuz *(Aux Étudiants de France, 1946)*.
Maurice Zermatten
Connaissance de Ramuz *(Lausanne, 1947)*.
Bernard Vodenne
C.F. Ramuz ou la sainteté de la terre *(Juilliard, 1948)*.
Gilbert Guisan
C.F. Ramuz *(Seghers, 1966)*.

Il y a de nombreux continuateurs de Ramuz, tels que **Maurice Zermatten** (né dans le Valais en 1910) et **C.F. Landry** (né à Lausanne en 1909). Le Suisse **Charles Albert Cingria** (1883-1954) (voir l'hommage de la NRF de mars 1955) fut un esprit puissant et cosmopolite (*Œuvres complètes* en 10 vol., 1967).

Consulter :
Jacques Chessex
Ch. A. Cingria (*Seghers*, *1967*).

On aura un tableau à peu près complet de cette littérature dans une copieuse anthologie : *Vingt-huit écrivains de la Suisse romande* (La Baconnière, 1940). Mais après 1960, les écrivains suisses paraissent tellement incorporés à la vie littéraire française qu'il serait un peu vain de les classer à part à cause du lieu de leur naissance.

Consulter :
Pierre Kohler
Histoire de la littérature française, *Tome III (1949)*.

Le Canada, en revanche, possède des écrivains aux caractères plus nettement marqués. Il est le siège d'une importante activité intellectuelle en langue française, qui progresse au rythme même de la natalité, c'est-à-dire très vite. Partis 50 000 au XVIIe siècle, les « Canadiens français » sont aujourd'hui près de 4 millions; et Montréal est la deuxième ville du monde de langue française.

Parmi les auteurs canadiens, signalons **Gabrielle Roy** (née en 1919), dont *Bonheur d'occasion* fut consacré à Paris par le prix Fémina (1947). L'intrigue en est médiocre, mais pour la première fois on nous fait voir la vie du prolétariat canadien; de plus, c'est une belle curiosité philologique. On lui doit aussi de délicates nouvelles : *la Route d'Altamont* (1967).

Parmi les Français qui ont décrit le Canada, **Louis Hémon** (né à Brest en 1880, mort en 1913) s'est fait le véritable citoyen de ce pays, où son corps repose après une mort tragique. Sa *Maria Chapdelaine* (1916) reste un beau livre. Ajoutons **Louis-Frédéric Rouquette** (1884-1926) : *le Grand Silence blanc* (1921); **Marie Le Franc** (1879-1965) : *Hélier, fils des bois*; **Maurice Constantin-Weyer** (1881-1964), spécialiste du Grand Ouest, célèbre en 1928 avec *Un homme se penche sur son passé*, et toute la série de son « épopée canadienne »; **Maurice Genevoix** (cf. p. 137) : *Éva Charlebois*, etc.

Après 1960, un mouvement littéraire assez extraordinaire par sa variété et par son ampleur se développe au Canada, dont seule peut donner une idée l'annuelle *Bibliographie des Lettres canadiennes françaises*, établie par Réginald Hamel (Presses de l'Université de Montréal), et qu'il est de plus en plus difficile de suivre de Paris. Le moment est arrivé, semble-t-il, où du simple roman de mœurs locales, le roman canadien accède à une dimension universelle, explorant la vie intérieure et parcourant tout le champ des expériences verbales. Quand on aura relevé les noms d'**Alain Grandbois** (né en 1900), d'**Anne Hébert** (née en 1916), de **Jacques Godbout** (né en 1933), de **Jacques Ferron,** on sera loin d'avoir rendu justice à une littérature en pleine croissance, d'où surgit de temps en temps une œuvre parfaitement achevée qui fait grand bruit dans les milieux parisiens. Telle, en 1967, *Une saison dans la vie d'Emmanuel*, de **Marie-Claire Blais** et d'autres espoirs comme **Hubert Acquin, Jean Basile, Réjean Decharme, Yves Thériault.**

Consulter :
Georges Vattier
Essai sur la mentalité canadienne française *(Champion, 1927)*.

Berthelot-Brunet
Histoire de la littérature canadienne française *(L'Arbre, Montréal, 1946)*.

Laure Rièse
L'âme de la poésie canadienne française *(London, Macmillan, 1955) (anthologie)*.

Dostaler O'Leary
Le Roman canadien français *(Cercle du Livre de France, Montréal, 1953)*.

Guy Sylvestre
Panorama des Lettres canadiennes françaises *(Québec, 1964)*.

Réjean Robidoux et André Renaud
Le Roman canadien-français du XXe siècle *(Univ. d'Ottawa, 1966)*.

Auguste Viatte
Histoire littéraire de l'Amérique française des origines à 1950 *(PUF, 1954)*.

Sur la Belgique, la Suisse et le Canada, on consultera utilement les chapitres de la littérature de Bédier-Hazard-Martino, Larousse 1949).

L'Algérie fut décrite et chantée d'abord par des Français de France, comme **Louis Bertrand** (1866-

1941) et **Jean Vignaud** (1875-1962) : *Sarrati le Terrible, la Maison du Maltais, l'Ange du treizième jour*; puis par des Français d'Algérie comme **Robert Randau** (1873-1950), qui publia en 1920 un véritable manifeste de l'« algérianisme » (*les Explorateurs, le Commandant et le Foulbé*, etc.) ou **Lucienne Favre** (*Dans la Casbah*, 1949).

La littérature d'origine nord-africaine a surtout pris de l'extension après la Seconde Guerre mondiale (Camus, Roblès, Jules Roy, Audisio, Jean Amrouche, C. de Fréminville, Marcel Moussy, Marie-Jean Clot, etc. Voir la troisième génération). Elle est faite d'éléments français, arabes et espagnols. Le lecteur trouvera mentionnées à la fin de cet ouvrage les principales revues d'Afrique du Nord qui lui permettront de se documenter davantage.

Pendant et après la guerre d'Algérie, ce sont les Algériens eux-mêmes, d'origine arabe, berbère ou juive, qui maintiennent dans ce pays un fort courant littéraire d'expression française. L'un des plus authentiques écrivains, **Mouloud Ferraoun** (1912-1962), a été assassiné par l'O.A.S. On devait à cet instituteur épris de tolérance et d'humanisme quelques beaux romans autobiographiques (*le Fils du pauvre*, 1950, *la Terre et le Sang*, 1953, *Les chemins qui montent*, 1955) et un pénétrant et déchirant *Journal* (1962).

Mouloud Mammeri (né en 1917) a su concilier son nationalisme algérien avec son attachement à la langue et à la culture françaises grâce à une vigoureuse prise de conscience des réalités de son pays (*la Colline oubliée*, 1952, *le Sommeil du juste*, 1955, *l'Opium et le Bâton*, 1965).

Mohammed Dib (né en 1920), moins engagé peut-être, a usé de son grand talent d'écrivain pour faire comprendre en profondeur les hommes et les réalités d'Algérie (*la Grande Maison*, 1952, *l'Incendie*, 1954, *le Métier à tisser*, 1957). Puis sa prose, comme sa poésie, évolue vers des rivages plus calmes (*Un été africain*, 1959, *Qui se souvient de la mer*, 1962, *le Talisman*, 1966) et exprime une pacifique confiance dans l'avenir.

D'autres écrivains algériens, comme **Kateb Yacine** (né en 1929) (voir p. 313) débordent le cadre de l'Afrique du Nord par la richesse et la nouveauté de leur création (*Nedjma*, 1956).

La Tunisie a d'excellents écrivains de langue française et, bien entendu, le Maroc. Parmi d'autres, deux romanciers marocains se sont distingués : **Ahmed Sefrioui** (né en 1915), auteur du *Chapelet d'ambre* et de *la Boîte à merveille*, pleins de l'âme de son pays, et **Driss Chraïbi** (né en 1926), plus près des problèmes modernes que pose l'affrontement des civilisations (*le Passé simple*, 1955, *les Boucs*, 1956, *l'Ane*, 1958).

En attendant que se décante et s'ordonne cette nouvelle et foisonnante production d'Afrique du Nord, nous renvoyons le lecteur à l'ouvrage du romancier et essayiste tunisien **Albert Memmi** (né en 1920) : *Anthologie des écrivains maghrébins d'expression française* (Présence africaine, 1964).

Consulter :
Abdelkabir Khatibi
Le Roman maghrébin
(Maspéro, 1968).

La race noire, elle aussi, a ses romanciers, dont **René Maran** (né en 1887 à la Martinique, mort en 1960), qui a créé le « roman nègre » : *Batouala* (1921). Signalons **Keita Fodeba** (Guinée) avec ses *Légendes africaines*, et beaucoup de romanciers blancs, tel **André Demaison** (1893-1956), sorte de Kipling français : *Les bêtes qu'on appelle sauvages* (1920), *la Comédie animale* (1931), *le Jugement des ténèbres* (1935). Mais l'Afrique noire compte surtout des poètes : Blaise Cendrars, dans son *Anthologie nègre* (dernière édition Corréa, 1947), a relevé les trésors de la poésie autochtone. Beaucoup d'autres écrivent directement en langue française. On les trouvera réunis dans plusieurs anthologies. Ces poèmes, dont les plus beaux sont signés **Damas** et **Senghor**, sont, au même titre que des romans, de véritables documentaires. (Voir page 242.)

Consulter :
Léonard Sanville
Anthologie de la littérature négro-africaine
(Présence africaine, 1963).

La Martinique avait inspiré **John Antoine Nau** (1860-1918). Haïti donne des écrivains français, tels **Edris Saint-Amand** et son *Bon Dieu Zit* (1952) (cf. Haïti : *Poètes noirs*, éd. du Seuil, 1951).

Consulter :
J.-L. Bédouin
Victor Ségalen *(Seghers, 1963).*
Henry Bouiller
Victor Ségalen *(Mercure, 1961).*
Le lecteur curieux de cette littérature exotique déjà ancienne, appartenant à l'ère coloniale, pourra s'adresser aux ouvrages suivants :
M.-A. Leblond *(1877-1953).*
Le roman colonial (*1926*).
Anthologie coloniale *(1929).*
Roland Lebel
Études de littérature coloniale *(Peyronnet, 1938).*
L'Afrique occidentale dans la littérature française depuis 1870 *(Larose, 1926).*
Les Voyageurs français au Maroc *(Larose, 1936).*
Signalons la collection Écrits français d'Outre-Mer *(Fasquelle) qui a publié en 1946 huit volumes écrits par des Africains, Malgaches, Indochinois, etc... Elle donne de bons spécimens de la synthèse de l'esprit français et de l'esprit indigène. Consulter aussi la collection* Colonies et Empires *(Presses Universitaires de France).*

L'Indochine et l'Extrême-Orient n'ont guère de romanciers indigènes, sinon **Pham Van Ky** (né en 1916), **Pham Duy Khiêm** (né en 1910), **Hoang Xuam Nhi** (né en 1914). Par contre, beaucoup de Français. Sans parler de Malraux dont l'œuvre dépasse le simple document (cf. p. 180), on citera **Claude Farrère** (cf. p. 166), **Jean d'Esme** (1893-1966), **Thomas Raucat,** etc. Plus près de nous, **Pierre Boulle** (voir p. 279) (*le Pont de la rivière Kwaï*), **Jean Hougron** (né en 1923) (*Tu récolteras la tempête, Mort en fraude*), **Jules Roy** (*la Bataille dans la rizière*), **Pierre Courtade** (*Rivière noire*), **Raymond Jean** (*le Village*) ont décrit, chacun selon son point de vue, l'atroce guerre du Viêt-nam.

L'Océanie a inspiré, depuis Gauguin, nombre d'écrivains et d'artistes, soit par le rêve, soit par l'action (Ségalen, Elsa Triolet, etc.). La Malaisie fut évoquée par **Henri Fauconnier** (né en 1879).

Quant à la Chine, elle a été chantée non seulement par Claudel, mais par un autre poète de génie, **Victor Ségalen** (1878-1919), qui s'impose enfin à la postérité cinquante ans après sa mort. Si les réalités chinoises sont présentes dans son œuvre (*René Leys*, 1921), elles sont le plus souvent transcendées en poésie profonde, dont la solennité s'accorde à la magie (*Stèles*, 1912, éd. crit. Plon 1963, *Odes*, suivies de *Thibet*, 1963).

Bien des écrivains d'autres pays ont adopté la langue française comme moyen d'expression. Les Allemands comme **Eric Noth** et **Alfred Lang,** par exemple, les Italiens **Curzio Malaparte** ou **Carlo Coccioli,** l'Irlandais **Samuel Beckett,** la Hollandaise **Neel Doff,** la Japonaise **Nikou Yamata,** beaucoup de Russes, des Sud-Américains, etc. Mais ne citons que ceux dont l'œuvre entre dans le cadre du roman réaliste. Au premier plan, trois pays :

— L'Égypte, qui compte une dizaine de bons romanciers documentaires : **Albert Ades, Albert Josipovici, Ahmed Deiff, F.J. Bonjean, Elian J. Finbert, Albert Cossery.** Ce dernier (né en 1913) — *la Maison de la mort certaine* (1947), *Mendiants et Orgueilleux* (1955) — et **Finbert** (né en 1899) — *le Fou de Dieu,* *la Violence et la Dérision* (1964), *le Destin difficile* (1937) — nous semblent les mieux doués.

— La Roumanie a donné à la langue française de nombreux écrivains de qualité : **Hélène Vacaresco** (1867-1947), la princesse **Bibesco** (née en 1890) qui conte avec brio ses *Vies antérieures* (1960), **Vintila Horia** (né en 1915), l'auteur de *Dieu est né en exil* (1960), etc., et des poètes comme **Pius Servien** (1902-1959), **Tristan Tzara** (cf. p. 101) et une pléïade de néo-surréalistes. Mais la personnalité la plus vigoureuse dans le domaine du roman fut **Panaït Istrati** (né en 1884 à Braïla, mort dans un monastère de Bucarest en 1935). Il fut découvert par Romain Rolland, sauvé par lui du suicide et appelé le « Gorki balkanique ». La France lui fit une célébrité pour ses romans : *Kyra Kyralina*, *Oncle Anghel* et *la Maison Thuringer* (1933). De ce dernier ouvrage, il faut lire la profonde préface.

— Le Liban est demeuré très fidèle à la langue française comme moyen d'expression littéraire et philosophique. A côté des essais remarquables de **Michel Chiha,** de **Choucri Cardahi,** de **René Habachi,** de **Georges Naccache,** d'**Édouard Saab** et de beaucoup d'autres critiques, journalistes et historiens, la prose libanaise est représentée en outre par **Andrée Chedid,** (voir p. 280) et **Farjallah Haïk.** Ce dernier, né en 1909, est l'auteur d'une remarquable trilogie : *les Enfants de la terre* (1948-1951) et de plusieurs autre romans puissants et colorés, dont *l'Envers de Caïn* (1955), qui fait penser à Camus, et *la Crique* (1966), roman de l'amour païen.

Les poètes de l'ancienne génération chantent en vers classiques les beautés du pays natal : **Elie Tyane, Charles Corm, Hector Klat,** tandis que les plus jeunes (voir p. 243) participent davantage aux recherches et aux aventures de la poésie universelle. Au théâtre, **Georges Schéhadé** (voir p. 336) a conquis une audience internationale, suivi par un jeune dramaturge et poète de grand avenir : **Gabriel Boustany.** (Consulter le chapitre sur la nouvelle génération.)

Couronnons ce rapide aperçu par l'œuvre d'un auteur en deux personnes, deux frères, qui se sont spécialisés dans le roman documentaire à l'étranger : **Jérôme** et **Jean Tharaud** (Saint-Junien 1874-1952 et 1877-1953). Ils ont parcouru tous les pays du monde et publié des romans très près du reportage sur les pays nègres, l'Afrique du Sud, l'Arabie, le Maroc, la Palestine, la Syrie, la Hongrie, etc. Assez antisémites, ils ont malgré tout une prédilection d'artistes pour les milieux juifs, qu'ils peignent avec toute leur couleur. *Double Confidence* (1951) décrit leur méthode de collaboration.

Consulter :
A la fin de l'ouvrage de Baldensperger (cf. chapitre **Caractères généraux** *en tête d'ouvrage) une liste de romans classés par pays.*

Remarque :

1. Pour avoir un tableau général de la littérature française hors de France, il faudrait ajouter à ces romans les *poèmes* et les *essais* de provenance coloniale ou exotique.

2. Il est difficile de faire la séparation entre le roman exotique et le roman d'aventures. Bien des romans cités plus loin sous une autre rubrique présentent aussi une valeur documentaire. En particulier Paul Morand, Roger Vercel, Luc Durtain — et même des pages de plus grands écrivains comme Blaise Cendrars, Malraux, Martin du Gard, Claudel ou Gide, qui s'élèvent au-dessus de l'anecdote, et qui révèlent le plus profondément l'esprit d'un pays.

3. Il faudrait y ajouter les *reportages* : certains offrent une grande valeur littéraire (André Bellesort, Francis de Croisset, Marcel Sauvage). Nous renvoyons le lecteur au manuel de Marcel Braunschwig (ouvrage cité), et à ses suppléments. Le plus fameux des reporters fut Albert Londres (1884-1932).

4. Malgré son volume considérable, la littérature purement régionaliste et apparentée ne nous paraît pas revêtir une très grande importance. Son rôle est et restera secondaire. Le propre de la littérature française est de se placer dans l'universel. Toute tendance particulariste ou folklorique n'apparaît plus au grand nombre que comme une curiosité. Les plus grands écrivains visent toujours à peindre le monde et l'homme en général. Avec toute sa couleur locale, le cadre n'est qu'une écorce, une coquille, et seuls ont des chances de durer ceux qui savent le percer ou suggérer au moins, à travers lui, les réalités profondes de l'homme.

Le roman psychologique

L'analyse des caractères a toujours tenu en France une grande place. Le XVIIe siècle avait poussé très loin l'observation psychologique — et le premier roman digne de ce nom est sans doute *la Princesse de Clèves* de Mme de La Fayette (1678), qui a su élever le genre romanesque à la perfection des autres genres. Au XVIIIe siècle, la vie mondaine a encore développé ces qualités, surtout dans l'analyse des passions de l'amour : *les Liaisons dangereuses* (1782) de Choderlos de Laclos demeurent un des romans les plus lus aujourd'hui, ainsi que l'*Adolphe* de Benjamin Constant (1816), encore dans la tradition du XVIIIe siècle. Chateaubriand et Senancour, après Rousseau, chargent le roman de porter toute la sensibilité moderne. Puis Balzac et Stendhal créent les grands types immortels. Après le déclin du roman psychologique au profit du roman réaliste et naturaliste, vers 1890, le premier prend sa revanche avec Paul Bourget, bon analyste mais artiste médiocre, et surtout avec Barrès et France. Nous avons vu comment Marcel Proust avait renouvelé et approfondi le genre (p. 39). Gide aussi, dans ses récits et dans ses soties, a apporté au roman psychologique de nouvelles complications. Actuellement, ce genre de roman est de nouveau en pleine prospérité; il trouve ses aliments dans la vie intime, dans la vie religieuse, dans la vie politique, dans la vie mondaine... Toutes les qualités d'observation inhérentes à la race s'y retrouvent : quinze siècles de christianisme et l'habitude de l'examen de conscience, une vie de spectacles très développée, l'amour de la conversation, le goût de la rue, la fréquentation des cafés, tout contribue à faire des romanciers français des maîtres parmi les praticiens de l'analyse des âmes.

Notre classification est arbitraire. Il est clair que tous les genres se mêlent : des romans réalistes contiennent d'excellentes analyses de caractères, des romans psychologiques sont en même temps des documents exacts sur les mœurs. Seulement, chez les auteurs suivants, c'est « le goût des âmes » qui prédomine.

Psychologues catholiques

Ils sont nombreux, comme il faut s'y attendre. Les catholiques demeurent les « spécialistes » de la vie spirituelle :

François Mauriac (né à Bordeaux en 1885), nourri de Pascal et de Racine, excelle à peindre les conflits de la passion et de la foi. Il prend généralement pour cadre sa Gironde natale. L'avarice, l'orgueil, la haine, le vice, l'amour surtout, se heurtent à la Grâce, donnée ou refusée mystérieusement, et forment d'étranges êtres compliqués, et même malsains. Mais Mauriac, qui est aussi le poète du *Sang d'Atys*, s'est affirmé comme un très grand artiste, sa composition et son style sont d'un classique; c'est par là que survivront ses meilleurs romans : *la Chair et le Sang* (1920), *Préséances* (1921), *le Baiser au lépreux* (1922), *Génitrix* (1924), *Destins* (1928), *le Nœud de vipères* (1932), *le Mystère Frontenac* (1933), *les Chemins de la mer* (1939), *la Pharisienne* (1941), *le Sagouin* (1951), etc. Sa plus attachante création nous semble être sa Thérèse Desqueyroux, figure tragique et passionnée qui paraît dans plusieurs romans : *Thérèse Desqueyroux* (1927), *Ce qui était perdu* (1930), *la Fin de la nuit* (1935). Sur ses idées politiques, on peut lire son *Journal* (4 vol. en 1950). Il poursuit, depuis quelque temps, la publication de notes hebdomadaires, dans lesquelles il fait la part grande à l'actualité, sans négliger les problèmes de la vie intérieure. Pour son théâtre, cf. p. 197. Il reçut le prix Nobel en 1952.

Consulter :
Ch. du Bos
François Mauriac ou le problème du romancier catholique *(Corréa, 1933).*
Joseph Majaut
Mauriac et l'art du roman *(Laffont, 1947).*
Robert J. North
Le Catholicisme dans l'œuvre de François Mauriac *(avec bibliographie) (Éd. du Conquistador, 1950).*
Nelly Cormeau
L'Art de François Mauriac *(Grasset, 1951).*
Pierre-Henri-Simon
Mauriac *(Collection du Seuil, 1953).*
Marc Alyn
François Mauriac *(Seghers, 1960).*

Georges Bernanos (né à Paris en 1888, mort en 1948) contraste fortement avec François Mauriac. Il est

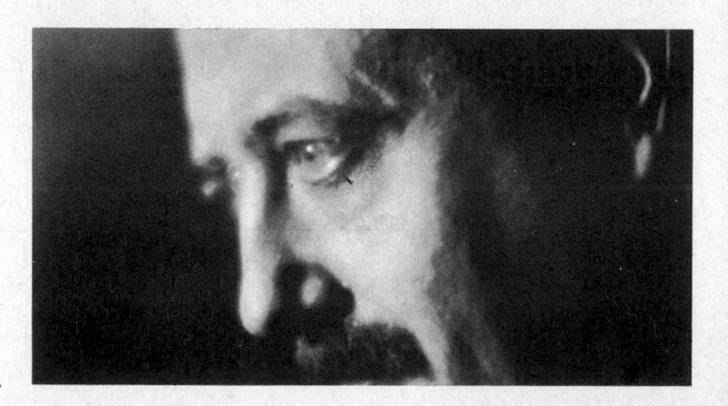

Georges Bernanos.

François Mauriac.

Consulter :
Luc Estang
Présence de Bernanos *(Plon, 1947).*
Gaétan Picon
Georges Bernanos *(Marin, 1948).*
Essais et Témoignages, *recueillis par A. Béguin (Seuil, 1949).*
Albert Béguin
Bernanos *(Collection du Seuil, 1959).*
Urs von Balthasar
Le chrétien Bernanos *(Seuil, 1956),*
Michel Estève
Bernanos *(Gallimard, Bibl. Idéale, 1965), et l'indispensable édition de la Pléiade.*

véhément, frénétique, visionnaire, parfois boursouflé, violent toujours, mais souvent génial. *Sous le soleil de Satan* (1926) expose les luttes d'un prêtre avec le diable. Après *Un crime* (1935), *le Journal d'un curé de campagne* (1936) est un chef-d'œuvre de réalisme mesuré, de sympathie humaine et de christianisme fervent. Mais l'excellente *Nouvelle Histoire de Mouchette* (1937) aboutit aux noires complications de *Monsieur Ouine* (1946) et d'*Un mauvais rêve* (1951). Enfin, les *Dialogues des Carmélites* (1949), joués en 1952, portent à la scène le dernier message de cette âme haute, dont le rôle reste grand dans la vie des idées (cf. p. 201).

Henri Bosco (né à Avignon en 1888), esprit méditerranéen, a montré que le Midi était aussi favorable que le Nord à l'éclosion du surnaturel. Ses livres étranges sont pénétrés d'un mysticisme austère (celui des Rose-Croix), qui jaillit en images douces et calmes. Peu connu avant la dernière guerre, malgré des romans lourds de sentiments et baignés de lumière : *Pierre Lampédouze* (1924), *l'Ane Culotte* (1938), *Hyacinthe*

Henri Bosco.

(1940)..., il rencontra enfin, à Alger d'abord en 1942, puis en France après 1944, un immense succès, que lui valut *le Mas Théotime*. A notre avis, ce livre est un des quatre ou cinq meilleurs romans français des trente dernières années. *Malicroix* (1948), *Antonin* (1952), *Monsieur Carré-Benoît à la campagne* (1953), *l'Antiquaire* (1954), *le Renard dans l'île* (1956), *Sabinus* (1957), *l'Épervier* (1963), etc., atteignent à ce même fantastique humanisé et à une envoûtante poésie du mystère. Dans *Un Oubli moins profond* (1961), *le Chemin de Monclar*, 1962, *le Jardin des Trinitaires*, *Mon compagnon de songes*, 1967, il puise plus directement aux sources de son enfance. La réalité et même le rêve se mêlent aussi, dans ses délicieux contes pour enfants, à ses souvenirs.

Consulter :
Jean Lambert
Un voyageur des deux mondes *(Gallimard, 1952)*.

Julien Green (né à Paris en 1900), d'origine anglo-saxonne, et marqué par un certain puritanisme américain (*Mont-Cinère*, 1926), a étudié les milieux catholiques de la province française : *Adrienne Mesurat* (1927). Il excelle à dépeindre les frayeurs des âmes tourmentées par la mort et le péché : *le Visionnaire* (1934), *Minuit* (1936), *Moïra* (1950). Ses livres sont difficiles mais denses de réalité humaine, sous des apparences hallucinées : *Si j'étais vous* (1947). Dans *Chaque homme dans sa nuit* (1960), il cherche encore à atteindre l'objectif qu'il s'est ainsi défini : « Je voudrais écrire pour celui qui est seul. » On lira son passionnant *Journal* (8 vol., 1928-1958).

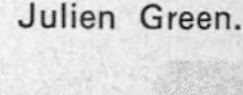

Julien Green.

A ces quatre maîtres du roman catholique psychologique, on pourrait ajouter beaucoup d'autres romanciers moins importants, tels que : **Louis Thomas** (né en 1885) : *l'Espoir en Dieu* (1921), *la Confession de la mort* (1923); **Gilbert des Voisins** (1877-1939) : *l'Esprit impur* (1919), *la Conscience dans le mal* (1921).

Il va sans dire que nous négligerons toute la production catholique dite « de patronage ». Elle est au-dessous du médiocre et n'intéresse pas du tout la vie littéraire. Le type de ces romanciers aux couleurs bleu et blanc est **Pierre l'Ermite.** Un frère et une sœur, Frédéric (1876-1949) et Jeanne (1875-1947) Petit-jean de la Rosière, ont, sous le nom de **Delly,** alimenté pendant un demi-siècle les bibliothèques des gares et les feuilletons des journaux bien pensants.

Consulter :
Marc Eigeldinger
Julien Green et la tentation de l'irréel *(Aux Portes de France, 1947)*.
Antoine Fongaro
L'existence dans les romans de J. Green. *(Rome, 1954)*.
Jean Sémolué
Julien Green ou l'Obsession du mal *(Centurion, 1964)*.
R. de Saint-Jean
Julien Green par lui-même *(Seuil, 1967)*.

Le sens de la vie intérieure n'est pas le monopole des catholiques.

Jacques Chardonne.

Consulter :
Ginette Guitard-Auviste
La Vie de Jacques Chardonne et son art
(Grasset, 1953).

Jacques Chardonne (né à Barbezieux en 1884, mort en 1968) s'inspire du XVIIe siècle. Ses romans sont au centre de la tradition classique. Poétiques et tendres, lucides pourtant, ils font une large part à l'amour intime, dernier refuge contre la cruauté du monde. D'ailleurs Chardonne croit-il en la cruauté ? *L'Épithalame* (1921), sa première œuvre, fut son premier succès : on y trouve déjà tout Chardonne. Puis son œuvre se développe calmement, comme un mécanisme délicat et précis : *le Chant du bienheureux* (1927), *les Varais* (1929), *Éva* (1930), *Claire* (1931)... Son chef-d'œuvre est sa trilogie familiale : *les Destinées sentimentales* (1934-1936). Dommage que ce grand artiste soit fermé aux problèmes sociaux, comme en témoigne *le Bonheur de Barbezieux* (1938), et qu'il ait prétendu quelquefois s'en mêler. En 1957, il a réuni ses *Œuvres complètes* (6 vol.). La publication simultanée, en 1964, de *Catherine*, son premier roman, et de *Demi-jour*, son dernier, montre à la fois la permanence et le progrès de son art en soixante ans d'écriture.

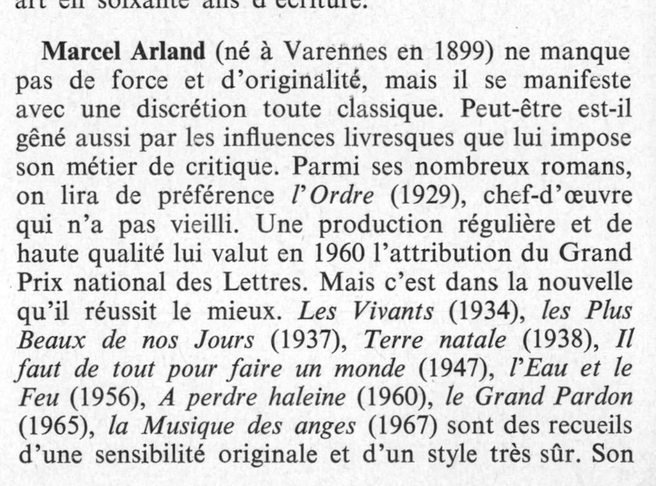

Marcel Arland (né à Varennes en 1899) ne manque pas de force et d'originalité, mais il se manifeste avec une discrétion toute classique. Peut-être est-il gêné aussi par les influences livresques que lui impose son métier de critique. Parmi ses nombreux romans, on lira de préférence *l'Ordre* (1929), chef-d'œuvre qui n'a pas vieilli. Une production régulière et de haute qualité lui valut en 1960 l'attribution du Grand Prix national des Lettres. Mais c'est dans la nouvelle qu'il réussit le mieux. *Les Vivants* (1934), *les Plus Beaux de nos Jours* (1937), *Terre natale* (1938), *Il faut de tout pour faire un monde* (1947), *l'Eau et le Feu* (1956), *A perdre haleine* (1960), *le Grand Pardon* (1965), *la Musique des anges* (1967) sont des recueils d'une sensibilité originale et d'un style très sûr. Son

Marcel Arland.
(à gauche)

nom restera comme d'un parfait artiste et serviteur de la prose française, ainsi qu'en témoignent ses excellentes *Anthologies* et ses confidences sur le métier d'écrivain (*La grâce d'écrire*, 1955, *Je vous écris*, 1960).

Consulter :
Jean Duvignaud
Arland *(Bibl. Idéale, Gallimard, 1962).*

Jean Cassou (né à Bilbao en 1897) est un type accompli d'humaniste. Il a abordé tous les genres avec un égal bonheur. Ses essais critiques : *Éloge de la folie* (1925), *Harmonies viennoises* (1926), *Pour la poésie* (1935), etc., plaident pour un art pathétiquement humain. Sur le plan du roman, il a écrit au moins deux chefs-d'œuvre : *De l'Étoile au Jardin des Plantes* (1935), recueil de nouvelles, et *Massacres de Paris* (1936). Il faut ajouter *Légion* (1939), le *Centre du monde* (Sagittaire, 1945), gros roman aux aspects multiples, et *le Temps d'aimer* (1959). Jean Cassou est aussi un excellent poète (cf. p. 223), un fin connaisseur des choses espagnoles et un bon critique d'art (il a dirigé le Musée d'art moderne). Il a discrètement livré ses pensées profondes dans ses nombreux essais et dans ses *Entretiens avec Jean Rousselot.*

Consulter :
Pierre Georgel
Jean Cassou *(Seghers, 1967).*

André Billy (né à Saint-Quentin en 1882), critique et historien, d'une probité et d'une science également remarquables, grand amateur du XVIIIe siècle, dont il goûte et imite l'élégance, a analysé des « cas » originaux de psychologie religieuse : *l'Approbaniste* (1938),

André Billy.

Consulter :
Juliette Decreus
Le Prêtre dans l'œuvre d'André Billy *(Flammarion, 1964).*

Introïbo (1939), *le Narthex* (1950), *Madame* (1954) Il laisse courir sa plume pour notre joie dans *le Jardin des délices* (1962) et *Sur les bords de la vérité* (1965).

André Chamson (né à Nîmes en 1900) fut d'abord le romancier des Cévennes, à la fois réaliste et lyrique : *Roux le Bandit* (1925). Puis il s'est intéressé aux problèmes politiques et éthiques : pacifiste d'abord, il devint un écrivain de la Résistance. De sa dernière manière, où les conflits d'idées tiennent la première place, on lira : *les Quatre Éléments* (1935) et *la Galère* (1939). *Le Puits des miracles* (1945) et *L'homme qui marchait devant moi* (1948) espèrent toujours en l'homme, mais rendent un son triste, comme *la Neige et la Fleur* (1951), *le Chiffre de nos jours* (1954) et *Comme une pierre qui tombe* (1964) et *la Superbe* (1967), où l'on voit « l'homme contre l'histoire », et finalement vaincu par elle.

André Chamson.

Claude Aveline (né à Paris en 1901), éditeur d'art, critique, conférencier et voyageur, allie merveilleusement l'intelligence et la sensibilité. Ses dons de psychologue ne se limitent pas à la seule analyse des individus : comme son maître Anatole France, il s'ouvre largement aux idées sociales : *la Vie de Philippe Denis*, en trois volumes. *Madame Maillart* et *la Fin de Madame Maillart* (1930) resteront sans doute comme son œuvre capitale. Il a écrit aussi des nouvelles, des romans policiers, des essais sur la Résistance : *le Temps mort* (1962) et un judicieux recueil de *Mots de la fin* (1957). Sa bibliographie complète établie par F. Mouret dès 1961 (Mercure de France) fait apparaître une œuvre merveilleusement ondoyante et variée.

Pierre de Lescure (1891-1963) a écrit surtout des romans d'amour : *Pia Malécot* (1935), *Tendresse inhumaine* (1936), *la Tête au vent* (1938), *le Souffle de l'autre rive* (1948), *Sans savoir qui je suis* (1955), etc. Ses livres valent par la précision des notations, par la nouveauté des sentiments, par l'art. Mais ils ne cherchent pas à dominer les grands problèmes de la destinée humaine, s'attachant davangage à approfondir les problèmes techniques du roman.

Pierre Bost (né dans le Gard en 1901), ancien élève d'Alain, traite sous forme romanesque des problèmes de psychologie et de morale. Toute son œuvre est animée d'un bel humanisme teinté d'un modernisme de bon aloi (le sport, le cinéma, les milieux parisiens, cosmopolites ou policiers). Son meilleur roman est *le Scandale* (1931). On aimera aussi l'habile *Porte-Malheur* (1932) et *M. Ladmiral va bientôt mourir* (1945). Il a en outre réalisé d'excellentes adaptations et les dialogues de plus de vingt films.

Joë Bousquet (1897-1950), grand blessé de la Première Guerre, condamné à rester éternellement allongé et miraculeusement vivant, a conquis l'amitié et l'estime des grands écrivains contemporains, sinon la vogue du grand public. *Le Médisant par bonté*

(1946) est un roman dense, compliqué, riche en ana lyses psychologiques. Un beau recueil poétique : *la Connaissance du soir* (1947), et quantité d'essais sur la poésie. Son journal *Traduit du silence* (1941) permet au lecteur d'imaginer l'univers particulier de sa pensée et de sa vie.

Consulter : Suzanne André, Hubert Juin et Gaston Massat Joë Bousquet *(Seghers, 1958).*

Jean Blanzat (né en 1906 en Limousin) a analysé avec émotion l'âme d'un adolescent (*Enfance*, 1930) et la vie amoureuse avec beaucoup de délicatesse (*Septembre*, 1936). Aussi *l'Orage du matin* (1942), un bon livre. Cette œuvre, qui fait une grande part au rêve, entre dans le fantastique avec *le Faussaire* (1964).

Marc Bernard (né en 1900 à Nîmes) exprime les réalités du monde avec fraîcheur et pureté (*Pareils à des enfants*, 1942, *Vacances*, 1953, *la Belle Humeur*, 1957).

Claire Sainte-Soline (1897-1967) poursuivit régulièrement une œuvre de qualité, riche, variée, nuancée, volontiers tournée vers l'évocation du passé ou de la province. Ses descriptions et ses récits sont des modèles d'écriture (*le Dimanche des Rameaux*, 1952).

Monique Saint-Hélier (1895-1955) a pris sa revanche sur une vie accablée par la maladie en créant un univers heureux et limpide, peuplé d'êtres de lumière (*la Cage aux rêves*, 1932, *le Martin-Pêcheur*, 1953, *l'Arrosoir rouge*, 1955).

Yves Gandon (né en 1899) a abordé tous les genres et tous les sujets et défie toute définition exhaustive. Ses principaux romans, groupés sous le titre *le Pré-aux-Dames*, sont consacrés à des figures féminines; ils valent à la fois par l'analyse des caractères, des sociétés historiques ou modernes, et surtout par un style sans faille.

Citons encore **Marcelle Sauvageot, Denise Fontaine, Ignace Legrand, Geneviève Fauconnier,** etc.

Doit-on classer parmi les romanciers humanistes **André Maurois** (né à Elbœuf en 1885, mort en 1967) ? Ses romans le justifieraient, car *Bernard Quesnay*

André Maurois.

(1926), *Climats* (1928), *le Cercle de famille* (1932), *les Roses de septembre* (1957) valent autant par l'analyse des caractères que par la peinture de la société qu'ils représentent. Leurs intrigues malheureusement restent très conventionnelles, et Maurois, en fin de compte, a peu de chances de survivre comme romancier. Il est, au sens plein du terme, un *écrivain*, dans la lignée de Voltaire ou Anatole France. Ses ouvrages historiques, peu originaux, se lisent avec agrément notamment ses biographies, genre dont il est le maître incontesté (Shelley, Disraeli, Byron, Lyautey, Chateaubriand, Proust, George Sand, Hugo, les trois Dumas Balzac, etc.). Elles ont le mérite d'être fort bien documentées, composées selon des recettes que ne renierait pas l'Université, et rédigées avec sobriété, clarté et élégance. Élève d'Alain, Maurois sut vulgariser honnêtement la pensée de son maître (*Dialogues sur le commandement*, 1924). Irrité par l'espèce d'académisme que respire cette œuvre trop bien huilée, on a pu se laisser aller à une sévérité excessive à l'égard d'un auteur si célèbre et si heureux. Il faut reconnaître plus justement qu'il demeure un grand ouvrier des lettres françaises et qu'il a fort bien servi notre langue. Enfin, l'on n'est pas près d'oublier *les Silences du colonel Bramble* (1918) et *les Discours du docteur O'Grady* (1928), qui ont fait passer de ce côté de la Manche tout le meilleur de l'humour britannique.

Consulter :
La Pensée d'André Maurois *(Deux-Rives, 1951)*.
Michel Droit
André Maurois *(Édit. Univ., 1953)*.
Jacques Suffel
André Maurois *(Flammarion, 1963)*.

Psychologues de la passion et de la volonté

Nous rangerons ici quelques pionniers de la psychologie, quelques aventuriers de la morale. Ils ont choqué autrefois le lecteur moyen. Faisons-leur la large place que leur vaut leur incontestable originalité.

Raymond Radiguet (né à Saint-Maur en 1903, mort en 1923) fut un jeune prodige, « le Rimbaud du roman », que découvrit Jean Cocteau peu avant sa mort. Il eut tout juste le temps d'écrire un recueil de vers : *les Joues en feu*, et deux profonds romans psychologiques, à la fois hardis et pudiques : *le Diable au corps* (1923) et *le Bal du comte d'Orgel* (1924) (Œuvres complètes, Grasset, 1951).

Consulter :
Henri Massis
Raymond Radiguet *(Cahiers libres, 1927)*.
Keith Goesch
Radiguet *(étude et morc. choisis - La Palatine, 1955)*.

Henry de Montherlant (né à Paris en 1896) s'apparente à Barrès, dont il perpétue le romantisme, la violence, la sensualité, la fierté aristocratique, le goût de l'Espagne et de l'Orient, l'amour exclusif des valeurs viriles. Aussi n'a-t-il guère résisté aux séductions de la force allemande (*l'Équinoxe de septembre*, *le Solstice de juin*) (cf. aussi *Textes sous une occupation*, 1953.) Après un ostracisme temporaire, Montherlant a retrouvé une situation très importante dans le roman contemporain. Il exalte la jouissance physique, le sport, la guerre : *le Songe* (1922), *les Olympiques* (1924), *les Bestiaires* (1926) et surtout son extraordinaire *Chant funèbre pour les morts de Verdun* (1924). Il a créé une forme d'amour moderne (et pourtant très ancien) fait de cynisme et de brutalité à l'égard des femmes : *les Célibataires* (1934), *les Jeunes Filles*, *Pitié pour les femmes*, *le Démon du bien*, *les Lépreuses* (1936-1938). On s'intéresse au personnage de Costa, le mâle dur et insensible aux pleurs féminins. Après la guerre, il renouvelle et élargit son univers dans *la Rose de sable* (1954, augmentée en 1968), puis dans *le Chaos et la Nuit* (1963). Les idées de Montherlant ont été définies par lui-même dans *Service inutile* (1935) et dans ses carnets intimes *Carnets XLII et XLIII* (La Table Ronde, 1948), suivis de *Va jouer avec cette poussière* (1966). Sur son théâtre cf. p. 198.

Consulter :
Édouard Champion
Montherlant vivant *(Champion, 1934)*.
N.-J. Faure-Bignet
Les Enfances de Montherlant *(M. Lefebvre, 1948)*.
Jeanne Sandelion
Montherlant et les femmes *(Plon, 1951) et la Bibliographie en appendice à* Malatesta *(1948)*.
Michel de Saint-Pierre
Montherlant, bourreau de soi-même *(Gallimard, 1949)*.
Pierre Sipriot
Montherlant par lui-même *(Seuil, 1953)*.
Henri Perruchot
Montherlant *(Bibl. Idéale, Gallimard, 1959)*.
Numéro spécial de la Table ronde *(nov. 1960)*.
L'essentiel de son œuvre est réuni dans les 3 volumes de la Pléiade.

Henry de Montherlant.

Drieu La Rochelle (né à Paris en 1893, mort en 1944) a voulu être la conscience de notre temps. Il a manqué son rôle. De la critique de la guerre : *la Comédie de Charleroi, Fond de cantine* (1920), à la croisade européenne : *l'Europe contre les patries* (1931), Drieu a fini par adhérer à une sorte de socialisme fasciste, qui l'amena pendant la guerre à s'engager aux côtés de l'Allemagne (Voir les textes réédités dans *Mesure de la France*, 1964, avec une remarquable préface de Pierre Andreu). Il fut naïf mais sincère, et son suicide, manqué d'abord, puis recommencé et réussi, garde une certaine grandeur. (Cf. *Récit secret*, 1958, et *Journal 1944-1945*, 1961.) Comme romancier, il est surtout l'auteur de *Gilles* (1939) et de *l'Homme à cheval* (1943), livres virils, importants témoignages sur l'homme et son siècle. *L'Homme couvert de femmes* (1925) et *Rêveuse bourgeoisie* (1937) restent encore bien supérieurs à ses vaticinations politiques.

Consulter :
Pierre Andreu
Drieu, témoin et visionnaire *(Grasset, 1952)*.
Frédéric Grover
Drieu La Rochelle *(Bibl. Idéale, Gallimard, 1962)*.

Marcel Jouhandeau (né en Saône-et-Loire en 1888) a composé un mélange subtil de naturalisme et de mysticisme. Sa verve s'exerce sutout contre les conventions provinciales (cf. *Chaminadour*, 1934, 1936, 1941, qui est la ville de Guéret), mais on ne voit guère au nom de quelle morale positive. L'essentiel de son œuvre tient dans l'analyse de sa vie conjugale. Depuis *Monsieur Godeau marié* jusqu'aux différentes *Chroniques maritales* (1938) et à *l'Imposteur* (1950), il nous entretient de ses rapports orageux, mais complexes et nécessaires, avec sa revêche Elise, « la Belle Excentrique ». Son style touffu et tendu sait atteindre quelquefois à une certaine perfection classique. Ses *Essais sur moi-même* (1947) et le *Mémorial* (6 vol. 1950-1958) permettent de cerner son étrange, mais captivante personnalité.

Consulter :
Claude Mauriac
Introduction à une mystique de l'enfer *(Grasset, 1938)*.
H. Rode
M. Jouhandeau et ses personnages *(Chambriand, 1951)*.
José Cabanis
Jouhandeau *(Bibl. Idéale, Gallimard, 1959)*.
Jean Gaulmier
L'Univers de M. Jouhandeau *(Nizet, 1960)*.

Simone (Mme Pauline Porché, née Benda en 1877) a peint les passions dans toute leur violence (*Jours de colère*, 1935, *le Bal des ardents*, 1951). Excellente actrice et même auteur dramatique, elle a donné en outre de passionnants souvenirs (*Sous de nouveaux* *soleils*, 1958, *Ce qui restait à dire*, 1967), qui intéressent la biographie d'Alain-Fournier.

Ce bilan du roman psychologique est loin d'être complet. Et d'ailleurs bien des écrivains figurant sous d'autres rubriques ont apporté aussi leur contribution à l'analyse des caractères : Romains, Duhamel, Cocteau, Supervielle, Jouve, etc. L'un d'eux mériterait un plus large développement : **Jean Giraudoux** (cf. p. 186). Giraudoux est surtout un dramaturge, mais ses romans, subtils et précieux, trop riches même de poésie, d'humour, d'images, d'idées, nous offrent des personnages délicieux. On les rencontre surtout dans *Suzanne et le Pacifique* (1921), *Bella* (1926), *Aventures de Jérôme Bardini* (1930), *le Combat avec l'ange* (1934), *Choix des élues* (1926); mais le plus délicieux est encore lui-même (*Simon le Pathétique*, 1926). Nous goûtons spécialement *Elpénor* (1919), fantaisie sur un modeste héros de l'Odyssée. Il existe des *Textes choisis*, par René Lalou (Grasset, 1932).

Le roman d'imagination

Nous classons sous cette rubrique tout ce qui relève de la fantaisie : roman merveilleux, roman d'aventures, roman historique, roman policier, etc. Ce genre a toujours été très prospère en France, du Moyen Age à Rabelais, à Scudéry, à Hugo, Alexandre Dumas, Paul de Kock, Eugène Sue, Jules Verne, etc. La littérature française, réputée toujours si raisonnable, a fait également une large part au rêve, à l'insolite et au mystère.

Le roman merveilleux

Certains romans sont des voyages en des pays imaginaires. Même quand ils ont un point de départ dans la réalité, leurs auteurs s'en évadent et présentent le monde comme une hallucination féerique.

Consulter :
Marcel Schneider
La littérature fantastique en France (Fayard, 1964).

Jean Cocteau (cf. p. 114) dans ses romans reste un poète. Pour mieux échapper aux banalités, il crée un monde illusoire, qui possède ses conventions propres. *Le Potomak* (1919), *le Grand Écart* (1923), *Thomas l'Imposteur* (1929), *la Fin du Potomak* (1939) sont éclipsés par *les Enfants terribles* (1929), léger conte romanesque, qui a fait rêver toute une génération. Cette fantaisie n'exclut ni la profondeur psychologique, ni même la puissance tragique.

Francis de Miomandre (né à Tours en 1880, mort en 1959) a forgé des rêves splendides, comme *Samsara* (1931), bijou de fantaisie et de style. Son goût du fantastique apparaît davantage dans *Otarie* (1933), *le Cabinet chinois* (1914), *Direction Étoile* (1937), où une ligne de métro l'entraîne très loin dans le songe.

Alexandre Arnoux (né à Digne en 1884) possède un des meilleurs styles de notre temps, d'une pureté classique, toute chargée de sensibilité moderne. C'est un parfait ouvrier du langage. Il excelle aussi bien dans le conte (*Suite variée*, 1925), que dans le roman (*le Chiffre*, 1926), et dans le divertissement scénique (*Huon de Bordeaux*, 1922, *le Rossignol napolitain*, 1937, *l'Amour des trois oranges*, 1947). Tous ces ouvrages créent un monde très particulier et charmant. Tous ceux qui aiment Paris liront *Paris-sur-Seine* (1939), ils y verront surgir une ville magique. La manière de cet artiste, un des plus probes de notre temps, est expliquée dans *le Cabaret* (1932) et dans *Poésie du Hasard* (1934). Il a excellemment romancé et popularisé la courte et géniale carrière du mathématicien Evariste Gallois dans *Algorythme* (1948).

Jacques Spitz (né en 1896), comme Jules Verne ou comme Wells, emprunte le merveilleux aux hypothèses scientifiques : *les Évadés de l'an 2000* (1936), *la Guerre des mouches* (1936). Dans *l'Homme élastique* (1938), il cherche à édifier une philosophie.

Franz Hellens (né à Bruxelles en 1881) a su exprimer les mystères de la Flandre et transcender ses souvenirs en une aventure de l'esprit humain : *Réalités fantastiques* (1923), *Œil de Dieu* (1925), *le Magasin aux poudres* (1936) et surtout sa belle trilogie : *le Naïf* (1926), *les Filles du désir* (1931), *Frédéric* (1935), ainsi que *Mélusine* (1953), qui sont de bons exemples de ce qu'il appelle le « fantastique réel ». Il médite désormais sur sa vie (*Naître et Mourir*, 1948, *l'Homme de soixante ans*, 1951, *la Comédie des portraits*, 1965) et rassemble ses *Poèmes* (1956).

Consulter : Hommage à Franz Hellens *(A. Michel, 1957)*.

Georges Limbour a conservé de ses jeunes amours surréalistes (*le Soleil bas*) le goût des contes (*l'Illustre Cheval blanc*, 1930) et des romans où le réel est légèrement distordu par une vision poétique du monde, où la sensibilité s'aiguise dans une sorte de mirage (*les Vanilliers*, 1938, *la Pie voleuse*, 1939, *le Bridge de Madame Lyane*, 1948, *la Chasse au mérou*, 1963).

Robert Poulet (né en 1893), Belge de naissance, nous dépayse par l'imagination. Il vise à l'hallucination sous des apparences réalistes. Lui-même définit son œuvre comme une entreprise d'affolement public; *Hendji* (1930), *le Trottoir* (1931), *le Meilleur et le Pire* (1932), *Ténèbres* (1934), *Prélude à l'Apocalypse* (1943). Son *Journal d'un condamné à mort* et ses pamphlets politiques rappellent la part qu'il a prise en Belgique à la collaboration avec l'occupant pendant la guerre.

Marguerite Yourcenar (née à Bruxelles, en 1903) parfaite humaniste de notre temps (des Grecs aux négro-spirituals), a imaginé de pénétrants *Mémoires d'Hadrien* (1951), prétexte à méditations philosophiques claires et aisées. Ses romans prennent leur racine dans l'Histoire réduite à ses mythes. Le titre d'une de ses pièces de théâtre exprime son interrogation essentielle : *Qui n'a pas son minotaure ?* (1963).

Pierre Klossowski (né en 1903) a nourri aux sources du surréalisme et de l'érotisme sa vision philosophique et prophétique du monde (*le Baphomet*, 1965).

Beaucoup de femmes aussi, influencées surtout par les romancières anglaises, se sont livrées à des transpositions plus faciles et d'une fantaisie un peu maniérée. Par ses trois romans, *le Jour des Rois*, *le Temps de notre vie*, et surtout *Seven to seven*, **Véronique Blaise,** jeune romancière de la génération suivante, nous paraît retrouver le ton de Virginia Woolf avec une écriture mystérieusement incantatoire. Parmi les romancières citons : **Monique Saint-Hélier** (1895-1955), **Germaine Beaumont** (née en 1890), **Simone Ratel,** et surtout **Louise de Vilmorin** (née en 1902), auteur de romans charmants bien écrits, qui comportent parfois un grain d'insolite, de *Sainte Unefois* (1934) à *Madame de...* (1951) et à *l'Heure Maliciôse* (1967).

On trouvera aussi du merveilleux dans Blaise Cendrars, Francis Carco, André Maurois, Jules Supervielle, Léon-Paul Fargue, Jean Giraudoux, Valéry Larbaud et tant d'autres classés sous d'autres rubriques. Et aussi, naturellement, chez tous les surréalistes, comme Aragon : *Une vague de rêves* (1924). Mentionnons spécialement **Marcel Aymé** (cf. p. 140) qui, à ses dons comiques, réalistes et psychologiques, ajoute une espèce de fantaisie très particulière : il part d'une donnée surnaturelle et en pousse à fond, logiquement, les conséquences les plus folles. Cette forme de merveilleux est très réussie dans certaines nouvelles du *Passe-Murailles* (1946) et de *En Arrière* (1950).

Le roman d'aventures

Trois noms très célèbres entre les deux guerres sont depuis 1945 un peu dévalués. Leurs sortilèges paraissent aujourd'hui bien académiques en comparaison des romans surréalistes, fantastiques, ou même policiers. Auprès des jeunes gens, leur œuvre a presque entièrement perdu son pouvoir d'évasion.

Claude Farrère (né à Lyon en 1876, mort en 1957) devint le grand spécialiste des histoires de marine après la mort de Loti (1923). Il est loin d'égaler son maître. Ses derniers ouvrages, chargés d'une morale toute conventionnelle, deviendront vite illisibles. On s'intéressera peut-être à ses romans de jeunesse : *Fumée d'opium* (1904), *les Civilisés* (1905), *la Bataille* (1909), et à quelques-uns de ses récits maritimes.

Pierre Benoit.

Pierre Benoit (né dans les Landes en 1886, mort en 1962) fut un excellent confectionneur de romans d'aventures. Chaque année, pendant vingt ans, ses lecteurs ont attendu de lui un nouveau roman, qui chaque fois leur procurait une évasion à bon marché. Si l'on précise que le nom de ses héroïnes commence par un A et que Benoit s'est vanté de n'avoir visité les lieux qu'après les avoir décrits, on aura suffisamment défini la manière de ce magicien facile. Tous ses romans proposent les mêmes types de femme fatale et de héros abattu par les passions. Avouons pourtant qu'on lit encore ces livres avec agrément. Parmi eux nous préférons *Erromango* (1929) et *l'Ile verte* (1932).

Consulter :
Johan Daisne
Pierre Benoit ou l'éloge du roman romanesque *(A. Michel, 1964)*.

Paul Morand (né à Paris en 1889) eut du génie dans sa jeunesse. Nul n'a mieux décrit l'atmosphère des années vingt, ni contribué davantage à créer le style de la première après-guerre : *Ouvert la nuit* (1922), *Fermé la nuit* (1923), *Lewis et Irène* (1924), *l'Europe galante* (1925). Et puis Morand a analysé l'âme des différents continents : *Bouddha vivant* (1927), *Magie noire* (1928), *Champions du monde* (1930). On lira encore avec intérêt ses portraits de grandes villes (*New-York*, *Londres*, *Bucarest*...), quelques-unes de ses nouvelles et ses excellents souvenirs sur son ami Jean Giraudoux. Son roman *l'Homme pressé* (1941) le définit assez bien. En 1965, grâce à *Tais-toi*, il renoue avec le succès romanesque.

Consulter :
Bernard Delvaille
Paul Morand *(Seghers, 1966)*.

A ces maîtres enchanteurs de l'entre-deux-guerres, on pourra associer :

Édouard Peisson (né à Marseille en 1896, mort en 1963), le meilleur romancier français de la mer, l'émule de Joseph Conrad, qu'il surpasse parfois par la solidité de ses intrigues. Sans prétentions philosophiques ni morales, Peisson a écrit pour les adolescents les romans les plus sains et les plus passionnants qui existent. Les adultes eux-mêmes auraient tort de le négliger : *Parti de Liverpool* (1932), *Passage de la ligne* (1935), *Mer Baltique* (1936), *le Pilote* (1937), *le Voyage d'Edgar* (1940), *les Écumeurs* (1946), *les Rescapés du Névada* (1950), jusqu'au *Cavalier nu* (1964).

Luc Durtain (né à Paris en 1881, mort en 1959), d'abord compagnon de l'Abbaye (cf. p. 95), grand voyageur, a analysé honnêtement le monde américain dans de bons romans et nouvelles : *Quarantième Étage* (1927), *Hollywood dépassé* (1927), *Capitaine O. K.* (1931), *Frank et Marjorie* (1934). Puis il s'est transporté en U.R.S.S., en Indochine, et finalement le monde entier se transforme en féerie : *le Globe sous le bras* (1936). Il vise à créer un art de vivre où l'humanisme du voyageur s'allie à la bonté.

Consulter :
Yves Chatelain
Luc Durtain *(Œuvres représentatives, 1933)*.

Maurice Bedel (né à Paris en 1883, mort en 1954) préfère les pays nordiques : *Jérôme 60° latitude Nord* (1927) ou encore l'Italie : *Zulfu* (1933). Surtout, il a su utiliser les ressources romanesques d'un petit coin de terre française : *Molinoff, Indre-et-Loire* (1928), *Géographie de mille hectares* (1937). Comme Alexandre Arnoux, c'est un maître du style.

André t'Serstevens (né en 1886), d'origine belge, naturalisé en 1937, réagit contre les descriptions conventionnelles de marins : *Ceux de la mer*. Il sait retrouver dans le monde moderne l'intérêt épique des anciennes histoires de pirates : *l'Or du « Cristobal »* (1936).

Joseph Kessel (né en 1898 en Argentine, de parents russes) a adapté aux pilotes d'avion les histoires traditionnelles de marins. Il a parfaitement réussi dans *l'Équipage* (1923), *Vent de sable*, *les Enfants de la* *chance, les Bataillons du ciel* (1947). Les quatre volumes du *Tour du malheur* (1950-51) vous entraînent, comme certains films, dans de folles histoires d'un

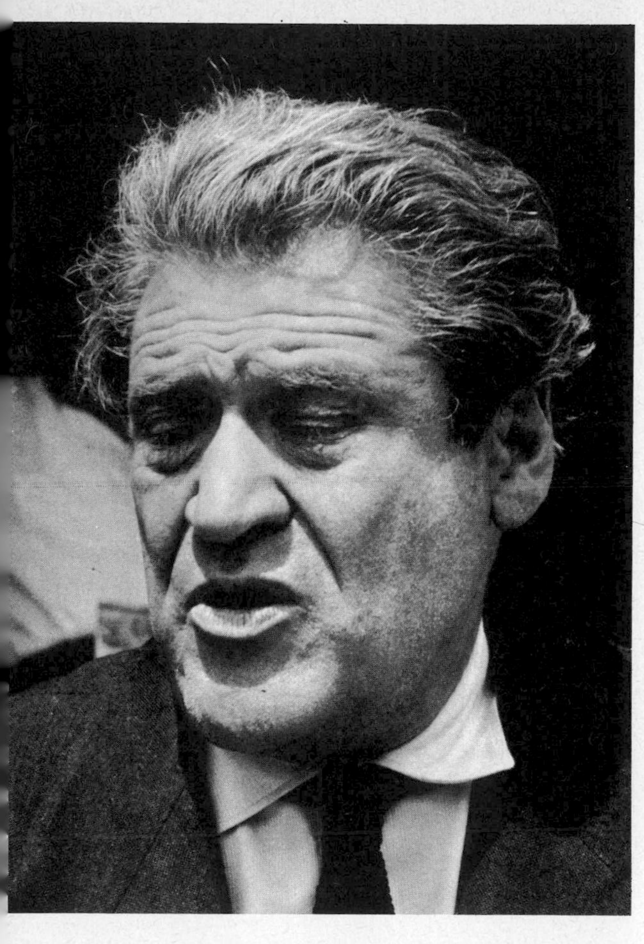

Joseph Kessel.

naturalisme dégénéré. Mais *le Lion* (1958), qui est peut-être son chef-d'œuvre, continue d'attester la puissance de cet écrivain viril, dont l'inspiration ne faiblit pas : *Tous n'étaient pas des anges* (1963), *les Cavaliers* (1967).

Roger Vercel (né en 1894, mort en 1957) possède un solide talent de conteur, qu'il décrive un guerrier de Roumanie, *Capitaine Conan* (1934) ou les marins de sa Bretagne (la série de *la Fosse aux vents*).

Georges Blond (né en 1906) a publié cinquante romans sur la guerre et surtout sur la mer, qui n'a rien perdu de son prestige romanesque (*Rien n'a pu les abattre*, 1968).

Francis Didelot (né en 1902 à Madagascar) a romancé ses souvenirs d'Afrique et imaginé des histoires passionnantes, pleines d'action, de mystère et de couleur (*Au soleil de la brousse*, 1945, *Naoun*, 1952, *Six heures d'angoisse*, 1955, *Nuit après nuit*, 1964).

Ajoutons **Henri de Monfreid** (né en 1879) spécialiste de l'Abyssinie, qui raconte sa biographie dans les volumes de *l'Envers de l'aventure* (*l'Ornière*, 1966); **Henri Fauconnier** (né en 1879) : *Malaisie* (1930); **Joseph Peyré** (né en 1892), romancier du Sahara : *l'Escadron blanc* (1931) et de l'Espagne : *Sang et Lumière* (1935), *l'Homme de choc* (1937); **Alfred Colling** (né en 1902) qui est aussi un puissant romancier réaliste (*la Montée des ténèbres*, 1945) et un parfait biographe (*Flaubert*, 1941); **Pierre Humbourg** (né en 1901) : *Escale* (1927); **Pierre Frédérix** (né en 1897), reporter qui, après l'exotisme de *Conquête* (1931), transporte en Allemagne ses excellents types d'aventuriers : *Mort à Berlin* (1948); **Marc Chadourne** (né en 1895), autre reporter spécialiste de la Chine, de l'U.R.S.S., de l'Amérique : *la Clé perdue* (1948), *Quand Dieu se fit Américain* (1950); **Pierre Nord** (né en 1900), qui a publié des dizaines de volumes sous le titre général : *l'Aventure de notre temps*; **Pierre Béarn** (né en 1902), qui a romancé ses personnages de guerre et de voyage : *De Dunkerque à Liverpool* (1942); **Jean Merrien** (né en 1905), Breton, historien, chantre épique de la mer; **Paul Mousset** (né en 1907), romancier de l'Extrême-Orient : *Neige sur un amour nippon* (1954); **Jean Ray** (1887-1964), où le vécu se mêle au fantastique : *Malpertuis* (1951), etc., et relions le roman d'aventures au roman documentaire exotique, avec lequel souvent il se confond.

Le roman historique

Le roman historique est peu représenté dans la génération de 1920. Ce genre, qu'ont créé Walter Scott et Alexandre Dumas, a encore beaucoup fleuri jusque vers 1914 : **Maurice Maindron** (1857-1911) et surtout **Georges d'Esparbès** (1864-1944) ont écrit les derniers chefs-d'œuvre du genre. Les quelque vingt volumes d'Esparbès, trop oubliés aujourd'hui, sont la perfection du roman chevaleresque : *la Légende de l'Aigle* (1893), *la Guerre en dentelles* (1896), *les Demi-Soldes* (1899), etc. Après eux, la veine se disperse et se perd.

Joseph Delteil (né en 1894) remporta un immense succès avec sa *Jeanne d'Arc* (1925), fresque d'Épinal épique. Sur le même modèle, il a donné des images violentes et colorées des « Poilus » de la guerre de 1914, de La Fayette, de Napoléon, etc. On lui reconnaîtra un certain génie pour grossir et pour faire vivre le réel. Après des années de silence, il revint à la littérature en 1947 avec *Jésus II*, en 1960 avec *François d'Assise*, où se mêlent élans mystiques et grossièretés.

Consulter : Maryse Choisy Delteil tout nu *(Montaigne, 1930).*

Henri Béraud (né à Lyon en 1885, mort en 1958), condamné en 1945 pour ses pamphlets anti-britanniques et défaitistes, a mieux usé de son talent certain dans des sortes de chroniques de la province : *le Vitriol de lune* (1921), *le Bois du templier pendu* (1926), *les Lurons de Sabolas* (1928), *Ciel de suie* (1934) et dans un joli récit de son enfance : *la Gerbe d'or* (1928), que précéda *le Martyre de l'obèse* (1922) — son propre martyre...

Guy de Pourtalès (né à Genève en 1881, mort en 1941) cherche dans l'étude des grands musiciens (Liszt, Chopin, Wagner) un entraînement pour son œuvre originale. *La Pêche miraculeuse* (1937) décrit Genève au début de ce siècle. De lui encore : *Marins d'eau douce*.

Mais si le roman historique proprement dit a perdu de son importance, cela s'explique, croyons-nous, par l'extraordinaire fortune de l'*histoire romancée* et en particulier de la *biographie romancée*. Ce genre faux séduit un public peu exigeant, qui s'intéresse aux petits côtés de l'Histoire. Tous les éditeurs ont aujourd'hui leurs collections de vies romancées : Plon, Gallimard, etc. Les plus habiles fabricants de ces ragoûts historico-romanesques furent, parmi des auteurs déjà anciens, **Frédéric Masson** (1847-1923), auteur d'un fameux *Napoléon et les femmes*, **Franz Funck-Brentano** (1862-1947) et **Georges Lenotre** (1855-1935), spécialistes de la « petite histoire » révolutionnaire, **Octave Aubry** (1881-1946) « historien » du Premier et du Second Empire, le docteur **Auguste Cabanès** (1862-1928), qui recherche dans le passé les curiosités médicales les plus épicées, etc. Plus moderne et plus brillant, **Paul Reboux** (1877-1963) a écrit les croustillantes biographies des plus célèbres courtisanes. Parmi les vies romancées d'écrivains, signalons seulement deux réussites : *la Vie prodigieuse de Balzac*, par **René Benjamin** (1885-1948) et la passionnante et absolument véridique *Vie de Rimbaud* par **Jean-Marie Carré** (1887-1958).

Le roman policier

Les origines du genre "policier" se perdent dans la nuit des temps, de Sophocle à Balzac et à Poe ! En France, le premier véritable spécialiste semble être **Émile Gaboriau** (1835-1873), dont l'œuvre maîtresse, *Monsieur Lecoq* (1869), est encore aujourd'hui réimprimée.

La première génération a donné deux classiques :

Maurice Leblanc (1864-1941), créateur d'un type fameux de gentleman-cambrioleur : *Arsène Lupin*, et **Gaston Leroux** (1868-1927), dont on peut relire *le Mystère de la chambre jaune*, *le Parfum de la dame en noir*, et toute la série des *Rouletabille*. Ce furent les grands succès d'il y a trente ou quarante ans.

Aujourd'hui, la technique américaine influence fortement les auteurs policiers français, qui, toutefois, conservent leurs qualités d'intelligence et d'analyse psychologique :

Pierre Souvestre (1874-1914) et **Marcel Allain** (né en 1885) avaient créé dès 1911 l'hallucinant *Fantômas* qui, pour les surréalistes, prendra l'importance d'un mythe.

Georges Simenon (né à Liège en 1903), grand écrivain à sa manière, a depuis 1931 tenu et gagné le pari d'écrire à peu près un ouvrage par mois. Après quelques douzaines d'excellentes histoires de détectives, Simenon a composé des livres plus chargés d'atmosphère et d'ambitions littéraires, comme *le Testament Donadieu*. Ne dédaignons pas Simenon : André Gide le salue comme un des génies du siècle. Les éditions Rencontre réunissent ses œuvres complètes, notamment la série des "Maigret".

Consulter :
André Parinaud
Connaissance de Simenon *(Presses de la Cité, 1957).*
B. de Fallois
Simenon *(Bibl. Idéale, Gallimard, 1961).*

Pierre Véry (né en 1900, mort en 1960) compose des romans policiers solidement charpentés et d'un style charmant (*Goupi-Mains Rouges*).

Et encore parmi les meilleurs, **Stéphane Corbière, Claude Aveline, Jacques Decrest, Noël Vindry,** le Belge **Stanislas Steeman,** etc. Après la Seconde Guerre, on verra apparaître le genre « série noire », largement imité de l'américain, dont les principaux représentants sont **Albert Simonin** (né en 1905) : *Touchez pas au grisbi*; **Auguste Le Breton** (né en 1913) : *Du rififi chez les hommes*, maître actuel de l'argot; **Antoine Dominique** (né en 1917), spécialiste des « *Gorille* »; **Jean Bruce** (1921-1966), qui s'est orienté vers le genre « Roman d'espionnage » avec sa série OSS 117. Les maîtres du roman d'espionnage sont américains, mais les Français s'y adaptent peu à peu pour le meilleur

Consulter :
François Fosca
Histoire et technique du roman policier *(N.R.C., 1937).*
Thomas Narcejac
Esthétique du roman poli-

cier (1947) et son étude sur le roman policier dans l'Histoire des littératures (Encycl. de la Pléiade), tome III.

et pour le pire (**Jean Bommard, Charles Exbrayat, Michel Lebrun, Maxime Delamare, G. de Villiers, Paul Kenny, J.-P. Conty**, etc.).

Les sommes romanesques

Nous avons cité déjà un bien grand nombre de romanciers dans cette deuxième génération du XXe siècle. Pourtant, nous n'avons pas encore examiné tous les plus grands. C'est qu'en effet ceux-ci débordent les classifications, et il serait vain de vouloir les faire entrer dans un cadre traditionnel. L'originalité des meilleurs romans modernes tient précisément en ce qu'ils constituent des sortes de synthèses. On y trouve à la fois des peintures de mœurs, des analyses psychologiques, de l'imagination, de la poésie et, en outre, une philosophie plus ou moins implicite de l'homme et du monde. Ces œuvres réalisent le désir de Hugo; elles font la somme des idées et des sentiments de notre temps.

Au XIXe siècle déjà, deux immenses fresques littéraires avaient répondu à cet objet : *la Comédie humaine* de Balzac, et *les Rougon-Macquart* de Zola. Plus tard, nous l'avons vu, le *Jean-Christophe* de Romain Rolland et *A la recherche du temps perdu* de Marcel Proust ont donné des visions totalitaires de l'univers, mais chacun avec ses partis pris philosophiques. Après 1920, beaucoup d'écrivains entreprirent à leur suite des « romans-fleuves », ou des « romans-cycles », en les adaptant à leur époque. D'autres, comme Malraux, se sont contentés de donner des instantanés fulgurants; mais en un éclair, c'est aussi la totalité de la condition humaine qu'ils visent à exprimer.

Roger Martin du Gard (né à Neuilly-sur-Seine en 1881, mort en 1958), est demeuré à peu près inconnu du grand public jusqu'au prix Nobel, qui, en 1937, l'a fort heureusement mis en lumière. Bien qu'il ait peu écrit, il reste toujours au premier rang des lettres françaises. Ce fut une belle figure d'écrivain. Il abhorrait la publicité et créait lentement, d'un esprit lucide, des œuvres d'où sont bannies toute démagogie et toute illusion. Avant 1914, il publia *Devenir* (1909), et l'admirable *Jean Barois* (1913), histoire d'un intellectuel au temps de l'affaire Dreyfus. *La Confidence africaine* (1931), un petit chef-d'œuvre, décrit l'inceste avec toute la sérénité d'un rationaliste. *Vieille France* (1933) raconte la vie d'un village : les vices y sont analysés avec une discrétion toute classique. On lira également son théâtre (cf. p. 197). Mais son œuvre maîtresse reste *les Thibault*. Par ce cycle familial, Martin du Gard s'est élevé au sommet de la littérature mondiale. En huit parties, c'est un monument impeccable, construit autour d'une famille dont les deux fils, Antoine et Jacques, se disputent la sympathie de l'auteur, comme du lecteur. Analyse des âmes troubles de deux adolescents : *le Cahier gris*, *le Pénitencier* (1922); merveilleux voyage au pays de l'amour : *la Belle Saison* (1923); problèmes moraux posés par le métier, par la religion, par la famille : *la Consultation*, *la Sorellina* (1928), *la Mort du père* (1929), — la fresque étonnante se déroule sans que jamais la précision des détails nuise à l'équilibre de l'ensemble. Après une longue interruption motivée par des raisons artistiques, Martin du Gard publie en 1936 les trois volumes de *l'Été 14*. Les destinées individuelles sont alors emportées par le grand drame de la guerre, et c'est un document de premier ordre sur l'état des esprits en ce tournant de l'Histoire. Par un coup de maître, son *Épilogue* (1940) renoue les fils un peu détendus, rassemble tous les personnages, et l'univers se rétrécit peu à peu pour finir sur le nom d'un enfant, Jean-Paul, le dernier des Thibault. Tout ce monde romanesque reste, malgré sa complexité, clair et ordonné, au prix d'un labeur considérable, grâce à une technique précise, classique, qui pourtant n'étouffe point la vie. Les Thibault sont probablement le chef-d'œuvre du roman français entre les deux guerres.

L'édition de la Pléiade, avec une préface magistrale d'Albert Camus, contient ses précieux *Souvenirs* (1955).

Roger Martin du Gard.

Consulter :

René Lalou
Roger Martin du Gard *(Gallimard, 1937).*

Clément Borgal
Roger Martin du Gard *(Éditions Universitaires, 1958).*

Pierre Daix
Réflexions sur la méthode de Roger Martin du Gard *(Édit. Fr. Réunis, 1958).*

Jacques Brenner
Martin du Gard *(Bibl. Idéale, Gallimard, 1961).*

Réjean Robidou
Roger Martin du Gard et la Religion *(Aubier, 1964).*

Numéro spécial de la NRF, 1-12-1958.

Jules Romains (né dans la Haute-Loire en 1885) a déjà été cité comme poète et fondateur de l'école unanimiste (cf. p. 94). Nous le retrouverons comme dramaturge (cf. p. 200). Mais sans quitter tout à fait la poésie et le théâtre, il est devenu surtout un romancier. Quelques romans ingénieux et déjà unanimistes, tels que *Mort de quelqu'un* (1911), excellent, *les Copains* (1913), chef-d'œuvre de l'humour mystificateur, *Psyché* : 1º *Lucienne* (1922), 2º *le Dieu des corps* (1928), 3º *Quand le navire...* (1929), où se donne libre cours son pansexualisme, l'ont préparé à cette énorme somme des *Hommes de bonne volonté*, en 27 volumes, publiés de 1932 à 1947. Il y analyse vingt-cinq ans de vie française, avec des incursions en différents pays d'Europe, du 6 octobre 1908 au 7 octobre 1933. Comme il l'explique dans son importante préface, c'est un roman « unanimiste », c'est-à-dire destiné à faire revivre l'âme collective d'une société sans recourir aux conventions romanesques. Dans les derniers volumes cependant, Jules Romains abandonne en partie cette technique. Et même, pour dire vrai, dans les volumes proprement « unanimistes », le lecteur s'intéresse à quelques individus exceptionnels, tels que Jallez, Jerphanion, Haverkamp, Quinette, etc., plutôt qu'à l'âme collective. Seuls les débuts du premier et du dernier volume, et l'analyse de la guerre dans *Prélude à Verdun* et *Verdun* nous semblent réaliser parfaitement le dessein initial. Quand Jules Romains n'écrit pas trop vite, quand il évite de soutenir une thèse politique, quand il s'applique à son métier de conteur, alors il est inimitable : son intelligence comprend tout, ou imagine tout; son art de la narration fait de lui un auteur pour anthologies. Outre un bon choix de textes sur *Paris*, on lira surtout les tomes I *le 6 octobre*, III *les Amours enfantines*, IV *Éros de Paris*, V *les Superbes*, VI *les Humbles*, VII *Recherche d'une Église*, VIII *Province*, XIII *Mission à Rome*, XV *Prélude à Verdun*, XVI *Verdun*, XVIII *la Douceur de la vie*, XXV *le Tapis magique*, XXVI *Françoise*, XXVII *le 7 octobre*. Cette œuvre gigantesque a été trop sévèrement jugée par la critique : on a reproché notamment à ce roman-fleuve de se terminer en marais. Mais le public continue à lui faire un beau succès. Quoi qu'il en soit, un quart de l'ouvrage reste de tout premier ordre. Dans *Bertrand de Ganges* (1947) et dans *Violations de frontières* (1951), il prend des libertés avec l'espace, le temps et la logique. Et puis il repart pour un autre long cycle (*Une femme singulière*, 1957, *Mémoires de Madame Chauverel*, 1959, *Un grand honnête homme*, 1961), d'une composition très subtile et pimentée d'érotisme, mais qui a tourné court.

Consulter :
André Cuisenier
L'Art de J. Romains *(Flammarion, 1954).*
Noël Martin-Deslias
Jules Romains *(Nagel, 1951).*
Madeleine Berry
Jules Romains *(Éd. Univ., 1960).*
André Bourin et Jules Romains
Connaissance de Jules Romains *(Flammarion, 1961).*

Georges Duhamel (né à Paris en 1884, mort en 1966), poète aussi à ses débuts (cf. p. 95) et auteur dramatique, s'est finalement cantonné dans le roman. On a cité déjà sa *Vie des martyrs* et *Civilisation* (cf. p. 125). Il a composé deux cycles importants : *Vie et Aventures*

Georges Duhamel.

de Salavin, qui comprend *la Confession de minuit* (1920), *Deux hommes* (1924), *le Journal de Salavin* (1927), *le Club des Lyonnais* (1929), *Tel qu'en lui-même* (1932). Ces volumes sont centrés sur un personnage étrange et tourmenté, Louis Salavin, victime de son inconscient, mais profondément sympathique dans sa faiblesse. En 1933, Duhamel commençait une série beaucoup plus importante : *la Chronique des Pasquier*, poursuivie jusqu'en 1945, en dix volumes : *le Notaire du Havre* (1933), *le Jardin des bêtes sauvages*, *Vue de la Terre promise* (1934), *la Nuit de la Saint-Jean* (1935), *le Désert de Bièvre* (1937), *les Maîtres* (1937), *Cécile parmi nous* (1938), *le Combat contre les ombres* (1930), *Suzanne et les Jeunes Hommes*, *la Passion de Joseph Pasquier* (1945). Mais, à la différence de Jules Romains, chaque volume forme un tout et peut se lire séparément. Dans ses livres, Duhamel s'est mis tout entier, tel qu'il est et tel qu'il s'imagine. (Lire ses *Remarques sur les Mémoires imaginaires*.) Enfin Duhamel s'est fait le champion de l'idée de civilisation dans un grand nombre d'essais, au style un peu gris, très riches de substance, où il apparaît comme le type même du grand ouvrier des lettres conscient de défendre la dignité et la liberté de l'esprit. Il existe des *Textes choisis* (Grasset, 1937).

Consulter :
André Thérive
Georges Duhamel ou l'Intelligence du cœur *(Rasmussen, 1926)*.
Pierre-Henri Simon
Georges Duhamel ou le Bourgeois sauvé *(Temps présent, 1946)*.
César Santelli
Georges Duhamel *(Bordas, 1947)*.
Hommage à Duhamel *(Mercure de France, 1967)*.

Jacques de Lacretelle (né à Cormatin en 1888), académicien, sait éviter l'académisme, sinon dans son style un peu trop régulier, du moins par l'intérêt puissant de ses analyses psychologiques et de ses peintures de mœurs. Après deux romans remarquables : *Silbermann* (1922) et *le Retour de Silbermann* (tragédie d'un jeune Israélite), il conquit la notoriété par les quatre volumes des *Hauts Ponts* (1932-1935) : *Sabine*, *les Fiançailles*, *Années d'espérance*, *la Monnaie de plomb*. Cette histoire de trois générations n'est peut-être pas une somme complète : l'aspect social est laissé dans l'ombre. Mais c'est une remarquable somme psychologique. Il reste égal à lui-même dans *Deux cœurs simples* (1953).

Jacques de Lacretelle.

Il existe beaucoup d'autres romans-cycles. La veine n'en est pas éteinte, et la génération de 1940 en verra naître plusieurs (cf. p. 294). Parmi les meilleurs, quoique peut-être moins célèbres que les précédents :

Léon Bopp (né en Suisse en 1896) s'efforce de réunir en une vaste synthèse des éléments disparates. Il a écrit : *le Crime d'Alexandre Lenoir* (1929), roman d'un moraliste, *Est-il sage? Est-il fou?* (1931), roman d'un savant, *Jacques Armand* (1933), roman d'un artiste, *Liaisons du monde* (1938), roman d'un politique. Mais Léon Bopp n'est pas romancier-né. Ses livres, remarquables par leur esprit critique, sont plutôt les constructions abstraites d'un intellectuel, qui manifeste par ailleurs ses dons dans sa monumentale exégèse de Baudelaire.

René Béhaine (né à Provins en 1888, mort en 1966), peu connu, solitaire, aigri peut-être par la société, se venge d'elle dans les treize volumes de son *Histoire d'une société.* Centrée sur un seul individu, Michel Varambaud, à mi-chemin entre Romain Rolland et Marcel Proust, cette somme n'est pas un documentaire à la Zola, mais plutôt une prise de position en face de la vie.

Paul Vialar (né à Saint-Denis en 1898) s'était fait peu remarquer avant la guerre. *La Grande Meute* (1943) révéla ses qualités de romancier-né. Il ne s'embarrasse pas de philosophie ni de scrupules esthétiques exagérés. Il conte simplement, avec un réalisme mesuré, un instinct parfait de l'intrigue, une belle vigueur de style. Son œuvre maîtresse, *La mort est un commencement* (1945-1950), en 8 volumes, est centrée sur une figure individuelle, Jacques Larnaud, qu'on suit de 1914 à nos jours. Très dramatique, et parfois très noir, ce roman conclut assez artificiellement dans un sens optimiste. Sans désemparer, Vialar a aussitôt composé un nouveau cycle : *la Chasse aux hommes* (10 volumes), puis mis en chantier une immense *Chronique française du XX*e *siècle*, qui

Paul Vialar.

sera comme la « Comédie humaine » de notre temps. Très estimable, toute l'œuvre de Vialar s'impose par sa puissance dramatique, le relief de ses personnages et la qualité de ses descriptions.

Ludovic Massé (né en 1900), appartient au monde paysan. C'est l'évolution d'une famille rurale qu'il peint dans *les Grégoire* (à partir de 1941), roman en plusieurs cycles, dont le premier n'est pas encore achevé.

Louise Weiss (née à Arras en 1893) a entrepris avec un succès inégal de raconter l'histoire romancée de la France de 1940 à 1945 (*la Marseillaise*).

Joseph Jolinon (né en 1885) a commencé une riche galerie de bourgeois lyonnais sous le titre général *les Provinciaux* selon une technique discrète et sérieuse, qui rappelle celle de Martin du Gard.

Jean Rogissart (1891-1961) a mené à bien l'honnête cycle ardennais des *Mamert* (6 vol.).

Enfin, sans recourir au roman-fleuve, il est un romancier qui vise à exprimer profondément la totalité de la condition humaine : c'est André Malraux.

André Malraux (né à Paris en 1901), de tempérament nerveux et fougueux, fait pour l'action et même pour l'aventure, a répudié l'humanisme traditionnel pour nous plonger dès 1926 dans un univers nouveau. Aussi violent que les romanciers américains, quoique plus intellectuel et plus artiste, il a écrit des œuvres puissantes et insolites, qui ont déconcerté le public des années 1930, mais que la guerre d'Espagne et la Guerre mondiale ont rendues singulièrement actuelles. Lui-même a d'ailleurs assisté à la guerre de Chine, à celle d'Espagne, et participé au maquis français. Ses premiers livres nous transportent en Extrême-Orient : *la Tentation de l'Occident* (1926), *les Conquérants* (1928), *la Voie royale* (1930) et surtout

André Malraux.

la Condition humaine (1933), son chef-d'œuvre, un des maîtres livres de cette génération. L'épopée espagnole lui inspira *l'Espoir* (1937), magistrale fresque révolutionnaire, touffue et bouillonnante, avec d'insoutenables éclairs. Tout ce qu'on a pu écrire d'autre sur ce sujet pâlit à côté de Malraux. Enfin, d'un art encore plus dense, plus difficile, *la Lutte avec l'ange* (1945), dont on retiendra l'étonnant épisode *les Noyers de l'Altenburg*. Il consacre aujourd'hui tout son génie à l'action politique, mais, dans l'ordre de la création littéraire, tout est encore possible de la part d'un tel homme. Il existe des *Scènes choisies* (Gallimard, 1946). Dans *le Musée imaginaire* (1947), dans *la Monnaie de l'absolu* (1950), dans *les Voix du silence* (1951), dans *la Métamorphose des dieux* (1957), étapes d'une profonde « Psychologie de l'Art », Malraux cherche dans la beauté des œuvres humaines le fondement d'une religion, ou du moins y voit-il une tentative de l'homme pour surmonter son destin. Ses *Antimémoires* (1967) nous mènent à la découverte de l'Histoire et des grands hommes; mais en fait on se passionne davantage pour le témoin, qui fut et qui demeure un prodigieux acteur sur la scène du monde.

Consulter :
Gaétan Picon
André Malraux *(Gallimard, 1946).*
Gaétan Picon
Malraux par lui-même *(Seuil, 1953).*
C. Mauriac
Malraux ou le Mal du héros *(Grasset, 1947).*
P. de Boisdeffre
A. Malraux *(Éd. Univ., 1952).*
Jeanine Delhomme
Temps et Destin, *essai sur A. Malraux (Gallimard, 1955).*
Joseph Hoffmann
L'Humanisme de Malraux *(Klincksieck, 1963).*
André Vandegans
La jeunesse littéraire d'André Malraux *(Pauvert, 1964).*
Revue Esprit *(octobre 1948) sur le « Cas Malraux »; et naturellement les admirables souvenirs de sa première femme, Clara Malraux :* le Bruit de nos pas, *notamment le tome II :* Nos vingt ans *(Grasset, 1966).*

Pour terminer ce rapide panorama du roman, citons un homme qui fait figure d'isolé, sans doute parce que, par sa vie, il a transcendé le rôle d'un simple écrivain : c'est Saint-Exupéry.

Antoine de Saint-Exupéry (né à Lyon en 1900, disparu sur le front méditerranéen en 1944), n'a pas eu le temps de produire une œuvre volumineuse; la mort l'en a empêché. Ce n'était d'ailleurs pas un littérateur de profession; il vivait avant tout pour l'aviation, dont il fut l'un des héros (l'Atlantique-Sud, Paris-Saïgon, etc.). Ses livres ne prétendent exprimer que son expérience d'aviateur. *Le paysan*, dit-il, *dans son labour, arrache peu à peu quelques secrets à la nature, et la vérité qu'il dégage est universelle. De même l'avion, l'outil des lignes aériennes, mêle l'homme à tous*

Antoine
de Saint-Exupéry.

les vieux problèmes. On comprend comment cet homme de métier se double d'un écrivain et d'un penseur : sa plume enregistre ses constantes découvertes du monde et de l'esprit humain. C'est aussi un artiste; il possède, quand il se surveille, une langue pure, dense, poétique et charnelle; il déteste les effets faciles, la grandiloquence, le pathétique; ses mots simples déterminent une résonance indéfinissable, inoubliable. Son premier livre fut *Courrier sud* (1929), un roman encore assez mal venu. Mais à partir de *Vol de nuit* (1931), Saint-Exupéry, maître de son style et dédaignant toute affabulation romanesque, ne produit que des chefs-d'œuvre. *Vol de nuit* est un épisode de la lutte pour

Consulter :
R.-M. Alberès
Saint-Exupéry *(nouvelle édition, 1947).*
Numéro spécial sur Saint-Exupéry *(Confluences, 1947).*
René Delange
La vie de Saint-Exupéry, *suivi de* Tel que je l'ai connu, *par Léon Werth (Seuil, 1948).*

Jules Roy
Passion de Saint-Exupéry *(Gallimard, 1950).*

Georges Pélissier
Les Cinq Visages de Saint-Exupéry *(Flammarion, 1952).*

Luc Estang
Saint-Exupéry par lui-même *(Seuil, 1956).*

Pierre Chevrier
Antoine de Saint-Exupéry *(Bibl. Idéale, Gallimard, 1949).*

Marcel Migeo
Saint-Exupéry *(Flammarion, 1959).*

René Tavernier
Saint-Exupéry en procès *(Pierre Belfont - Hachette, 1968).*

Le volume de la collection « Génies et Réalités » (Hachette, 1964).

l'établissement de la première ligne régulière avec l'Amérique du Sud. *Terre des hommes* (1939) s'élève jusqu'à la méditation lyrique. *Pilote de guerre* (publié en 1941 aux États-Unis) expose tragiquement la mission inutile d'un pilote français au-dessus des lignes allemandes en juin 1940. La *Lettre à un otage*, courte plaquette, contient le message envoyé d'Amérique par Saint-Exupéry à un de ses amis juifs. Enfin, *le Petit Prince* (1945) est un délicieux petit conte pour les enfants; il atteint parfois à une véritable profondeur philosophique et à la haute poésie. On a publié un essai touffu de notes posthumes sous le titre *Citadelle* (1948), et bon nombre de lettres. La renommée de Saint-Exupéry s'est répandue dans le monde entier. Traduit dans toutes les langues, il représente un des côtés les plus sérieux de l'âme française.

LE THÉATRE

N. B. — La première génération théâtrale du XXe siècle a été étudiée page 49. Pour toute notre période, on trouvera d'excellentes notices et des scènes bien choisies dans :
Georges Pillement. — *Anthologie du théâtre français contemporain* (Éd. du Bélier).
1. *Le Théâtre d'avant-garde* (1945).
2. *Le Théâtre du Boulevard* (1945).
3. *Le Théâtre des romanciers et des poètes* (1948).

Consulter :

Edmond Sée
Le Théâtre français contemporain *(Colin, 1928, nouvelle éd., 1950).*

Robert Brasillach
Animateurs de théâtre *(Corréa, 1935).*

Pierre Brisson
Le Théâtre des Années Folles *(Milieu du Monde, 1943).*

Marcel Raymond
Le Jeu retrouvé *(L'Arbre, 1946).*

Marcel Doisy
Le Théâtre contemporain *(La Boétie, 1947).*

Jean Hert
Le Théâtre du Cartel *(Skira, 1957).*

Lugné-Poé
Pirouettes. Dernière Pirouette *(Sagittaire, 1947).*

Jacques Copeau
Souvenirs du Vieux-Colombier *(Nouvelles Éditions Latines, 1931).*

Le théâtre d' « avant-garde »

La première génération du XXe siècle avait montré la voie. Jarry et Apollinaire, nous l'avons vu (cf. p. 58) avaient créé le style nouveau, et Claudel (cf. p. 62) avait débarrassé la scène du naturalisme sans âme comme du symbolisme désincarné. Après 1918, le mouvement se précisa; les talents se multiplièrent, et quelques innovateurs de génie surent faire de Paris le plus extraordinaire chantier de théâtre qu'on ait jamais vu.

Un phénomène important de l'entre-deux-guerres est la renaissance de la tragédie à sujets antiques. Fatigué des « pièces » réalistes, de leurs personnages en veston, de leur gris langage, le public s'est remis à goûter le sublime des héros grandis par le cothurne. A l'exemple de Giraudoux, de Cocteau, même de Gide, on vit naître quelques dizaines de tragédies. Que de Thésées, d'Œdipes, d'Antigones, d'Électres, de Messalines!... Pour une réussite, on compta dix échecs, mais les meilleurs auteurs, sans consentir toujours à cette fuite loin du réel, en tirèrent d'excellentes leçons dramatiques. Une des causes de cette renaissance tient certainement dans les succès remportés par le Groupe théâtral de la Sorbonne, qui ressuscita quelques pièces antiques (*les Perses* d'Eschyle), et par les Théophiliens, dirigés par **Gustave Cohen** (1879-1958), spécialiste du théâtre du Moyen Age.

Claudel avait déjà été servi par un régisseur débordant de passion et d'imagination : **Lugné-Poé** (1869-1940), qui avait fondé le théâtre de l'Œuvre. Puis **Jacques Copeau** (1879-1949) avait créé au Vieux-Colombier une école dramatique, reprise après la guerre, d'où sont sortis presque tous les talents de notre époque, acteurs et auteurs. Copeau se retira vite de la bataille, mais ses idées rayonnèrent dans les principaux théâtres d'avant-garde. Parmi ceux-ci, il faut citer d'abord le Cartel des Quatre : **Louis Jouvet** (1887-1951) à l'Athénée, **Charles Dullin** (1885-1949) à l'Atelier, **Gaston Baty** (1885-1952) au théâtre Montparnasse, **Georges Pitoëff** (1886-1939) et **Ludmilla Pitoëff** (1885-1952) aux Mathurins. A ces quatre compagnies il faut ajouter **Marcel Herrand** (mort en 1953) et **Jean Marchat** (1902-1966) au Rideau de Paris, **Charles de Rochefort** (mort en 1952), et surtout **Jacques Hébertot** (né en 1886), ainsi qu'un décorateur de génie, **Christian Bérard** (1902-1949). Leur importance fut considérable. Non seulement ils lancèrent de nouveaux dramaturges français et étrangers, mais encore ils déterminèrent dans une large mesure le style des pièces nouvelles. C'est ainsi par exemple que Jean Giraudoux doit beaucoup à Louis Jouvet.

Notes sur le métier de comédien (*Michel Brient, 1955*).

Maurice Kurtz
Jacques Copeau. Bibliographie d'un théâtre (*Wagel, 1951*).

Marcel Doisy
Jacques Copeau ou l'Absolu dans l'Art (*Cercle du Livre, 1954*).

Louis Jouvet
Réflexions du comédien (*Librairie Théâtrale, 1951*).
Écoute, mon ami (*Flammarion, 1952*).
Témoignages sur le théâtre (id.).
Le Comédien désincarné (id., *1954*).

Madeleine Ozeray
A toujours Monsieur Jouvet (*Buchet-Chastel, 1966*).

Claude Cézan
Louis Jouvet et le Théâtre d'aujourd'hui (*Émile-Paul, 1938*).

Valentin Marquetty
Mon ami Jouvet (*Conquistador, 1952*).

Numéro spécial de la Revue d'histoire du théâtre (*Nos 1 et 2, 1952*).

Charles Dullin
Souvenirs et Notes de travail d'un acteur (*Lieutier, 1946*).

Armand Salacrou
Théâtre VI (*Gallimard, 1955*).

Alexandre Arnoux
Charles Dullin, portrait brisé (*Émile-Paul, 1951*).

Jean Sarment
Charles Dullin (*Calmann-Lévy, 1950*).

Pauline Teillon-Dullin
Charles Dullin ou les Ensorcelés du Châtelard (*Brient, 1955*).
Revue d'histoire du Théâtre, *nº 2, 1950*.

Gaston Baty
Rideau baissé (*Billaudot, 1949*).
Vie de l'art théâtral des origines à nos jours (avec *René Chavance*) (*Plon, 1952*).

Raymond Cogniat
Gaston Baty (*Presses littéraires de France, 1953*).

Georges Pitoëff
Notre théâtre *(Lieutier, 1953.)*

Aniouta Pitoëff
Ludmilla, une mère *(Julliard, 1955).*

H.-R. Lenormand
Les Pitoeff *(Lieutier, 1947).*

Nous recommandons enfin deux excellents recueils de documents, de photographies et d'essais, composés par Gilles Quéant : Encyclopédie du théâtre contemporain. *I : 1850-1914; II : 1914-1950 (Perrin, 1957 et 1959), ainsi que la Collection* Théâtre de France *(6 volumes de 1951 à 1955), suivie des fascicules de la revue* Spectacles, *et un excellent dictionnaire :*

Paul-Louis Mignon
Le Théâtre d'aujourd'hui de A jusqu'à Z *(L'Avant-Scène, M. Brient, 1966).*

Henri Béhar
Étude sur le théâtre dada et surréaliste *(Gallimard, 1967).*

Consulter :
Giraudoux
Le Lamento du jardinier *dans* Électre, *son essai sur* Jean Racine *et* l'Impromptu de Paris *donnent des explications sur son esthétique.*
Hommage à Giraudoux. *Numéro spécial de la revue* Confluences *(sept.-oct., 1944) et de la revue* l'Arche *(mars 1944).*

Claude-Edmonde Magny
Précieux Giraudoux *(Seuil, 1945).*

Édouard Bourdet
Le Théâtre de Jean Giraudoux *(Comœdia Charpentier).*

Jacques Houlet
Le Théâtre de J. Giraudoux *(Ardent, 1945).*

André Beucler
Les instants de Giraudoux *(Milieu du Monde, 1948).*

Christian Marker
Giraudoux par lui-même *(Seuil, 1952).*

R. M. Albérès
Esthétique et Morale chez Jean Giraudoux *(Nizet, 1957).*

Ces théâtres renouvelèrent même le répertoire classique. Molière, entre autres, fut complètement rajeuni, mais non trahi, par Jouvet : *l'École des femmes*; par Dullin : *l'Avare*; par Marchat : *Tartuffe*, etc. En 1936, la Comédie-Française avait eu l'excellente idée de faire appel à eux.

L'entre-deux-guerres abonde en auteurs excellents. Au premier rang, Jean Giraudoux.

Jean Giraudoux (né à Bellac en 1882, mort en 1944), est aussi un romancier (cf. p. 163). Mais son théâtre l'emporte sur ses romans. On y respire une atmosphère de pureté tragique et de fantaisie un peu précieuse; il a aussi le don de faire vivre les idées abstraites. Ainsi son œuvre est riche de toute la complexité moderne. En 1928, pour son premier essai, il triomphe avec *Siegfried*, drame d'un amnésique; il y est fait allusion aux rapports franco-allemands. Puis il écrit des comédies subtiles, où le rêve chemine aux côtés de l'intelligence : *Amphitryon 38* (1929), *Intermezzo* (1933), *Ondine* (1939), *la Folle de Chaillot* (1945), malheureusement inachevée. Il a ressuscité aussi la tragédie antique, transportant dans l'antiquité grecque ou hébraïque les problèmes de notre temps. Ce sont : *Judith* (1931) et *Sodome et Gomorrhe* (1943), pleines de péripéties psychologiques, mais surtout *La guerre de Troie n'aura pas lieu* (1935), sur le problème de la guerre, si dense sous son adorable légèreté, et *Électre* (1937), composée, comme le modèle grec, sur les rapports de la justice et de la raison d'État. Malgré quelques défaillances, Giraudoux nous apparaît, avec Claudel, comme la plus grande gloire du théâtre français contemporain. Il a écrit en outre les scénarios de deux bons films : *la Duchesse de Langeais* et *les Anges du péché*. En 1953, *Pour Lucrèce*, nous a apporté la dernière flambée de son génie.

Jean Cocteau, déjà cité comme poète et romancier (cf. p. 114 et 164), a écrit une quinzaine de pièces de théâtre et de nombreux scénarios de films. Il a pratiqué tous les genres, selon la mode ou selon son caprice, avec une égale facilité. A l'avant-garde du modernisme : *Parade* (1957), *le Bœuf sur le toit* (1920), *les Mariés de la Tour Eiffel* (1924). Il adapte avec bonheur Shakespeare : *Roméo et Juliette* (1926), les légendes grecques : *Orphée* (1927), *Œdipe-Roi* (1928), *Antigone* (1928), les contes du Moyen Age : *les Chevaliers de la Table Ronde* (1937), *Renaud et Armide* (1943), le film *l'Éternel Retour* (1944) ou les mythes de la Renaissance (*Bacchus*, 1952). Son art embrasse toutes les techniques, depuis le mime, le ballet, le monologue, le vaudeville, le mélodrame, jusqu'à la comédie et la tragédie classiques en vers ou en prose. Ses plus belles réussites nous paraissent être *la Voix humaine* (1930), chef-d'œuvre des monologues, *les Parents terribles* (1938), *les Monstres sacrés* (1940), *l'Aigle à deux têtes* (1945), qui inaugure une nouvelle manière. Tout est poésie chez Cocteau, ce qui n'exclut ni l'intelligence ni la puissance.

Jean-Paul Sartre
Un article sur Jean Giraudoux et la philosophie d'Aristote *dans* Situation I, *1947.*

Consulter :
Pierre Dubourg
Dramaturgie de Jean Cocteau *(Grasset, 1954).*

Armand Salacrou (né à Rouen en 1899) est l'un des auteurs les plus doués pour l'imagination dramatique. Son tempérament fertile en inventions techniques et en créations psychologiques le conduisit à affirmer violemment un art audacieux, non sans rapport avec les surréalistes : *le Casseur d'assiettes*, *Tour à terre*, *le Pont d'Europe*. En 1930, *Patchouli* apportait un apaisement malgré la cocasserie de certaines scènes. Puis il chercha sa formule définitive à travers *Atlas-Hôtel* (1931), *la Vie en rose* (1931), *les Frénétiques* (1934), pour arriver enfin à la maîtrise dans *Une femme libre* (1943) et dans *l'Inconnue d'Arras* (1935), qui fit scandale d'abord, mais finalement l'emporta, et fut reprise triomphalement en 1948. Après *Un homme comme les autres* (1936), il donna peut-être son chef-d'œuvre : *La Terre est ronde* (1938), où revit la Florence du XVIe siècle et l'étonnant Savonarole. Après la guerre, son génie inventif ne connaît plus de relâche : *le Soldat et la Sorcière*, *l'Archipel Lenoir*, *les Fiancés du Havre*, et *les Nuits de la colère* (1946), drame sur la Résistance, témoignent d'une vitalité prodigieuse, génératrice d'inventions toujours passion-

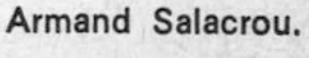
Armand Salacrou.

nantes, même quand elle se trompe. Dans *Dieu le savait* (1951), sa technique trouve son point d'équilibre, en même temps que s'épanouit sa philosophie humaniste. Dans *Boulevard Durand* (1960), il reste fidèle aux luttes et à l'idéal de sa jeunesse.

Consulter :
José van den Esch
Armand Salacrou *(Temps présent, 1947).*
Paul-Louis Mignon
Salacrou *(Bibl. Idéale, Gallimard, 1961).*

On lira avec profit les notes de l'édition Gallimard (8 vol.) et un pertinent recueil de réflexions et de confidences, *les Idées de la nuit* (1961), ainsi que ses entretiens radiophoniques (*Impromptu délibéré*, 1966).

Marcel Achard (né à Lyon en 1900) incarne la sensibilité et l'ironie. Ses personnages se ressemblent tous : ce sont des êtres sentimentaux et tendres, un peu naïfs, sans épaisseur, à peine marqués par la passion, glissant dans un monde facile où tout finit par s'arranger. Ce charme de Marcel Achard est inimitable; il se manifeste surtout dans *Jean de la Lune* (1929), sa meilleure réussite. D'une trentaine de pièces délicates et humoristiques, on remarquera *Voulez-vous jouer avec moâ?* (1924), *La vie est belle* (1928), *la Belle Marinière* (1929), *Pétrus* (1933), *le Corsaire* (1938), *Colinette* (1939), *Nous irons à Valparaiso* (1947). A vrai dire, Marcel Achard ne cherche pas à se renouveler : dans *Patate* (1956), dans *l'Idiote* (1960), son art consommé joue toujours aussi habilement avec les sentiments du bon public.

Marcel Achard.

Georges Neveux (né à Poltava en 1900) crée des symboles vivants. Il a débuté par des poèmes d'inspiration surréaliste. En 1930, *Juliette ou la Clé des songes* souleva des polémiques acharnées : il s'agissait d'un rêve porté à la scène. *Le Bureau central des rêves* complète cette curieuse fantaisie. Il attendit 1943 pour produire son chef-d'œuvre : *le Voyage de Thésée*. Cette pièce, aux idées profondes et d'un art original, dense, pur, matérialise sur la scène le dédoublement d'un personnage. *Plainte contre inconnu* (1946) se passe en Russie en 1910. On y retrouve les mêmes qualités de forme et de fond (L'inconnu, c'est Dieu), ainsi que dans *Zamore* (1953). *La Voleuse de Londres* (1960) fait preuve de poésie et d'humour.

Roger Vitrac (1901-1952), satirique burlesque, continue Alfred Jarry, dont il a subi l'influence. Ses farces vont loin dans la critique de la société et de la tradition. *Les Mystères de l'amour* (1927), *Victor ou les Enfants au pouvoir* (1928), *le Coup de Trafalgar* (1934), *le Camelot* (1938), *les Demoiselles du large* (1938), *Loup-Garou* (1939), *le Sabre de mon père* (1951) appartiennent à une forme de comique brutal, cynique et terriblement mordant. Son théâtre complet a paru en 1947.

Consulter :
Henri Béhar
Roger Vitrac *(Nizet, 1966).*

Georges Ribemont-Dessaignes (cf. p. 112) prend avec le recul du temps une place importante dans la genèse du théâtre violent, féroce ou bouffon des années soixante (*l'Empereur de Chine, le Serin muet, le Bourreau du Pérou*, réédités en 1966).

André Obey (né à Douai en 1892) met en scène de grandes idées : *Noé, Loire, la Bataille de la Marne... Noé* (1931) est ingénieux, mais en général ses fictions ne vivent guère, la plupart sont pompeuses et conventionnelles, sauf *le Viol de Lucrèce* (1931), d'après la légende antique. *Maria* (1945) fut un échec. *L'Homme de cendres* (1950) met en scène un Don Juan-Hamlet nihiliste, et doué d'un beau lyrisme. Il continue régulièrement une carrière probe, et l'étranger le salue à juste titre comme un de nos grands dramaturges (*Laure*, 1951, *Une fille pour du vent*, 1953, *les Trois Coups de minuit*, 1958).

Jean Sarment (né à Nantes en 1897) est un humoriste sentimental. Acteur, il joue ses propres pièces. Sa sensibilité fantaisiste l'apparente à Musset, beaucoup plus qu'à Shakespeare, qu'au début de sa carrière il a adapté ou pastiché (*le Mariage d'Hamlet*, 1922). Ses œuvres maîtresses sont *le Pêcheur d'ombres* (1921) et *les Plus Beaux Yeux du monde* (1925), d'une douceur triste. De plus en plus, il descend vers un théâtre d'une conception plus facile : *Madelon* (1927), *Léopold le Bien-Aimé* (1927), *le Plancher des vaches* (1932), *Mamouret* (1941), etc. Beaucoup regrettent son originalité maladroite du début : *la Couronne de carton* (1920).

Stève Passeur (né à Sedan en 1899, mort en 1966) a beaucoup produit, mais il reste peu de chose de lui : *l'Acheteuse* (1930), *Je vivrai un grand amour* (1935). Il a surtout bénéficié des excellents interprètes qu'il a su trouver (Lugné-Poé, Dullin, Jouvet, Pitoëff). Dans ses dernières productions, il s'enfonce dans des complications étouffantes, et finalement on a le regret de dire qu'il n'a pas tenu tout ce qu'il avait promis : *Marché noir* (1941), *le Vin du souvenir* (1947), *107'* (1948), *N'importe quoi pour elle* (1954),

Bernard Zimmer (né à Grandpré en 1893, mort en 1964), porta au théâtre la décomposition d'après guerre, dans *le Veau gras* (1942). Puis il montra la puissance des mythes dans *Bava l'Africain* (1925) et *le Coup du Deux-Décembre* (1928), excellentes satires en forme de farces. On aimera aussi ses brillantes adaptations d'Aristophane (*les Oiseaux*, 1928). Après 1932, il s'est surtout consacré au cinéma.

Simon Gantillon (né à Lyon en 1890, mort en 1961) a connu ses plus gros succès avec *Maya* (1924), *Départs* (1928) et *Bifur* (1932). Les hardiesses et la brutalité des tableaux, plus que leur valeur littéraire, valurent à ces pièces de dépasser mille représentations et d'être reprises sans fin.

Fernand Crommelynck (né à Bruxelles en 1885) traite avec puissance de banales histoires d'amour qu'il rénove par son sens de la poésie et de la farce (*le Cocu magnifique*, 1921).

Le Flamand **Michel de Ghelderode** (1898-1962) a écrit une cinquantaine de pièces où la truculence de son pays se mêle à un étrange mysticisme. Il n'a été révélé que vers 1950 (*Hop Signor*, *Fastes d'enfer*, *Escurial*, *l'École des Bouffons*, etc.). *La Grande Kermesse*, montée en 1952, réunit tous les caractères de ce théâtre à la fois burlesque et épique.

Rappelons la mémoire d'un jeune Italien mort trop tôt, **Léo Ferrero** (1903-1933). Les Pitoëff montèrent son beau drame *Angelica* (1936), drame de l'amour et de la politique, mieux qu'une promesse, malheureusement unique.

Le « Grand Guignol » enfin, sorte de théâtre d'avant-garde lui aussi, spécialisé dans les pièces de terreur, a trouvé en **André de Lorde** (1871-1942) un excellent fabricant de pièces très bien adaptées à leur objet.

A cette avant-garde de 1920 fera suite la nouvelle avant-garde, dont nous parlerons avec la troisième génération (cf. p. 317).

Le théâtre de Boulevard

Parmi les auteurs d'avant la Première Guerre mondiale, Claudel est le seul qui ait vu son étoile grandir. La plupart des autres ne daignèrent pas se renouveler, ou en furent incapables. Ainsi les Lavedan et même les Bataille ont fait faillite. Henry Bernstein (cf. p. 53) réussit à prolonger son succès jusqu'en 1940, mais la Seconde Guerre mondiale paraît avoir donné le coup de grâce à son théâtre, malgré sa rentrée tapageuse en 1948. Il y eut en 1945 un divorce complet entre le vrai théâtre, amateur d'expériences nouvelles, et la récente bourgeoisie née de la Seconde Guerre, plus inculte que celle de 1920, et qui n'appréciait guère que les spectacles faciles et grossiers. D'où les difficultés financières des théâtres d'avant-garde, peuplés seulement d'intellectuels et d'étudiants, public pauvre. A moins que le snobisme ne s'en mêle : on vit au *Partage de midi*, par exemple, une clientèle de nouveaux riches, français ou étrangers, qui s'ennuyaient terriblement, mais ils y envoyaient leurs amis. Ainsi s'établit une espèce de mécénat... Dans l'ensemble, où va le grand public ? Au Palais-Royal par exemple, spécialisé dans les pièces légères (on y joue du **Jean de Létraz** [1897-1954], auteur facile, qui maintint sa vogue par un piment d'obscénité ou par des allusions politiques : *Bichon*, *Moumou*, etc. Un grand lit recouvert de dentelles en est le principal accessoire...).

Ou plus bas encore, dans les music-halls (Folies-Bergère, Casino de Paris, Mayol, etc.), qui ne proposent guère que des tableaux vivants, et ne se piquent pas d'intéresser le public par les idées et par les mots.

Henri-René Lenormand (né à Paris en 1882, mort en 1951) a d'abord risqué des pièces d'avant-garde : *les Ratés* (1918) et *le Simoun* (1921). Ce sont ses meilleures, la seconde surtout, qu'enrichit un élément exotique. Puis il s'est spécialisé dans la « pièce » à conflits psychologiques et à thèse sociale. Il a subi l'influence de Freud. Ses œuvres sont toujours captivantes, mais lourdes. Dans *le Crépuscule du Théâtre*, il essaie de défendre le théâtre contre le cinéma. On consultera ses *Confessions d'un auteur dramatique*, document bouleversant sur ses rêves et sur ses expériences (1951).

Édouard Bourdet (né à Saint-Germain en 1887, mort en 1944) reste tout à fait dans la tradition du XIXe siècle (Augier, Dumas fils, etc.). Ses pièces traitent de problèmes sociaux parfois hardis : *le Rubicon* (1920), *la Prisonnière* (1926), *Vient de paraître* (1927), *la Fleur des pois* (1932), *les Temps difficiles* (1934), *Hyménée* (1941), avec un art solide et viril. Ses comédies sont fort spirituelles : *le Sexe faible* (1929), *Fric Frac* (1936). Bourdet était peut-être le dramaturge contemporain qui connaissait le mieux son métier.

Alfred Savoir (né à Lodz, en Pologne, en 1883, mort en 1934) nous plonge dans un monde cruel. On a comparé ses pièces à celles de Bernard Shaw. De fait, elles en ont le cynisme et l'humour impitoyables. Toutes ont connu un succès immense : *le Bluff* (1913), *Banco* (1922), *la Grande Duchesse et le Garçon d'étage* (1924), *Baccara* (1927), *la Petite Catherine* (1930), *la Pâtissière du village* (1932). On lui doit aussi trois comédies extravagantes : *le Figurant de la Gaîté*, *le Dompteur ou l'Anglais tel qu'on le mange*, *Lui*.

Jacques Deval (né à Paris en 1895) a sacrifié ses dons réels aux convenances d'un théâtre facile et fade. Sa pièce la plus célèbre, *Tovaritch* (1934), n'est qu'un vaudeville bien fait. Ses autres œuvres, toujours intéressantes par le sujet, font trop de concessions au public mondain (*Étienne*, *Mademoiselle*, *Ventôse*, etc.). *Ce soir à Samarcande* (1951) fait une part agréable à la fantaisie poétique.

Denys Amiel (né dans les Pyrénées en 1884) a publié sept gros volumes de pièces de théâtre. Presque toutes sont des histoires d'amour traitées selon l'optique traditionnelle : adultères, liaisons, divorces, problèmes matrimoniaux. Il rappelle Ibsen, ou du moins Henry Bataille. On remarquera *l'Homme* (1934), *la Femme en fleurs* (1935), *la Famille Monestier* (1939), *Mon ami* (1943), *Vivre ensemble* (1955). Au début de la guerre, il composa une pièce d'actualité : *1939*. Mais sa meilleure œuvre reste sans doute *la Souriante Madame Beudet*, composée en 1921 avec André Obey.

Paul Géraldy (né à Paris en 1885) n'est pas seulement l'auteur de *Toi et Moi* (1913), poèmes d'amour d'un symbolisme facile, le plus grand succès « poétique » de notre temps; il est aussi et surtout un auteur dramaturgique. Ce dernier est meilleur que le poète. Ses pièces sont d'une grande délicatesse psychologique et parfaitement construites. Géraldy restera sans doute comme le classique de la pièce de Boulevard : *Aimer* (1921), *Robert et Marianne* (1925), *Christine* (1932), *Do, mi, sol, do* (1935), *Duo*, d'après Colette (1952), etc.

Charles Méré (né à Marseille en 1883), auteur également très fécond, a mis en scène des sentiments sublimes, qu'il traite dans un esprit cornélien. *La Captive* (1920) jouit encore d'une bonne réputation. *La Tentation* (1924), *Berlioz* (1927), *le Carnaval de l'amour* (1928) furent des grands succès. Toutes ces pièces sont parfaitement construites, mais assez conventionnelles.

Sacha Guitry (né à Saint-Pétersbourg en 1885, mort en 1957), fils du grand acteur Lucien Guitry (1860-1925) avait le théâtre dans le sang. Comme auteur et comme acteur, il a joui d'une vogue extra-

Sacha Guitry.

ordinaire entre les deux guerres. Mais sa vanité légendaire avait indisposé contre lui la quasi-unanimité des critiques et la grande majorité des spectateurs. Que restera-t-il de ses quelque cent trente pièces? Peu de chose, croyons-nous. Il a de l'esprit, mais on ne compose pas de bonnes comédies en cousant ensemble des bons mots. On retiendra peut-être *Faisons un rêve* (1915) et quelques-unes de ses pièces historiques : *Debureau* (1918), *Pasteur* (1919).

Pierre Frondaie (1884-1948) commença par adapter au théâtre les romans de Pierre Louÿs, Barrès, France, Farrère, etc. Son *Don Quichotte* est plus réussi. *L'Insoumise* (1922) est un bon mélodrame. *Les Amants de Paris* mettent en scène des types slaves.

Pour abréger une énumération qui risquerait de devenir interminable, contentons-nous de citer seulement **François Porché** (1877-1944), **André Birabeau** (né en 1890), **Louis Verneuil** (1893-1952), **Yves Mirande** (1876-1957), **Léopold Marchand** (1891-1952), **Paul Nivoix** (1893-1958), **Roger-Ferdinand** (1898-1967), et consolons-nous de nous limiter en nous disant qu'il n'y a rien là, semble-t-il, de très grand. Néanmoins un directeur de théâtre peut encore trouver parmi ces auteurs une vingtaine de pièces bien faites, au succès assuré. Pour le reste, nous renvoyons le lecteur à l'*Anthologie* de Georges Pillement, citée page 184.

Il faut détacher nettement de la masse des auteurs du Boulevard quatre dramaturges d'esprit plus moderne, et, selon nous, d'une valeur littéraire bien supérieure :

Marcel Pagnol (né à Aubagne, près de Marseille, en 1895), brillant et parfois profond, a connu des succès immenses, très mérités. *Topaze* (1928) est une satire bien faite des mœurs politiques et financières. Sa trilogie *Marius* (1931), *Fanny* (1934), *César* (film) a fait rire le monde entier par son esprit marseillais (du moins les deux premières parties). Il faut y ajouter *les Marchands de gloire* (1924), pièce politique contre l'exploitation de l'héroïsme des morts par les vivants; *Jazz* (1926), qui se rapproche de la technique d'avant-garde, et *Merlusse*, pièce d'enfants, un vrai tour de force. *Judas*, en 1958, fut un échec. Pagnol est inimitable pour émouvoir et amuser en même temps le spectateur; il possède une étonnante connaissance du cœur humain. Ses films, auxquels il se consacre ensuite exclusivement, sont du théâtre filmé : *la Femme du boulanger*, *la Fille du puisatier*, *la Belle Meunière*, etc.

Marcel Pagnol.

Consulter :
ses Notes *sur le* rire *(Nagel, 1947) et surtout les trois volumes merveilleux de ses* Mémoires *(1957-1960).*

Jean-Jacques Bernard (né à Enghien en 1888), fils de Tristan Bernard (cf. p. 57) est l'inventeur d'une technique nouvelle : le « théâtre du silence ». Il pratique un dialogue plat et gris à dessein, avec des silences expressifs, comme dans la vie, et pleins de passions inexprimables. Il donne ainsi l'illusion de la réalité, mais cette technique requiert des spectateurs spécialement intelligents. Ses meilleurs pièces sont : *Le feu qui reprend mal* (1921), *Martine* (1922), *l'Invitation au voyage* (1924), *le Printemps des autres* (1924), *Nationale N° 6* (1935), *le Jardinier d'Ispahan* (1939), *Marie Stuart* (1942).

Jacques Natanson (né à Asnières en 1901) est un auteur précis, très doué, expert en comédies sentimentales, vives, raides, d'un rythme tout moderne : *l'Age heureux* (1922), *l'Enfant truqué* (1922), *les Amants saugrenus* (1925), *le Greluchon délicat* (1925), son chef-d'œuvre, *Je t'attendais* (1928), et *l'Été* (1934), où l'auteur, pour la première fois, mêle la satire sociale aux conflits psychologiques. Après 1945, il s'est surtout consacré aux émissions radiophoniques.

Paul Raynal (né à Narbonne en 1885) n'est pas aimé de tout le monde. On lui reproche sa rhétorique et ses conventions. Il faut reconnaître pourtant que ses pièces renferment une grande puissance d'émotion. Ce sont : *le Maître de son cœur* (1920), *le Tombeau sous l'Arc de triomphe* (1924), *la Francerie* (1933) et principalement *Napoléon Unique* (1937), un des plus grands succès de l'Odéon. En 1948, *le Matériel humain* est salué comme une réussite parfaite.

Parmi d'autres bonnes pièces historiques, citons *Élisabeth, la femme sans homme* (1935) d'**André Josset,** et *l'Honorable Monsieur Pepys* (1946) de **Georges Couturier.**

Ajoutons pour terminer deux autres comiques du Boulevard qui tous deux ont rénové le genre par leur esprit exceptionnellement brillant. Ce sont :

Michel Duran (né à Lyon en 1900) : *Amitié*, *Liberté provisoire*, *Trois-Six-Neuf*, *Nous ne sommes pas mariés*, *Boléro*, etc., d'un humour toujours égal, jusqu'à *Sincèrement* (1950).

Henri Jeanson (né à Paris en 1900) : *Toi que j'ai tant aimée*, *Amis comme avant*, etc., et ses dialogues de films.

Le théâtre littéraire

Il convient de classer à part un certain nombre d'auteurs que nous n'avons pas encore mentionnés dans ce chapitre, parce que leur théâtre ne brille pas par des qualités spécifiquement théâtrales : il est plutôt l'illustration dramatique de leur génie poétique, de leurs créations romanesques ou de leurs idées morales. Cela ne veut pas dire que leurs pièces ne soient pas du bon théâtre; au contraire! Cela ne veut pas dire non plus que le théâtre d'avant-garde, ou même parfois celui du Boulevard, n'offre aucune valeur littéraire : Giraudoux, Salacrou, Neveux, Bourdet, Géraldy, Pagnol... sont aussi de grands ou de bons écrivains. Nous voulons dire seulement que, pour les auteurs dont les noms suivent, le théâtre n'est qu'une annexe de leur œuvre principale. Par ailleurs sur le plan technique, ils ne se sont livrés à aucune innovation. Enfin, leur théâtre peut être aussi agréablement lu que vu.

Le lecteur connaît déjà les noms suivants. Pour les détails sur l'ensemble de leur œuvre, nous le renvoyons à d'autres chapitres.

François Mauriac (cf. p. 150) venu tard à la scène, y débute par un coup d'éclat : *Asmodée* (1938), où l'on retrouve l'atmosphère à la fois religieuse et perverse de ses romans. Le personnage de Couture restera comme le type du pédagogue haineux. *Les Mal-Aimés* (1941) forcent un peu la note, tandis que *le Passage du Malin* (1947) dépasse la complaisance du public ordinaire pour les intrigues lourdes de passions refoulées.

Roger Martin du Gard (cf. p. 174) a écrit deux farces excellentes dans le genre satirique de *Vieille France*. Ce sont : *le Testament du Père Leleu* (1920), en patois paysan, et *la Gonfle* (1928), farce paysanne également. Il aborde sans préjugés « l'amour qui n'ose pas dire son nom » dans *le Taciturne* (1931).

Henry de Montherlant (cf. p. 160) est venu tard au théâtre, mais aussitôt avec éclat. *La Reine morte ou Comment on tue les femmes* (1942) s'inspire étroitement de l'Espagnol Luis Velez de Gueverra. En fait, on y retrouve les idées et les héros de ses romans, de même que dans *Fils de personne* (1943), dont il faut lire la préface, et *le Maître de Santiago* (1946), chargé de couleur et de passion. Dans *Malatesta* (1948) passe la philosophie de *Service inutile*. Les personnages de *Celles qu'on prend dans ses bras* (1950) sont comme les caricatures de ceux de ses romans. *Port-Royal* (1954), *le Cardinal d'Espagne* (1960) et *la Guerre civile* (1965) sont des œuvres austères, peu scéniques, faites de situations, et lourdes de réflexions religieuses, politiques ou morales. *La Ville dont le prince est un enfant*, bombe tant attendue, a plutôt fait long feu en 1967, malgré le piment des situations qui frisent le scandale sous la noblesse du style. On consultera ses *Notes sur mon théâtre* (1950).

Consulter :
Jacques de Laprade
Le Théâtre de Montherlant *(Jeune Parque, 1950) et l'édition de la Pléiade.*

Jules Supervielle (cf. p. 117) a donné, outre ses poésies et ses romans, une jolie féerie lyrique, *la Belle au bois* (1932). Il a tenté une pièce historique sur le grand héros de son pays natal : *Bolivar* (1936). On lui doit une comédie charmante : *la Première Famille* (1936). Après la guerre, il a fait une rentrée éblouissante avec *le Voleur d'enfants* (d'après un de ses romans), *Shéhérazade* (1948) et *Robinson* (1953), adaptation très fantaisiste du roman de Daniel de Foe.

Jean Giono (cf. p. 138) présente sur la scène des paysans aussi peu naturels que ceux de ses romans. Ses pièces valent surtout par leur atmosphère poétique : *Lanceurs de graines* (1932) et surtout *le Bout de la route* (1941), pièce bien faite, qui proposait aux Parisiens, sous l'occupation allemande, une évasion facile vers les montagnes et les grandes routes. *Le Voyage en calèche* et *Noé* (1947) furent des demi-échecs. Ses scénarios de films, comme ses pièces, permettent aux gens des villes de respirer dans un fauteuil l'odeur des foins et du pain chaud.

Gabriel Marcel (cf. p. 351) est un philosophe, qui le premier introduisit en France Kierkegaard et qui est devenu le chef de file de l'existentialisme chrétien. Il a porté ses idées au théâtre en des pièces profondes, difficiles, un peu ennuyeuses. parce qu'elles soutiennent des thèses (quoiqu'il s'en défende) plus qu'elles n'expriment la vie. Les plus remarquables sont : *la Grâce* (1921), *le Palais de sable*, *la Chapelle ardente* (1926), *le Fanal*, *le Dard* (1936), son chef-d'œuvre, *la Soif*, *l'Horizon* (1945), *Un homme de Dieu* (1950), *Rome n'est plus dans Rome*, un de ses rares succès (1951). Son *Théâtre comique* (1947) est peu comique.

Gabriel Marcel.

Consulter :
Joseph Chenu
Le Théâtre de Gabriel Marcel et sa signification métaphysique *(Aubier, 1948).*

Dans le théâtre littéraire, il faut réserver une place particulière aux écrivains de l'Abbaye (cf. p. 93). Peu original par sa technique, ce théâtre est coloré d'une nuance très particulière par l'unanimisme. Mais cette doctrine ne nuit pas à la valeur des œuvres; au contraire, un souffle collectif les anime, un véritable optimisme social. Presque tous les auteurs de cette équipe se sont adonnés au théâtre : **Luc Durtain** (cf. p. 95), avec *le Donneur de sang* (1929) et *le Mari singulier*, **Georges Duhamel** (cf. p. 95) avec *la Lumière* (1911), *Dans l'ombre des statues* (1912), *l'Œuvre des athlètes* (1920), etc. Plus importante est l'œuvre théâtrale des deux suivants :

Charles Vildrac (né à Paris en 1882) se plaît à mettre en scène des ouvriers. Vildrac les peint avec un réalisme exact, qui n'exclut pas la sensibilité et la poésie. Son œuvre maîtresse demeure *le Paquebot Tenacity* (1920). On retrouvera ces mêmes personnages sympathiques dans *le Pèlerin* (1921), *Poucette* (1925), *Trois mois de prison* (1929). De petits bourgeois modestes sont décrits délicatement dans *Madame Béliard* (1925), *la Brouille* (1930), etc. Signalons aussi une fantaisie antique à tendances révolutionnaires : *le Jardinier de Samos* (1930). Enfin ses multiples petits sketches émeuvent vivement et font penser. Vildrac n'est pas souvent représenté en France; c'est pourtant un des meilleurs dramaturges, et un écrivain. L'étranger a raison de l'apprécier davantage.

Consulter :
G. Bouquet et
P. Menanteau
Ch. Vildrac *(Seghers 1959).*

Jules Romains (cf. p. 94) a commencé par de grandes fresques épiques : *l'Armée dans la ville* (1911) (la préface contient ses principales idées dramatiques), *Cromedeyre-le-Vieil* (1920). Plus classiques sont *le Dictateur* (1926) et *Boen ou la Possession des biens* : mais ces deux pièces politiques et sociales paraissent un peu lourdes; on leur préférera ses farces étincelantes : *Monsieur Le Trouhadec saisi par la débauche* (1923), *la Scintillante* (1925), *Démétrios* (1926), *Donogoo-Tonka* (1920), *Volpone*, adapté de Ben Jonson avec Stephan Zweig, *l'An Mil* (1945), etc. Il a exploité à fond une forme d'humour mystificateur née à l'École Normale : le « canular ». Mais son chef-d'œuvre restera *Knock* (1923), excellente comédie malgré sa structure "à tiroirs", satire durable de la médecine, un des plus grands succès contemporains dans le monde entier.

Il est d'ailleurs peu de romanciers qui ne sacrifient pas un jour ou l'autre au théâtre : Jouhandeau (cf. p. 162) avec *Léonora* et *Viol* (1954), Julien Green (cf. p. 153) avec *Sud* (1953), *l'Ennemi* (1954), *l'Ombre* (1956), Philippe Hériat (cf. p. 134) avec *les Noces de deuil* (1953), André Maurois (cf. p. 159) avec *Aux innocents les mains pleines* (1955), etc.

LES IDÉES

Dans la vie des idées, la génération de 1920 n'a pas fait de révolution. Ou plutôt, cette révolution, elle ne l'a pas faite seule, et nous pourrions reprendre à son compte tout ce que nous avons dit dans le premier chapitre sur la première génération du XXe siècle. Affaiblis par la guerre, les hommes qui avaient vingt-cinq ans vers 1920 ont fiat cause commune avec ceux qui en avaient cinquante, et ils ont accompli conjointement la même réforme esthétique et morale. Bornons-nous à récapituler le nom des maîtres, et à citer les quelques figures nouvelles qui s'insèrent dans leur sillage.

La deuxième génération d'Action française

A la suite de Charles Maurras (cf. p. 65), les jeunes se font encore plus violents que leur chef et subissent l'influence des fascismes étrangers. **Robert Brasillach** (1909-1945), critique (*Virgile*, *Corneille*), romancier (*l'Enfant de la nuit*, 1935, *le Marchand d'oiseaux*, 1936), et poète, mit son incontestable talent au service des nazis, et, payant pour d'autres moins exclusifs et plus habiles, fut fusillé en 1945, à l'âge de trente-cinq ans. Son triste destin a été décrit par Pol Vandromme (Plon, 1956) et exposé dans *Écrit à Fresnes* (Plon, 1967). Les excès de l'Action française déterminèrent le prétendant au trône de France, le comte de Paris, à renier ses sectateurs compromettants. Ce dernier fonda un journal : *le Courrier royal*, qu'anima un moment **Thierry Maulnier** (né en 1909), critique abondant et doctoral, d'un intérêt très excitant malgré les partis pris de sa jeunesse (*Mythes socialistes*, *Au-delà du nationalisme*, *Nietzsche*, *Racine*, *Violence et Conscience*, etc.). Il se consacrera ensuite au théâtre avec bonheur (cf. p. 328).

Les catholiques

Derrière Péguy, Claudel et même Bergson (après *les Deux Sources*), les catholiques trouvent leur aliment dans les œuvres littéraires de Mauriac, de Julien Green, etc.

Un romancier eut une influence particulièrement importante sur cette génération, comme aussi sur la suivante. C'est :

Georges Bernanos (cf. p. 152). Pendant quinze ans, Bernanos ne cessa de proclamer frénétiquement ce qu'il crut être la vérité. Dans *la Grande Peur des bien-pensants* (1931), il s'attaque au conformisme bourgeois d'un point de vue catholique et royaliste.

En 1938, la guerre d'Espagne lui inspira un chef-d'œuvre : *les Grands Cimetières sous la lune*, pamphlet contre Franco. Munich le jeta dans la colère et dans la honte (*Scandale de la vérité*, 1939). Enfin, réfugié en Amérique du Sud, il fit entendre pendant la guerre la voix de la conscience française, avec une liberté qui déconcerta bien des gens; sa sincérité passionnée finalement lui valut à sa mort (1948) l'hommage de tous les partis : *Réflexions sur le cas de conscience français* (1945), *la France contre les robots* (1947), etc. *Le Chemin de la Croix-aux-Ames* (1948) contient ses pamphlets contre Vichy. La préface des *Grands Cimetières...*, admirable morceau, donne la clé de ce tempérament exceptionnel.

Bernanos est resté solitaire, mais a connu la gloire. Citons quelques autres philosophes et critiques dont la voix est demeurée plus discrète.

Jacques Maritain.

Consulter :
H. Bars
Maritain en notre temps *(Grasset, 1959).*

Jacques Maritain (né à Paris en 1882), protestant, puis catholique, se fit le champion de Bergson : *le Bergsonisme* (1913), et ensuite du néo-thomisme : *Saint Thomas d'Aquin* (1925). Son tempérament nerveux et passionné s'exprime sans fard dans *Grandeur et Misère de la Métaphysique*. Il a écrit un livre de critiques poétiques : *Frontières de la poésie*, repris et élargi dans *l'Intuition créatrice dans l'art et dans la poésie* (1966). Pendant la Seconde Guerre mondiale, il eut une activité féconde aux États-Unis. Toute sa philosophie se résume bien dans le titre d'un de ses derniers ouvrages : *Primauté du spirituel* (1945). Son admirable épouse Raïssa (morte en 1960), décrit dans *les Grandes Amitiés* (1947) leur unité pensante et vivante.

Consulter :
Hommage à C. du Bos *(Cahiers « Résurrection », 1945).*
Marie-Anne Gouhier
Charles du Bos *(Vrin, 1950).*
Jean Mouton
Charles du Bos *(Desclée de Brouwer, 1955).*
Charles Dédayan
Le Cosmopolitisme littéraire de Ch. du Bos *(Sedes, 3 vol., 1965-1966).*

Charles du Bos (né à Paris en 1882, mort en 1939), n'est pas seulement un pénétrant critique littéraire : *Approximations* (7 volumes de 1922 à 1937), *le Dialogue avec André Gide* (1927). Son âme finement nuancée s'est exprimée dans son *Journal* (8 volumes parus).

Pierre Lecomte du Nouÿ (né à Paris en 1883, mort à New York en 1947), savant biologiste (*le Temps et la Vie*, 1936) a abordé les grands problèmes selon une orientation nettement spiritualiste (*l'Homme et sa destinée*, 1948, *Entre savoir et croire*, recueil anthologique, 1964).

Consulter :
M. Lecomte du Nouÿ
Pierre Lecomte du Nouÿ
(La Colombe, 1955).

Jacques Rivière (1886-1925), directeur de la *Nouvelle Revue Française* à partir de 1919, contribua à révéler la littérature, la peinture et la musique modernes dans les articles d'*Études* (1911). Son influence s'est exercée par ses essais chrétiens *A la trace de Dieu* (1926), *De la Foi* (1928), et par sa belle *Correspondance* avec Paul Claudel et avec Alain-Fournier, son ami et beau-frère. Bien qu'il soit mort depuis vingt-cinq ans, il conserve tout son prestige aux yeux des jeunes gens et demeure beaucoup lu.

D'autres bons critiques et historiens catholiques ont pris la succession des aînés et des morts : **Daniel-Rops** (1901-1965), **Jacques Madaule** (né en 1898), etc.
La philosophie chrétienne connaît un regain d'intérêt dans les universités, particulièrement au Collège de France et à la Sorbonne, où **Louis Lavelle** (1883-1951) et **René Le Senne** (1882-1954) ont renouvelé le spiritualisme. **Jean Guitton** (né en 1901) a créé le personnage semi-romanesque de M. Pouget (*Dialogues avec Monsieur Pouget*, 1954) et tenté d'accorder la pensée moderne au catholicisme traditionnel (*le Christ écartelé*, 1964, *le Clair et l'Obscur*, 1965). Mais le courant nouveau qu'il importe de mettre en valeur, c'est le Personnalisme.
Le personnalisme fut d'abord un petit mouvement catholique, né vers 1930, parmi les disciples de Charles Péguy. Un homme y a attaché son nom : **Emmanuel Mounier** (1905-1950), penseur probe, belle figure d'apôtre désintéressé, ouvert à tous les aspects de la vie philosophique et sociale. Sa revue *Esprit* réussit à s'imposer peu à peu; dans toutes les villes se fondèrent des « Amis d'Esprit », généralement en relation avec la Jeunesse Étudiante Catholique, de tendances

Consulter :
Mounier et sa génération *(Seuil, 1956).*
C. Moix
La Pensée d'E. Mounier *(Seuil, 1960).*
Jean Conila
Emmanuel Mounier *(PUF, 1966).*

assez avancées. On trouvera cette doctrine formulée dans le *Manifeste au service du personnalisme*, ou mieux dans *Qu'est-ce que le personnalisme?* (1946) par Emmanuel Mounier. Elle peut se résumer dans cette formule : *L'individu pour la société et la société pour la personne.* Après 1944, le personnalisme a retrouvé intactes ses positions d'avant guerre, et même il a fourni des cadres au Mouvement Républicain Populaire. Mais le groupe d'*Esprit* refuse de se laisser confondre avec un parti politique (cf. p. 348).

Consulter :
Charles Tresmontant
Introduction à la pensée de Teilhard de Chardin *(Seuil, 1956).*
Nicolas Corte
La Vie et l'Ame de Teilhard de Chardin *(Fayard, 1957).*
Claude Cuénot
Pierre Teilhard de Chardin *(Plon, 1958 et Seuil, 1962, nouvelles éditions remises à jour 1962, 1966...).*
Abbé Paul Grenet
Teilhard de Chardin, un évolutionniste chrétien *(Seghers, 1961).*
Émile Rideau
La Pensée du P. Teilhard de Chardin *(Seuil, 1965), et les Actes du Colloque de Venise sur* Teilhard de Chardin et la pensée catholique *(Seuil, 1965).*

La pensée du R.P. **Pierre Teilhard de Chardin** (1881-1955) exerce en France et à l'étranger un rayonnement qui n'a cessé de croître. Physicien, biologiste, paléontologiste, il cherche à intégrer au christianisme les découvertes les plus hardies de la science, telles les théories de l'évolutionnisme, rejetant comme purs symboles les fables de la mythologie chrétienne, au profit d'une conception plus profondément spiritualiste de la religion. Ses principaux ouvrages, longtemps suspects aux autorités ecclésiastiques, furent publiés après sa mort : *le Phénomène humain* (1955), *l'Apparition de l'homme* (1956), *le Groupe sociologique humain* (1956), *la Vision du passé* (1957), *l'Avenir de l'homme* (1959), et tous les *Cahiers*, en cours de publication grâce au zèle de l'Association des Amis du R.P. Pierre Teilhard de Chardin. On se référera nécessairement à l'édition monumentale procurée par le Seuil, y compris l'*Album* consacré à ce « pèlerin de l'avenir ».

Le rationalisme et le socialisme

Le rationalisme et le socialisme se transforment par rapport à la première génération. Le rationalisme pur se rétrécit, perd son objet, et ne reprend vigueur qu'en se confondant avec le marxisme (Julien Benda demeure un isolé, cf. p. 67). D'autre part, le socialisme se divise en socialisme marxiste et socialisme

« humaniste », tandis que, par ailleurs, le pacifisme vient encore compliquer le jeu des idées.

1. *Le socialisme humaniste* est fils du XIXe siècle, de la révolution de 1848, de Proudhon. A la rigueur du marxisme, il préfère l'effusion du cœur, et se fait le champion d'une sorte de romantisme social. La personnalité la plus marquante de ce courant est **Jean Guéhenno** (né à Fougères en 1890). Jeune ouvrier parvenu tout seul aux plus hauts titres universitaires, aimant les jeunes et adoré d'eux, il est resté fidèle à ses origines, et entreprit une croisade pour cultiver et relever le peuple. *L'Évangile éternel, Caliban parle* (1928), *Conversion à l'humain* (1931), *Jeunesse de la France* (1936), *Rousseau* (1948-1951), *Sur le chemin des hommes* (1959), *la Mort des autres* (1968) portent le même message socialiste et humaniste. Mais le secret de cette âme généreuse de Breton, on ira le chercher dans ses Journaux intimes : *Journal d'un homme de quarante ans* (1934) (son chef-d'œuvre), *Journal d'une « Révolution »* (1938), *Journal des années noires* (1946), dont une partie parut clandestinement : *Dans la prison*, et, dans l'émouvant récit de ses années d'enfance, *Changer la vie* (1961), qui décrit la condition des ouvriers au début de ce siècle. *Ce que je crois* (1964) exprime bien l'idéal de Caliban.

2. *Le pacifisme* rassemble jusqu'en 1936 marxistes et humanistes. C'était le terrain commun à toute la « gauche » française, sous l'égide de Romain Rolland, d'Henri Barbusse, de Langevin, d'Alain, de Paul Rivet, de Georges Pioch, de Francis Jourdain, de René Gérin, de Félicien Challaye. La guerre de Chine et la guerre d'Éthiopie rallièrent contre elles l'unanimité des esprits avancés. Mais, en 1936, la guerre d'Espagne fit une première brèche dans le front du pacifisme. La politique de non-intervention dressa contre elle les marxistes, qui ne pouvaient pas abandonner l'Espagne, tandis qu'un groupe de pacifistes intégraux faisait scission derrière Victor Margueritte, Alain et Giono. Contre la guerre, ceux-ci allèrent jusqu'à l'objection de conscience et

le « refus d'obéissance ». Chaque membre du « Comité de vigilance contre le fascisme et contre la guerre » se trouva donc sommé par les faits de choisir entre ces deux périls. Beaucoup de Français se débattaient encore dans ce dilemme en septembre 1938. D'ailleurs les faits ont montré que c'était un faux dilemme. Puis le pacifisme devint une position impossible et la mobilisation de 1939 se déroula dans une calme gravité. Pendant la guerre quelques traîtres couvrirent d'une étiquette pacifiste leurs manœuvres pro-nazies. Mais la plupart se tinrent dignement, et même le vrai pacifisme eut ses martyrs. Il reste que ce courant d'idées, parti d'un mouvement généreux et déterminé par le souvenir persistant de l'hécatombe de 1914-1918, mit le trouble dans les esprits pendant la dernière guerre, gêna la démocratie française dans sa politique de fermeté, et ainsi nuisit finalement à la paix autant qu'à la nation.

Signalons pour leur influence sur l'opinion publique les publications du *Crapouillot*, revue d'esprit pacifiste, anarchisante et anticommuniste, fondée et animée par **Jean Galtier-Boissière** (1891-1966), et reprise après la guerre.

3. *Le rationalisme marxiste* s'édifie autour de la revue *La Pensée*, intitulée « Revue du Rationalisme moderne ». Par ailleurs, la bourgeoisie fut attaquée par **Emmanuel Berl** (né en 1892) : *Mort de la pensée bourgeoise*, etc.

Georges Friedmann (né en 1903) s'est fait le spécialiste, à la fois humaniste et savant, de la philosophie et de l'histoire du travail (*Où va le travail humain?* 1951).

Bernard Groethuysen (1880-1946), esprit encyclopédique, qui importa en France la moderne philosophie allemande, s'est consacré, lui aussi, à l'étude de l'esprit bourgeois.

Enfin, des savants de cette deuxième génération suivirent l'exemple de Paul Langevin dans la première :

ils s'engagèrent dans la lutte idéologique, tels **Marcel Prenant** (né en 1891) (*Biologie et marxisme*, 1936), **Frédéric Joliot-Curie** (1900-1958), **Henri Wallon** (1879-1962), etc.

Du côté des écrivains, suivirent des poètes comme Aragon (après 1930), des romanciers comme Cassou et Jean-Richard Bloch, comme Malraux (jusqu'en 1936), comme Nizan (jusqu'en 1939). Les figures les plus importantes, parmi les hommes de cet âge, qui s'attachent aux idées marxistes, sont les suivantes :

Paul Vaillant-Couturier (cf. p. 127) a sacrifié son œuvre littéraire à l'action politique. Ses meilleurs articles, qui attestent la qualité de cet esprit exceptionnel, ont été réunis par ses amis sous le titre *Nous ferons se lever le jour* (Hier et Aujourd'hui, 1947), puis *Vaillant-Couturier écrivain* (Ed. Français Réunis, 1967).

Jean Fréville (né en 1895) est le critique le plus autorisé du marxisme orthodoxe. Il a remarquablement recueilli et présenté les textes *Sur la littérature et l'art* de Marx, Engels, Lénine et Staline (E.S.I., 1937). C'est aussi un romancier et un poète.

René Maublanc (1881-1960), spécialiste des études fouriéristes, secrétaire général de « la Pensée ».

Georges Politzer (né en 1903, fusillé par les Allemands en 1942) s'est d'abord attaqué à Bergson : *le Bergsonisme, une mystification philosophique* (1929). Puis cet esprit méthodique et puissant se répandit dans des cours que ses amis publièrent après sa mort : *Principes élémentaires de philosophie* (1946). Lire aussi sa brochure contre Rosenberg : *Révolution et Contre-révolution au* XXe *siècle* (1947).

Valentin Feldman (mort en 1943) a écrit un remarquable traité d'esthétique marxiste : *Esthétique française contemporaine*. Il fut lui aussi exécuté par les Allemands.

Un autre, par son âge, appartiendrait à la génération suivante, dont il serait sans doute devenu l'un des guides. Mais sa mort prématurée (il fut fusillé en 1942) le rattache à ses aînés. C'est **Jacques Decour** (1910-1942), auteur de *Philisterbourg* (1932), *le Sage et le Caporal* (1930), *les Pères* (1936). Peu avant la guerre, il dirigeait la revue *Commune*, organe de l'Association des Écrivains et des Artistes révolutionnaires. Il fonda dans la clandestinité *les Lettres françaises*. Aragon a publié de lui une petite anthologie sous le titre *Comme je vous en donne l'exemple...* (Éd. Sociales, 1945).

La critique

Dans la critique aucun grand nom ne domine cette génération. La mort de Thibaudet a laissé une place vide, et nombreux sont les candidats qui ont prétendu à l'occuper. Mais la succession a été assurée collectivement, en quelque sorte, par quelques excellents ouvriers de la critique, parmi ceux qui détiennent ou ont détenu les tribunes des journaux et des revues : **Gérard Bauer** (1888-1967), **Frédéric Lefèvre** (1889-1949), **Pierre Abraham** (né en 1892), **Ramon Fernandez** (1894-1944), **Pierre Brisson** (1896-1963), **Robert Kemp** (1885-1959), **Léon Treich** (né en 1889) etc. Leurs principaux ouvrages sont indiqués dans les bibliographies de ce Guide.

Gabriel Bounoure (né en 1886), qui mit son grand talent au service des talents d'autrui, a réuni dans *Marelles sur le parvis* (1958) quelques-uns de ses remarquables essais de critique poétique qui dormaient dans les numéros de la première NRF.

Émile Henriot.

Émile Henriot (1889-1961), qui fut aussi un poète et un romancier psychologique (*Aricie Brun ou les Vertus bourgeoises*, 1924, *la Rose de Bratislava*, 1948), cultiva l'histoire littéraire avec un goût de parfait « honnête homme », et la critique contemporaine avec une souplesse qui n'exclut pas la vigueur (ses critiques sont réunies notamment dans les divers volumes de son *Courrier littéraire*).

André Rousseaux (1896-1964) s'attacha à juger les idées et à sonder les âmes dans un effort souvent pathétique (*Littérature du XX*e *siècle*, 4 vol.; *le Monde classique*, 3 vol.).

Brice Parain (né en 1897) jouit d'une vive attirance et d'un grand respect auprès des jeunes, qui apprécient ses préoccupations philosophiques et linguistiques autant que ses romans : *la Mort de Socrate* (1950), *Joseph* (1964). On lira ses passionnants *Entretiens avec Bernard Pingaud* (1966).

Marcel Brion (né en 1895), historien de l'art et critique, est un solide spécialiste de la Renaissance italienne et du romantisme allemand.

Jean Mistler (né en 1897) s'est consacré surtout au romantisme allemand, dont l'inspiration a également nourri ses œuvres romanesques (*Hoffmann le Fantastique*, 1950).

Raymond Las Vergnas (né en 1902) s'est voué à la littérature anglaise *(Conrad)*, en même temps qu'à une œuvre très estimable de romancier.

André Billy (cf. p. 155) s'est fait le minutieux et vivant historien de Diderot, de Balzac, de Sainte-Beuve, des Goncourt et de ses amis Max Jacob et Guillaume Apollinaire.

Criticus (**Marcel Berger,** 1888-1966), auteur du fameux *Style au microscope*, a minutieusement épluché la langue des bons et des mauvais auteurs.

L'un des plus doués est mort dans un camp de concentration : **Benjamin Crémieux** (1888-1944). Il avait écrit un bon roman : *le Premier de la classe*

(1921) et beaucoup d'essais pénétrés de hautes préoccupations morales.

Mais déjà une nouvelle génération de critiques est entrée en position. Celle de 1920 semble la dernière qui pratique encore l'ancienne manière impressionniste, à la Sainte-Beuve, jugeant au nom du goût et se plaisant aux mille finesses de la pensée et du style. Les jeunes manifestent plus d'esprit de système. Leurs jugements sont plus souvent influencés par la politique ou la philosophie. La nouvelle génération est née tout de suite durcie, à l'image des temps qui ont bouleversé sa jeunesse.

Chez les universitaires, la *Revue d'Histoire littéraire de la France*, dirigée par **Jean Pommier** (né en 1893) rassemble dans son conseil d'administration et dans ses sommaires la quasi-unanimité des noms de la critique érudite et savante.

Les représentants de toutes ces familles d'esprits se retrouvent dans l'œuvre considérable entreprise en 1933 par **Anatole de Monzie** (1876-1947) et **Lucien Febvre** (1878-1956) : l'*Encyclopédie française*. Conçue selon un plan nouveau, cette Encyclopédie s'est efforcée de réunir toutes les compétences françaises, et de faire ainsi la synthèse des connaissances acquises sur un sujet donné. La guerre a gêné sa publication, mais elle touche aujourd'hui à son terme grâce à la librairie Larousse, et surtout à l'impulsion nouvelle que lui a donnée **Gaston Berger** (1896-1960), pionnier de la caractérologie et d'une nouvelle science, la *Prospective*, ou prévision scientifique de l'avenir (Consulter le numéro spécial des *Études philosophiques*, 1961, nº 4.)

Cependant, une autre Encyclopédie fut mise en chantier : l'*Encyclopédie de la renaissance française*, qui semble avoir été plus ou moins abandonnée. Sous la direction de Paul Langevin, puis de Marcel Prenant et de Louis Aragon, elle promettait d'être d'inspiration marxiste. Son caractère combatif l'apparente donc plutôt à l'*Encyclopédie* de Diderot et de

D'Alembert (XVIIIe siècle) qu'à la *Grande Encyclopédie* de Marcelin Berthelot (fin du XIXe siècle).

Depuis 1955 paraît régulièrement à la librairie Gallimard l'*Encyclopédie de la Pléiade*, qui doit compter une quarantaine de volumes. **Raymond Queneau** (cf. p. 113) la dirige dans un esprit d'objectivité scientifique et de philosophie éclairée.

C'est le même esprit qui anime le nouveau *Grand Larousse encyclopédique* en dix volumes, demeuré fidèle à l'ordre alphabétique comme ses illustres devanciers.

Il semble qu'il faille opter entre ces deux conceptions de la vie intellectuelle : l'humanisme éclectique ou la lutte idéologique. Au risque de décevoir l'Est et l'Ouest, la Gauche et la Droite, la vérité nous oblige à dire qu'au milieu du XXe siècle la majorité des intellectuels français n'a pas encore choisi.

CHAPITRE III

la génération de 1940

Les hommes qui étaient dans leurs vingt ans en 1940 n'ont point du tout connu la Première Guerre mondiale. Ils sont nés pendant, après, ou si peu d'années avant, qu'ils n'ont pas été touchés par elle. Leur enfance s'est déroulée dans le bonheur de la paix et de la prospérité retrouvées. Jamais le monde ne fut plus heureux qu'entre 1920 et 1930 : on s'acheminait vers l'âge d'or d'un mouvement lent, mais continu. Cette génération conserve confusément la nostalgie de ses premières années et des généreuses illusions qui l'ont jadis bercée.

A peine adolescents, ils furent arrachés à ces douceurs par la crise économique d'abord, qui rendit pénibles leurs études ou leur apprentissage (voir l'ouvrage de Paul Vaillant-Couturier : *le Malheur d'être jeune*); puis par les rumeurs lointaines, mais déjà inquiétantes, de la guerre de Chine et de la guerre d'Éthiopie; enfin ils se retrouvèrent jetés en plein drame par la guerre d'Espagne.

On ne saurait exagérer l'importance de ce dernier événement. Nous avons dit qu'il détermina une scission parmi les intellectuels entre les antifascistes et les pacifistes de la deuxième génération. Mais les garçons de vingt ans ne se posèrent pas, en général, de ces problèmes abstraits. Ils tranchèrent par l'action.

Les meilleurs, de droite comme de gauche, s'engagèrent et versèrent leur sang. Ceux qui n'avaient pas pu, ou n'avaient pas osé, en conservèrent longtemps le remords. Ils se rachèteront dans le maquis après 1940. Avant la Résistance, c'est d'abord la guerre d'Espagne qui a forgé l'âme de cette génération.

Après le drame espagnol, il y eut le drame tchécoslovaque. Il suffit de lire la littérature d'après guerre pour comprendre combien il a marqué les jeunes écrivains français. Les marxistes et les socialistes chrétiens ont fait de Munich le problème clé de notre temps. Jean-Paul Sartre, dans *le Sursis*, montre que la morale des nations, tout comme celle des individus, doit s'exprimer par un choix volontaire qui fonde leur liberté. Si bien qu'on peut avancer que l'existentialisme est né, dans une certaine mesure, d'une prise de conscience de « Munich », d'une méditation sur ses causes, d'une tentative pour remédier à l'esprit d'abandon et de fatalité.

Aucun Français n'a cherché à éluder dans ce drame les responsabilités de son pays par de faciles considérations de politique réaliste. Tous sont allés jusqu'au fond de leur mauvaise conscience. Mais le mal n'était pas particulier à la France; on le vit bien, moins d'un an plus tard, lorsque lancée la première contre l'Allemagne nazie, elle se trouva elle-même pratiquement seule au moment de la défaite, appuyée seulement par une Angleterre non mieux préparée qu'elle en ce temps-là, pour défendre les libertés d'un monde de tous côtés indifférent. Il apparut alors que Munich, comme l'échec des sanctions contre l'Italie mussolinienne, comme la non-intervention en Espagne, n'était qu'un cas particulier d'une démission universelle. La jeune littérature française élargit l'expérience de ces années cruelles et analyse la crise qui est dans l'homme.

L'expérience de la Résistance a fortifié les tempéraments, fourni par milliers des sujets de poèmes, de romans et de drames, nourri quelques œuvres admirables. Sur le bilan même de l'action des écrivains pendant la guerre, nous renvoyons le lecteur à l'ouvrage de **Louis Parrot** (1906-1948) : *l'Intelligence en guerre* (la Jeune Parque, 1945), le seul existant jusqu'à ce jour. On y joindra la collection des *Lettres françaises* clandestines et *l'Histoire des éditions de Minuit* (1945) de **Jacques Debu-Bridel** (né en 1902).

Il s'y ajouta l'expérience des camps de concentration, de « l'univers concentrationnaire », comme l'a nommé son meilleur romancier-philosophe, David Rousset. L'expérience des prisonniers de guerre aussi... Là encore s'est manifestée la faculté française d'élargir une expérience historique jusqu'au problème philosophique qui la comprend.

Ces thèmes donnent une idée du genre de préoccupations qui anima l'élite de la jeunesse intellectuelle. Mais on remarquera que ce sentiment du tragique était en genèse depuis la guerre d'Espagne. *L'Espoir* d'André Malraux préfigurait dès 1937 l'éthique des temps nouveaux.

Le type d'homme que les écrivains précédents avaient créé ne résiste pas au déchaînement de l'Apocalypse. L'humanisme à la Duhamel, à la Gide ou à la Valéry ne signifie plus rien pour le jeune communiste, anarchiste ou même fasciste, qui, dans sa chair et dans sa conscience, a vécu cette expérience. C'est la fin d'une certaine conception de la civilisation. La « douceur de la vie » n'est pas l'idéal de ceux qui sont allés jusqu'à la limite d'eux-mêmes. Il ne s'agit plus de vivre heureux; il s'agit de vivre pour servir. Le héros est le type qui domine la littérature de cette génération. On ne veut pas d'autres maîtres que ceux qui précisément donnèrent l'exemple, comme Saint-Exupéry, Jacques Decour ou Jean Prévost. Si l'on trouve encore chez Jean-Paul Sartre ou chez Jean Cayrol une certaine prédilection pour le « raté », le « clochard », le « salaud » ou le « pauvre type », il est clair que pour eux le problème est d' « en sortir » et de donner à l'homme des raisons positives d'exister. Toutes les philosophies sont passées alors du plan de la spéculation à celui de l'action. Le marxisme séduit les jeunes parce qu'il est un combat. L'existentialisme met fin à la critique de la connaissance qui, depuis Kant, était le thème central de la philosophie traditionnelle, pour fonder à nouveau la métaphysique sur l'expérience intérieure; et celle-ci également est choix et combat. On pourra le déplorer, si l'on veut, au nom de l'idéal ancien. Mais c'est un fait : la plupart des romans, des poèmes ou des pièces de théâtre expriment les conflits de tous ordres qu'à éprouvés cette génération de 1936 à 1945, qu'elle éprouve encore de nos jours; la plupart des essais moraux s'en inspirent.

Tel est le genre d'œuvres que produisirent après la Libération les écrivains de vingt-cinq à quarante ans. Nous n'avons pas de chapitre particulier à rédiger sur la « littérature engagée ». A quelques exceptions près, survivances d'une autre « mentalité », tous les écrivains français de cette époque sont engagés. Ce qui ne veut pas dire, bien entendu, que tous ces auteurs arborent un insigne à leur boutonnière ou possèdent dans leur poche la carte d'un parti politique. Cela arrive, mais ce n'est pas tout, ni même l'essentiel. Car le mot engagement « traduit » une réalité beaucoup plus complexe. Un écrivain « engagé », c'est d'abord un homme qui a *pris conscience* de ce que le monde est en mouvement; qui veut *participer* au devenir historique de l'espèce humaine; qui s'efforce, dans ce mouvement même, d'*orienter le destin* des hommes. Les aînés avaient créé un parfait modèle d'homme statique, d'homme heureux, dans l'équilibre miraculeux de son intelligence satisfaite. La génération suivante a donné un nouveau visage à l'homme du XXe siècle. Celui-ci sera mieux adapté au nouveau flux; son esprit, peut-être, ne mourra pas dans les tourbillons de l'Histoire; il suivra son courant, plongera avec elle dans les abîmes, continuera d'éclairer les flots aujourd'hui mouvants, mais un jour certainement enfin apaisés. Ce faisant, pas plus que leurs maîtres, la majorité des intellectuels de ce temps n'obéissent à des occupations étroitement nationales. Ils n'ont pas encore achevé leur œuvre; mais on peut affirmer déjà qu'ils n'ont pas trahi la mission de l'écrivain, qui est de dire la vérité sans aucune considération d'aucune sorte, et aussi de parler pour être entendu de tous les hommes du monde, quels que soient leur race, leur religion ou leur parti.

LA POÉSIE

La poésie française après la Seconde Guerre mondiale présente un tableau extrêmement riche et varié. Comme il arrive d'habitude, et pour rappeler les mots de Diderot, les événements tragiques ont fait « verdoyer le laurier d'Apollon ». De nombreux jeunes poètes ont éclos tout d'un coup. D'autres, déjà mûrs, ont renouvelé leurs thèmes d'inspiration et leur manière. La détresse, la douleur, la colère, le combat, l'expérience des camps et des maquis, la promesse d'une République plus pure sont autant de sujets qui fleurissent dans les poèmes des années 1939-1945.

Pourtant, même en ce temps-là, la poésie française ne se limite pas à la Résistance. Un Henri Thomas, un Maurice Fombeure, par exemple, ont continué d'écrire à peu près comme si « l'événement » ne s'était pas produit.

Enfin, si les poètes de partis continuent après la guerre à lutter, dans des conditions nouvelles, pour le triomphe de leur cause politique, beaucoup de poètes de la Résistance se sont pour ainsi dire démobilisés. Ils rejoignent aujourd'hui les tenants de la poésie « dégagée ». La guerre d'Algérie elle-même, qui a bouleversé la conscience de la plupart des intellectuels français, n'a pourtant exercé que peu d'influence sur la poésie. En général, les poètes d'aujourd'hui ne suivent pas, jour après jour, les événements contemporains; ils cherchent plutôt leur inspiration dans une méditation des grands thèmes de l'homme, du monde et de leur destin.

Pour toutes ces raisons, nous ferons à l'une et l'autre de ces tendances sa place dans la production actuelle.

Cependant, il faut surveiller la naissance des petites revues poétiques, où les jeunes écrivains font leurs premiers pas. *Le Pont de l'épée*, notamment, a publié plusieurs recueils où l'on voit poindre nombre de nouveaux talents (Guy Chambelland, éditeur, à La Bastide-

Consulter :
René Bertelé
Panorama de la jeune poésie française, *textes et notice (Laffont, 1942).*
Léon-Gabriel Gros
Poètes contemporains *(études) (2 vol., Cahiers du Sud, 1944 et 1951).*
Anthologies :
Jean Rousselot
Panorama critique des nouveaux poètes français *(Seghers, 1951, réédition 1959).*
Marcel Béalu
Anth. de la poésie française depuis le surréa-

d'Orniol, Gard). *Le Monde* du 23 août 1967 en mentionne et cite une quinzaine. Mais il en est cent autres dont la voix mérite d'être écoutée dans le tohu-bohu des lettres contemporaines.

lisme *(Édit. de Beaune, 1952).*
La collection des plaquettes Poésie *(Seghers) forme un excellent ensemble, n'écartant aucune des tendances contemporaines.*

La poésie de la Résistance

Cette génération, nous l'avons dit, fut violemment ébranlée par un grand drame qui secoua — qui secoue encore — le monde moderne. Chez la plupart des poètes les circonstances se reflètent dans leur œuvre. Toutefois, quoiqu'il y ait eu unité d'inspiration, il n'y a pas eu d'unité esthétique. L'esprit de la Résistance ne définit pas une école littéraire. Chaque poète a choisi sa technique personnelle. C'est pourquoi nous essaierons de classer tous ces talents par affinités littéraires, puisqu'aussi bien c'est de l'histoire littéraire de cette période que nous traitons.

Mais ces auteurs eux-mêmes ne doivent pas être enfermés dans le vocable exclusif de poésie de la Résistance. Beaucoup se sont élevés au-dessus des circonstances historiques. Dans le même recueil, parfois dans le même poème, l'élément de poésie « engagée » et l'élément de poésie « pure » se mêlent indissolublement. Les *Poèmes politiques* d'Éluard prennent naissance d'une douleur tout intime, le *Nouveau Crève-Cœur* d'Aragon s'accompagne du *Chant du butor*, qui exprime des sentiments bien individuels. Tels sont les deux visages de la littérature française, comme ce le fut en tout temps, et il est un peu artificiel de dédoubler ce Janus. Ces réserves faites, il faut bien essayer de mettre un peu d'ordre dans la foule de ces noms et de ces œuvres.

La poésie de la Résistance comprend d'abord des poètes de la génération de 1920, dont nous avons déjà parlé dans notre deuxième chapitre. Bornons-nous à indiquer ce que la Seconde Guerre mondiale a ajouté à leur inspiration.

Paul Éluard.

Paul Éluard (cf. p. 108) a réuni sous le titre : *Au rendez-vous allemand* (1945) les poèmes inspirés par la guerre d'Espagne puis le *Livre ouvert*, *Poésie et Vérité* (1942) et tous ses poèmes publiés clandestinement. Par la vigueur de la passion comme par la pureté de la forme, c'est probablement le chef-d'œuvre de la Résistance. *Une leçon de morale* (1949), dédiée symétriquement « au Bien », « au Mal », témoigne de l'élévation et de la pureté de ses sentiments politiques. Et si sa passion de la justice le pousse à chanter les combats et les espoirs du prolétariat, le poète de *Liberté* n'en reste pas moins attaché au droit de *Pouvoir tout dire* (1951). Son ultime recueil : *Derniers poèmes d'amour* (1963) s'éloigne de la politique

Louis Aragon.

militante pour reprendre les grands thèmes de la mort et de la renaissance de l'Amour *(Corps mémorable, le Phénix)*. *Le Poète et son ombre* (1963) rassemble les derniers inédits.

Louis Aragon (cf. p. 107) est « engagé » depuis 1930. *Hourra l'Oural* (1934) exalte les idées communistes, en même temps qu'Aragon y dit adieu à la poésie surréaliste. En 1939, il revient à la poésie. Mais alors il s'oriente vers une technique simple, directe, naturelle, qui plonge ses racines dans le Moyen Age et dans le romantisme, voire dans Hugo, dans Verlaine ou dans Péguy. Il est partisan d'un retour à la rime, parce que la rime (ou au moins l'allitération comme dans les chansons) produit de l'effet sur les masses (voir *la Leçon de Ribérac* et *la Rime en 1940*, articles réédités en appendice aux *Yeux d'Elsa*). Sa doctrine s'exprime encore dans *les Chroniques du bel canto* (1947). Les principaux recueils de cette nouvelle manière sont : *le Crève-Cœur*, écrit entre la mobilisation et 1942, *le Musée Grévin*, contre les hommes de Vichy, *les Yeux d'Elsa*, où son amour pour sa femme se confond avec l'amour de la patrie, *la Diane française* (1945), œuvre maîtresse qui groupe les plus beaux poèmes clandestins, ainsi que *En étrange pays dans mon pays lui-même*, et enfin *le Nouveau Crève-Cœur* (1948), où son lyrisme ne s'élève plus contre les Allemands, mais contre les forces réactionnaires qui subsistent dans le monde. Cependant, Aragon, demeuré « jeune poète » malgré ses cheveux blancs, transcende aujourd'hui la poésie politique et de circonstance. Dans *les Yeux et la Mémoire* (1954), dans *le Roman inachevé* (1956), qui est peut-être son chef-d'œuvre, dans *Elsa* (1959), dans *le Fou d'Elsa* (1963), il chante les grands thèmes éternels : le temps, l'amitié et surtout l'amour, qui depuis trente ans illumine sa vie et son œuvre. Enfin, dans *les Poètes* (1960), il célèbre, analyse et parfois joue à imiter les grands poètes du passé. Aragon, ainsi, prend rang à la suite de Hugo, de Péguy, d'Apollinaire... Mûri par tant d'expériences et de luttes, il domine son temps et son parti. Il faut lire *J'abats mon jeu* (1959), confession désinvolte mais sincère, qui donne certaines clés pour pénétrer dans les différents étages de sa puissante personnalité. Sur ses derniers romans, voir p. 126.

Consulter :
Charles Haroche
L'idée de l'amour dans « le Fou d'Elsa » *(Gallimard, 1966)*.

Pierre-Jean Jouve (cf. p. 116) avait prophétisé le cataclysme dans la préface de *Sueur de sang* (1933). En 1940, il délaissa son obsession sexuelle et ses méditations sur la nuit mystique pour exalter dans *Gloire* la France humiliée. Le *Porche à la nuit des saints* était un autre acte de foi. Tous ces problèmes engagés, d'abord publiés en Suisse, ont été réunis en 1945 sous le titre *la Vierge de Paris*, un autre sommet de la poésie moderne.

A ces trois poètes, dont la Résistance a pour ainsi dire revigoré l'inspiration, s'ajoutent un grand nombre de noms qui brillèrent d'un éclat à peine moindre pendant ou aussitôt après les années d'épreuve.

Parmi les recueils d'écrivains déjà anciens, notons :

Paul Claudel (cf. p. 23) : *Poèmes et Paroles durant la guerre de Trente Ans.*

Guy Lavaud (cf. p. 22) : *Marseillaise revient.*

Dans la génération suivante :

Robert Desnos (cf. p. 109) : *Le Veilleur du Pont-au-Change* et autres poèmes réunis dans *Domaine public* (1953).

Jean Cassou (cf. p. 155) : *Trente-trois sonnets écrits au secret.*

Jules Supervielle (cf. p. 117) : *Poèmes 1939-1945.*

Gabriel Audisio (cf. p. 95) : *Feuilles de Fresnes.*

Léon Moussinac (cf. p. 128) : *Poèmes impurs.*

Jean Fréville (cf. p. 207) : *A la gueule des loups.*

Enfin, parmi ceux que la Résistance a révélés entre leur vingtième et leur trentième année :

Pierre Emmanuel (cf. p. 232) : *Jour de colère, Combats avec tes défenseurs, La liberté guide nos pas.*

Jean Cayrol (cf. p. 232) : *Poèmes de la nuit et du brouillard.*

Pierre Seghers (cf. p. 227) : *le Domaine public, le Chien de pique, le Futur antérieur.*

Loys Masson (cf. p. 233) : *Délivrez-nous du mal, La lumière naît le mercredi.*

Jean Tardieu (cf. p. 228) : *Poèmes, Jours pétrifiés.*

Guillevic (cf. p. 225) : *Exécutoire.*

Jean Marcenac (cf. p. 226) : *le Ciel des fusillés, le Cavalier de coupe.*

et encore **René Laporte, René Lacôte, Jean Lescure, Lucien Scheler,** etc.

Consulter :
L'Honneur des poètes *(éditions de Minuit, 1943) qui donne des fragments de vingt-deux poètes clandestins.*
La Patrie se fait tous les jours, *très remarquable anthologie, par Jean Paulhan et Dominique Aury (éditions de Minuit, 1947). (Poésie et prose).*

Les recueils dus aux jeunes poètes seront repris plus loin. Mais combien de manuscrits sont encore restés inédits, ou ont été publiés dans des conditions de fortune, et n'ont pas encore été remarqués? Telle cette *Jeunesse ardente*, de Pierre Jérosme, imprimée à Beaugency. Il faudrait procéder à une longue enquête méthodique pour pouvoir faire le bilan définitif de cette production.

Aux poètes proprement dits de la Résistance, on peut joindre les poètes prisonniers. Parmi les deux millions de prisonniers de guerre qui ont souffert dans les camps d'Allemagne pendant cinq ans, un grand nombre de talents se sont déclarés, talents d'un jour souvent, qui n'avaient qu'*une* chose à dire, mais qui l'ont admirablement dite. C'est un phénomène émouvant que ce foisonnement de poètes derrière les barbelés. Il en est résulté une poésie étrange, volontiers spiritualiste et mystique, et souvent influencée par Milosz (cf. p. 24), qui fut découvert alors. Il y aurait tout un chapitre à écrire également sur les témoignages, les romans, les essais inspirés par la captivité. Pour les poèmes, contentons-nous de deux anthologies :

L'Anthologie des poètes prisonniers (Seghers, 1945, 2 vol.).

Le recueil n° 7 des *Cahiers du Rhône*.

Consulter :
Jean Cazeneuve
Psychologie du prisonnier de guerre *(PUF, 1945).*

On relève parmi les meilleurs les noms de bien des poètes qui s'illustreront plus tard, une fois la paix retrouvée. Mais pour plusieurs ce fut leur chant du cygne : ils ne sont jamais rentrés en France.

Poésie politique

Le courant de la « poésie engagée » a survécu à la Résistance. C'est dans le sillage d'Aragon qu'on trouvera les recueils les plus valables, encore que le maître fasse preuve d'une allure infiniment plus souple. Dans son *Journal d'une poésie nationale* (E.F.R., 1954), Aragon répudie la poésie libre au profit d'une poésie régulière, comportant les rimes et les alexandrins traditionnels. C'est cette voie qu'empruntent aujourd'hui, ou qu'empruntaient hier encore, la plupart des poètes dits d'extrême-gauche.

Guillevic (né à Carnac en 1907), écrivit d'abord des poèmes courts, nets, étincelants comme des couteaux et tragiques comme des cris. Personne ne peut rester insensible à leur brutalité fulgurante : *Terraqué* (1942), *Exécutoire* (1947), *Coordonnées* (1948), *Gagner* (1949). Dans certaines pièces de *Terre à bonheur* (1953), dans ses *Trente et un sonnets* (1954), son mètre s'allonge et produit une poésie presque classique, où reparaissent l'éloquence et tout l'ancien jeu des vers. Dans ses derniers recueils, *Carnac* (1961), *Sphère* (1963), *Euclidiennes* (1967), Eugène Guillevic rejoint l'inspiration de *Terraqué*, faite de rigueur et désormais davantage de sécurité.

Consulter :
Pierre Daix
Guillevic *(Seghers, 1954).*
J.-P. Richard
Onze études sur la poésie moderne *(Seuil,1964).*

Eugène Guillevic.

Jean Marcenac (né en 1911) a chanté la gloire des Francs-Tireurs et Partisans dans un recueil admirable de force et de foi : *le Ciel des fusillés*, et dans *le Cavalier de coupe*. Le lyrisme épique de la *Marche de l'homme* lui est inspiré par sa vision révolutionnaire du monde futur.

Albert Ayguesparse (né à Bruxelles en 1900) se révèle tardivement en France, où ses indignations généreuses finissent par émouvoir enfin la critique depuis *le Vin noir de Cahors* (1957).

Consulter :
Jacques Belmans
Ayguesparse *(Seghers, 1967).*

Claude Sernet (1902-1968) rappelle parfois le Hugo des *Rayons et des Ombres*, tant par le mouvement tout romantique de ses pensées que par la technique, qui allie à la rigueur de la versification une certaine rhétorique (*Avec les mêmes mots*, 1955). Ses nombreux recueils, repris sous le titre *les Pas recomptés* (1962), font de Claude Sernet un des poètes marquants de sa génération, dont l'art s'approfondit de saison en saison (*l'Étape suivante*, 1964, *Ici repose*, 1968).

Jacques Gaucheron, au souffle large et authentiquement populaire (*Procès-Verbal*, 1949, *le Chant du rémouleur*, 1949, *les Canuts*, 1965).

Madeleine Riffaud, dont le registre va de la passion amoureuse à la colère généreuse (*le Courage d'aimer*, 1949).

Charles Dobzinski (né en 1929), dont la plume vigoureuse et facile emprunte les tons les plus variés pour chanter l'idéal et vitupérer l'injustice.

Poésie humaniste

Nous ferons entrer sous cette rubrique des poètes qui expriment la condition humaine dans toute sa diversité et sans idées préconçues. Leur chant n'est ni arme ni prière; il est le témoignage d'une pensée lucide, à hauteur d'homme, qui ne se force pas pour crier ou vaticiner. Ces poètes n'en sont pas moins sensibles, autant que d'autres, aux mystères de la création; ils n'ignorent pas non plus nécessairement les problèmes politiques et sociaux; mais leur poésie s'adresse avant tout aux hommes de cœur et de raison.

Robert Ganzo (né en 1898 à Caracas au Venezuela) peut être classé, malgré son âge, avec les poètes de cette génération, car il a publié assez tard : *Orénoque* (1937), *Rivière* (1941), *Domaine* (1942), *Langage*, *Tracts* (1947), etc. Sa poésie contient des éléments mallarméens et surréalistes. Toute son œuvre poétique a été réunie en 1959 (Grasset) : elle témoigne d'une inspiration très haute et très calme.

Pierre Seghers (né à Paris en 1906) prouve qu'on peut être à la fois un poète, un homme d'action et un esprit clair. C'est lui qui anima, à Villeneuve-lès-Avignon, la plus brillante équipe de poètes de la Résistance autour de son excellente revue *Poésie 40... 48*, qui fit suite à *P. C. 39*, créée aux armées. Ses premiers recueils, en dehors de *Bonne Espérance* (1939), se nourrissent de l'expérience des années de guerre : *le Chien de pique* (1943), *le Domaine public* (1944), *le Futur antérieur* (1946). Dans ses dernières œuvres, il retourne à une poésie plus intérieure et dégagée des événements : *Jeune Fille* (1948), *le Cœur volant* (1954); ou bien s'inspire de grands thèmes élémentaires et cosmiques : *Racines* (1956), *Pierres* (1958), *Piranèse* (1961) auxquels s'ajoutent de brillantes *Chansons et Complaintes* (1958 et 1961).

Pierre Seghers.

Consulter :
Pierre Seghers
Pierre Seghers *(Seghers, 1967).*

Jean Rousselot (né à Poitiers en 1913), ami de Max Jacob et d'Éluard, est un poète très maître de son art. De ses poèmes abondants, qui remontent à 1934, on retiendra *le Poète restitué* (1941), *Sang du ciel* (1944), *Arguments* (1945), *la Mansarde* (1946), *l'Homme en proie* (1949). Son chant, direct et simple, s'adresse aux hommes ordinaires, qu'il s'agit de réconcilier entre eux, avec eux-mêmes, et avec l'univers (*Il n'y a pas d'exil*, 1955, *Agrégation du temps*, 1957, *Le premier mot fut le premier éclair*, 1960, *Maille à partir*, 1961, *Distances*, 1963). Jean Rousselot pratique aussi avec succès le roman, l'essai, la critique et l'art radiophonique.

Consulter : André Marissel Jean Rousselot *(Seghers, 1960).*

Jean Tardieu (né en 1903 dans le Jura) a publié *Accents* en 1939. C'est dans la Résistance et après la guerre qu'il a conquis sa notoriété par des poèmes denses, harmonieux, lucides : *Poèmes* (1944), *Jours pétrifiés* (1948), *les Dieux étouffés.* Il a aussi une veine cocasse, qui s'exprime notamment dans son *Théâtre de chambre.*

Consulter : Émilie Noulet Jean Tardieu *(Seghers, 1964).*

Alexandre Toursky (né à Cannes en 1917), de père russe et de mère provençale, est le meilleur poète de la revue *les Cahiers du Sud.* Sa manière plus « moderne » et plus directe que celle d'Éluard, rappelle un peu le *Livre d'heures* de Rilke. Mais la complexité de cette âme riche se traduit en vers clairs et calmes : *les Armes prohibées* (1942), *Connais ta liberté*, *Ici commence le désert* (1946), *Christine ou la Connaissance du temps* (1951), etc.

Max-Pol Fouchet (né en 1913) réunit ses meilleurs poèmes dans *Demeure le secret* (1961).

Consulter : Jean Queval Max-Pol Fouchet *(Seghers, 1963).*

René-Guy Cadou (né et mort près de Nantes, 1920-1951), dont l'art parfait demeurait pourtant très humain, est mort trop tôt. Mais son œuvre si probe, si pure, fécondée par l'amour de la vie et enrichie d'images très originales, n'a cessé de grandir et d'exercer son influence. L'essentiel est réuni dans *Hélène ou le règne végétal* (1952-1953). Un roman, *la Maison d'été* (1955), commente familièrement les thèmes de sa poésie. René-Guy Cadou fut en 1941 le principal fondateur de l'*École de Rochefort*, qui regroupa les principaux poètes de l'Ouest (Marcel Béalu, Michel Manoll, Jean Rousselot...) et défendit les droits de la poésie libre et personnelle.

Consulter : Michel Manoll René-Guy Cadou *(Seghers, 1958).*

Michel Manoll (né en Bretagne en 1911) incarne bien cette poésie douce et profonde, calme et mystérieuse, qui semble le propre de l'Ouest de la France, depuis *la Première Chance* (1937) jusqu'au *Vent des abîmes*.

René Ménard (né à Paris en 1908) se rapproche de René Char par la pureté et la précision de ses images (*l'Arbre et l'Horizon, Hymnes à la Présence solitaire, La Terre tourne*).

Jean Bouhier (né en 1912 en Vendée) fut, avec René-Guy Cadou, l'initiateur de l' « école de Rochefort », qui réunit entre 1940 et 1950 la plupart des poètes bretons, poitevins, charentais et vendéens.

Paul Gilson (1904-1963), continuateur souriant d'Apollinaire et de Cendrars, explore le mystère quotidien au cours de ses voyages réels ou imaginaires (*A la vie à l'amour*, *Ce qui me chante*, 1956).

Consulter :
Germaine Decaris
Paul Gilson *(Seghers, 1959).*

Henri Thomas (né en 1912 dans les Vosges) est un remarquable traducteur de plusieurs langues étrangères. Excellent romancier, il vaut également par ses poèmes, qui se souviennent du symbolisme et de Valéry : *Travaux d'aveugle* (1941), *Signe de Vie*, *le Monde absent*, *Nul désordre* (1949).

Jean Follain (né dans la Manche en 1903) : *la Main chaude* (1933), *Chants terrestres* (1937), *Exister* (1947), *Chef-lieu* (1949), *Territoires* (1953), *Tout instant* (1956), *Des Heures* (1960), *D'après tout* (1967), a inventé une poésie complexe, où le symbole jaillit de détails réalistes et cocasses. Il existe des *Poèmes et Proses choisis* (1962) et de suggestifs « mélanges » : *Appareil de la Terre* (1967).

Consulter :
André Dhôtel
Jean Follain *(Seghers, 1956).*

Luc Decaunes (né à Marseille en 1913) instituteur, animateur avant la guerre de la petite revue révolutionnaire *Soutes*, prisonnier de guerre, a commencé par des poèmes violents, nettement surréalistes : *l'Indicatif présent* (1933). L'âge et la captivité ont donné à son œuvre un accent plus doux et plus intime : *A l'œil nu* (1942), *Air natal* (1946), *le Droit de regard* (1951), *Musique et Poésie ininterrompues* (1959). Il est aussi l'auteur d'un roman triste : *les Idées noires* (1946).

Claude Roy.

Claude Roy (né à Paris en 1915) écrit des choses légères, faciles, étonnamment intelligentes : *l'Enfance de l'art* (1942), *le Bestiaire des amants* (1945), *le Poète mineur* (1949), *Un seul poème* (1954), *le Soleil sur la terre* (1956). Son art souple et délié l'apparente souvent à Supervielle. C'est également un romancier (*La nuit est le manteau des pauvres*) et un critique très désinvolte, dont on lira avec intérêt et profit les quatre volumes de *Descriptions critiques*.

René Lacôte (né en 1913) a su concilier l'amour de la nature, la générosité humaine et ses exigences artistiques dans des poèmes pleins, d'une langue rigoureuse, aux mouvements très équilibrés (*Vent d'ouest*, 1942, *Où finit le désert*, 1952). Dans *les Lettres françaises*, il est chaque semaine le vigilant observateur des talents poétiques nouveaux.

Marie-Jeanne Durry (née en 1901) chante avec un lyrisme éloquent et précis les grands thèmes de la condition humaine, et sa situation dans l'univers (*le Huitième Jour*, *la Cloison courbe*, *Effacé*, *Soleils de sables*, etc.).

Consulter :
Jacques Madaule
Marie-Jeanne Durry
(Seghers, 1966).

Georges-Emmanuel Clancier (né en 1914) se souvient de son enfance et de son Limousin natal dans des poèmes à hauteur d'homme, dont les plus importants sont réunis dans *Terre secrète* (1951), *Une voix* (1956), *Terres de mémoire* (1965). Sur ses romans, cf. p. 263.

Consulter :
M.-G. Bernard
G.-E. Clancier *(Seghers, 1967).*

Il faudrait citer encore **Jean Tortel, Lucien Becker** (né en 1912), **Armand Robin** (1912-1961), **Raymond Datheil, Olivier Larronde,** et tant d'autres, dont le jeune **Marc Alyn** (né en 1937), qui a prouvé qu'il avait beaucoup à dire (*Brûler le feu*, *le Temps des autres*); **Pierre Oster** (né en 1933), qui élargit son souffle du *Champ de mai* (1955) à *la Grande Année* (1964); **Lorand Gaspar** (né en 1925 en Hongrie), dont le premier recueil : *le Quatrième État de la matière* (1966) pénètre le secret de la pierre, du désert et de la conscience qui les perçoit; **Jacques Dupin** (né en 1927) doué pour la poésie d'idées et d'images brutales (*Cendrier du voyage*, 1950, *Gravir*, 1963); **Michel Deguy** (né en 1930), dont les harmonies s'accordent à celles de la nature (*Ouï-dire*, 1966) et qui définit ambitieusement sa poétique, selon la grande tradition, dans un gros essai : *Actes*, 1966.

Poésie mystique

Cet important domaine poétique, dont Paul Claudel et Pierre-Jean Jouve demeurent les chefs de file, témoigne d'une rare fécondité. Du point de vue formel, cette poésie se situe plutôt dans la tradition dynamique, « dionysiaque », de la littérature française. Elle groupe des hommes de forte personnalité, de formation généralement catholique ou chrétienne. Une conception catastrophique de la civilisation les anime. Leur art est lourd à la fois de mysticisme et de sensualité. Ils traitent des « sujets », recourent souvent à l'éloquence, n'hésitent pas à prêcher et à prophétiser.

Pierre Emmanuel.

Pierre Emmanuel (né à Gan, près de Pau, en 1916), d'esprit chrétien et de foi révolutionnaire, a publié en 1942 *le Tombeau d'Orphée*. C'était un événement considérable, qui passa presque inaperçu à Paris. Auteur de quelques recueils parmi les plus beaux de la Résistance : *Jour de colère*, *Combats avec tes défenseurs*, et surtout l'admirable *La liberté guide nos pas* (1945), il a poursuivi dans la paix une poésie éloquente, débordant des images que lui inspirent les grands mythes chrétiens et païens : *Memento des vivants* (1946), *Sodome* (1946), *Babel* (1952) qu'il considère comme son œuvre maîtresse, *Visage Nuage* (1956), etc. Dans un genre très différent, il compose de ravissants *Cantos* et des *Chansons du dé à coudre* (1947). On n'entre pas facilement dans son univers verbal : la clé s'en trouve dans les préfaces de *La liberté guide nos pas* et *la Colombe*, ainsi que dans ses essais de prose : *Poésie, raison ardente* (1947), *Qui est cet homme?* (1947), *Le monde est intérieur* (1967). Le sous-titre d'un de ses essais souligne bien le sens de son enseignement : *le Singulier universel*. Il faut consulter également *l'Ouvrier de la onzième heure* (1954), qui annonce la seconde période de sa vie, marquée déjà par *Versant de l'âge* (1958) et *la Nouvelle Naissance* (1963). Il a composé ses propres « morceaux choisis » sous le titre *Ligne de faîte* (1966).

Consulter :
Alain Bosquet
Pierre Emmanuel
(Seghers, 1959).

Jean Cayrol (né à Bordeaux en 1911) apparaît, lui aussi, comme un « mage » très pénétré, quoique modestement, de la mission du poète : celui-ci est responsable devant Dieu de l'éternelle figure de l'Homme. Poésie « engagée », certes, mais totalement, c'est-à-dire qu'elle plonge ses racines dans toutes les fibres de la création divine et des créatures humaines. Son art, en général très délié, affectionne aussi parfois le verset claudélien. Il publia sas premiers recueils dans le Midi de la France : *le Hollandais volant* (1936), *les Phénomènes célestes* (1939), *Miroir de la Rédemption* (1944), puis s'imposa, au retour de sa déportation à Neuengamme, en 1942, par ses fameux *Poèmes de la nuit et du brouillard* (1945). En 1947, *Passe-temps de l'homme et des oiseaux* confirme la maîtrise de ce beau talent. Dans *La vie répond* (1948), le déporté se confronte à nouveau avec le monde des vivants. *Les mots sont aussi des demeures* (1952), *Pour tous les temps* (1955) continuent et approfondissent le thème de Lazare ressuscité et prêt pour de nouvelles épreuves. Cayrol est aussi un romancier (cf. p. 280).

Jean Cayrol.

Loys Masson (né à l'île Maurice en 1915) semble avoir été influencé autant par Claudel et Milosz que par Jouve. Pour la forme du moins, car sa poésie, chargée de descriptions, de mythes et d'un sentiment très vif de l'aventure humaine, est d'un catholicisme peu orthodoxe. *Délivrez-nous du mal* (1943), *La lumière naît le mercredi* (1945) exaltent notablement la Résistance. *Les Vignes de septembre* expriment une foi très fervente avec un art très sensuel. On lira encore ses deux proses romanesques : *l'Étoile et la Clé* et *le Requis civil*, ainsi que son essai poétique et politique : *Pour une Église*. Il se consacre d'ailleurs de plus en plus au roman avec un bonheur constant. (Sur ses romans, cf. p. 287.)

Loys Masson.

Consulter :
Charles Moulin
Loys Masson *(Seghers, 1962).*

Patrice de la Tour du Pin (né en 1911 à Paris) porte la marque de ses origines aristocratiques et de sa formation chrétienne. Il s'efforce de vivre en dehors des problèmes concrets de son temps, pratiquant, selon sa formule, « la vie recluse en poésie ». Quand parut *la Quête de joie* (1933), il fut salué comme le plus grand poète de sa génération. Blessé et prisonnier de guerre, il a achevé en 1946 la première partie,

Consulter :
Eva Kushner
Patrice de la Tour du Pin *(Seghers, 1961).*

Patrice
de la Tour du Pin.

« le premier jeu », de cette énorme *Somme de poésie* dont les six cents pages développent son aventure spirituelle : idées, sentiments, souvenirs, rêves, foi... *La Contemplation errante* (1948) fait partie du tome II de cette *Somme*, qui englobera l'ensemble de toute son œuvre, avec *le Second Jeu* (1959), et bientôt *le Troisième*. Son art, d'abord classique et clair, se charge de multiples accessoires, constituant une sorte de « théopoésie » baroque. Son *Petit Théâtre crépusculaire* (1963) est une sorte de mise en scène de son lyrisme métaphysique. Son art est classique sans raideur. Rendons hommage à Armand Guibert, qui fit beaucoup pour révéler ce grand poète à ses débuts.

Consulter :
Jean Biès
René Daumal *(Seghers, 1967).*

René Daumal (1900-1944) brille après sa mort d'un éclat mystique. Créateur de la revue *Le Grand Jeu* (1928-1931), poète de *Contre-Ciel* (1935), il oppose aux réalités dérisoires de *la Grande Beuverie* (1952), la conquête du *Mont Analogue* (1952), montagne symbolique unissant le Ciel et la Terre. Ses disciples ont publié de nombreuses œuvres posthumes (*Poésie noire*, *Poésie blanche*, 1954, etc.).

Consulter :
H. Amouroux et
A. Loranquin
Louis Émié *(Seghers, 1961).*

Louis Émié (1900-1967) a réuni en 1944 dans *le Nom du feu* les poèmes religieux de son enfance. La matière d'autres recueils est encore éparpillée dans les revues. On y décelera l'inspiration la plus haute, dans une forme qui hésite entre Valéry, Claudel et Max Jacob.

Luc Estang.

Luc Estang (né en 1911 à Paris) représente davantage le catholicisme officiel. Cependant il ne s'enferme pas dans un conformisme étroit. « La morale n'est admissible, écrit-il, que si elle est une aventure. » On sent en lui l'influence de Claudel, de Péguy, de Bernanos. La forme de ses vers est très régulière. Œuvres poétiques principales : *Au-delà de moi-même* (1938), *Transhumances* (1939), *Puissance du Malin* (1941) — qui contient un morceau splendide : *Prière du matin — le Mystère apprivoisé* (1943), *les Béatitudes* (1948), *le Poème de la mer* (1951), *les Quatre Éléments* (1955) qui regroupent ses premiers poèmes, *D'une nuit*

noire et blanche (1962). Il se révèle aussi dans ses importants essais : *Invitation à la poésie* (1943), *le Passage du Seigneur* (1945), et dans ses romans (cf. p. 251).

Alain Borne (1915-1963) « chante d'une voix tour à tour triste et rageuse l'humaine misère », dit-il. Misère personnelle dans *Cicatrices* (1933), *Neige* (1941), *Brefs* (1944). Misère collective dans *Contre-feu* (1942). Ses derniers poèmes, plus détendus, respirent alternativement l'amour et la haine de la création. *Terre de l'été* (1945), *Poèmes à Lislei* (1946), *l'Eau fine* (1946), *Orties* (1953), et son recueil posthume : *La nuit me parle de toi* (1964).

Consulter :
Revue Le Pont de l'épée, *n° 29 (3e trimestre 1965).*

Ilarie Voronca (né en Roumanie en 1903) écrivit d'abord dans sa langue maternelle. A partir de 1933, il pratique en français une poésie simple comme de la prose, toute baignée de joie, volontiers prêcheuse. D'une douzaine de recueils mystiques, on retiendra *Ulysse dans la cité* (1933), encore traduit du roumain, *La joie est pour l'homme* (1936), *Beauté de ce monde* (1940), *les Témoins* (1942). Tristan Tzara a préfacé ses *Poèmes choisis* (Seghers, 1956). Il s'est suicidé en 1946.

Consulter :
Revue Le Pont de l'épée, *n° 27-28 (1er trimestre 1965).*

Lanza del Vasto (né en Sicile en 1901) est un humaniste complet qui a parcouru le monde comme ses ancêtres troubadours et de la Renaissance. Toutes les formes de la vie ésotérique l'intéressent. Il s'exprime dans un langage harmonieux et pur (*le Chiffre des choses*, 1946, 1953). Sa pièce *Noé* (1965) est une sorte de mystère biblique.

Consulter :
Arnaud de Mareuil
Lanza del Vasto *(Seghers, 1966).*

Claude Vigée (né en 1921) s'adonne à une poésie métaphysique d'essence hébraïque avec une force et une originalité auxquelles même le lecteur incroyant ne peut rester insensible (*la Lutte avec l'ange*, 1949, *Avent*, 1952, *la Corne du grand pardon*, 1955).

Jean-Claude Renard (né en 1922) se rapproche davantage de Charles Péguy : *Père, voici que*

Consulter :
André Alter
Jean-Claude Renard
(Seghers, 1966).

l'homme... (1955), *Incantation des eaux* (1961) et *du temps* (1962), *la Terre du sacre* (1966).

Yves Bonnefoy (né en 1923) continue Pierre-Jean Jouve et Valéry, en mettant l'accent sur la fonction mystique du langage. Son art tranquille et exigeant côtoie souvent l'ésotérisme (*Du mouvement et de l'immobilité de Douve*, 1953, *Hier régnant désert*, 1956, *Pierre écrite*, 1965). On trouvera dans un recueil d'essais : *l'Improbable* (1959), c'est-à-dire « l'improuvable », quelques lumières pour éclairer cet austère univers de mystique sans Dieu.

Consulter :
Jean-Pierre Richard
Onze études sur la poésie moderne *(Seuil, 1964).*

Alain Bosquet (né en 1919), critique, romancier, essayiste, est l'un des poètes les plus complets de sa génération. Son *Premier* et son *Second Testament* (1957) notamment font confiance aux infinies ressources du langage pour exprimer tout ce qu'un homme peut vivre, sentir, penser et croire (cf. son essai, *Verbe et Vertige*, 1961). Sa passion des idées, son besoin de les communiquer le font recourir aussi au roman, d'une technique très libre (*les Petites Éternités*, 1964, *la Confession mexicaine*, 1965, *les Quatre Testaments*, 1967).

Consulter :
Ch. Le Quintrec
Alain Bosquet *(Seghers, 1964).*

Cette liste ne prétend donner que quelques noms saillants. Le « panorama critique » de Jean Rousselot (Seghers, 1959) en révélera des dizaines d'autres.

Poésie fantaisiste

La veine de Fagus, de Carco ou de Toulet est loin d'être épuisée. Tandis que les Prévert et les Queneau continuent encore à produire, de plus jeunes assurent la relève ou sont prêts à la prendre. Il faut remarquer toutefois que peu de poètes se bornent aujourd'hui au dessein d'amuser. L'humour dissimule souvent des ambitions plus profondes; les jeux de mots et les pirouettes traduisent toute une conception de la vie, voire un art de vivre.

Maurice Fombeure (né dans le Poitou en 1906) a gardé la sève de son terroir. Il chante spontanément, avec une facilité peut-être trop grande. *A dos d'oiseau*, *Aux créneaux de la pluie*, *Arentelles*, *Grenier des saisons*, *Pendant que vous dormez*, *Une forêt de charme* (1955), *Sous les tambours du ciel* (1959), *Quel est ce cœur?* (1963), *A chat petit* (1965), sont de bons spécimens de cette poésie sans profondeurs prétentieuses, mais authentique et charmante. Ses romans exploitent la veine antimilitariste (*Soldat*, *Les godillots sont lourds*).

Consulter :
Jean Rousselot
Maurice Fombeure
(Seghers, 1957).

Roger Lannes (né à Paris en 1909) a construit toute une machinerie féerique, qui lui sert à éblouir le lecteur, comme un feu d'artifice, un peu à la manière de Jean Cocteau. Il ne peut empêcher pourtant qu'on ne perçoive en lui une pointe d'inquiétude : *les Voyageurs étrangers* (1937), *le Tour de main* (1941), *la Peine capitale* (1942), et des romans.

En fait, les vrais poètes fantaisistes sont de nos jours les auteurs de chansons. Depuis Charles Trenet, ces productions, certes encore fort légères, ont acquis droit de cité dans la littérature, au même titre qu'au XVIe siècle celles qu'un Ronsard, par exemple, ne rougissait pas de confier aux musiciens populaires. Giraudoux, Cocteau, Aragon, Seghers, Françoise Sagan, et même Jean-Paul Sartre et beaucoup d'autres, ont brillamment sacrifié à ce genre mineur, mais d'un art authentique. Inversement, des chansonniers se sont élevés jusqu'à la véritable création poétique. Citons parmi les mieux inspirés Juliette Gréco, Georges Brassens, Mouloudji, Léo Ferré, René-Louis Lafforgue, Michèle Arnaud, Jacques Douai, Guy Béart, etc.

Poésie néo-surréaliste

La plupart des surréalistes de la génération de 1920 ont abandonné l'esthétique ou la politique du surréalisme. Presque seul, Breton est resté dans la ligne qu'il avait lui-même tracée (cf. p. 106). Son rayonnement est encore grand néanmoins. Aux États-Unis, aux Antilles, pendant la guerre, il a reformé une école aux côtés de son ami Benjamin Péret. Une partie de ce nouveau convoi franco-américain l'a raccompagné à Paris en 1946; et un certain nombre de jeunes poètes sont venus le rejoindre. Hier encore, Breton trônait toujours sur une ardente équipe subjuguée par son prestige et son autorité de « pape ». Plusieurs revues se sont créées, dont *les Quatre Vents*, qui dans les numéros 4 et 8 (1947) donnent des échantillons suffisants du néo-surréalisme. L'école est divisée en nuances multiples (l'aile gauche est dite « surréalisme révolutionnaire »). A côté de poètes plus âgés restés fidèles, on trouve quelques écrivains arrivés plus tard : **Gisèle Prassinos** (née en 1920), dont les titres expriment assez le caractère de l'œuvre (*la Sauterelle arthritique*, *le Rêve*, *les Mots endormis*, 1967).

André Frédérique, le romancier **Julien Gracq** (cf. p. 285), **Aimé Césaire** (cf. p. 242), **Henri Pastoureau** (né en 1912), **Georges Schéhadé** (né en 1910), *les Poésies* (1952) (voir p. 336), la jeune Égyptienne **Joyce Mansour** (née en 1928), **Jean-Pierre Duprey** (1930-1959), qui laissa avant de se tuer l'atroce *Derrière et son double* (1950) et des inédits, et le plus étonnant de tous, le remarquable **Henri Pichette** (né en 1924), auteur des *A-poèmes*, dont le poème dramatique : Vision nouvelle du monde actuel par le verbe, joué avec un grand succès de scandale en 1947, *les Épiphanies*, a été imprimé (K. éditeur, 1948) dans une typographie qui rappelle *le Coup de dés*. Son œuvre postérieure s'écarte du surréalisme de stricte obédience (*Dents de lait, dents de loup*, 1962; *Revendications*, 1956).

En Roumanie, en Égypte, ont paru aussi des ouvrages et des revues surréalistes en langue française (*la Part du sable*, au Caire).

On consultera l'utile Anthologie de *la Poésie surréaliste* par **Jean-Louis Bédouin** (Seghers, 1964), mais il convient de faire une place spéciale au moins à trois poètes :

Marcel Béalu (né en 1908) s'est signalé par une poésie nocturne, onirique, marquée par une liberté totale de la forme et de la pensée (*Mémoires de l'ombre*, 1943, *Journal d'un mort*, 1947, *l'Expérience de la nuit*, etc.).

Consulter :
Jean-Jacques Kihm
Marcel Béalu *(Seghers, 1965).*

André Pieyre de Mandiargues (né en 1909) pratique la « poésie d'objets », non sans rapports avec l'esthétique du Nouveau Roman. Ses poèmes en prose sont un cortège d'images singulières, lourdes de sensations et de suggestions (*Dans les années sordides*, 1943, *le Musée noir*, 1945, *les Incongruités monumentales*, 1948, *Soleil des loups*, 1951, *Marbre*, 1953, *le Lis de mer*, 1956, *Feu de braise*, 1959). En 1963, l'érotisme baroque de *la Motocyclette* dirige sur lui les feux de la célébrité, qu'exagère en 1967 *la Marge*, inattendu prix Goncourt.

André de Richaud (né à Perpignan en 1909) s'éloigne du surréalisme par son lyrisme et son éloquence, mais il a la violence, l'instinct de révolte et le goût des images stupéfiantes (*la Création du monde*, 1930, *le Droit d'asile*, 1954). Après un temps de silence, il reparaît en 1965 en lançant son fameux *Je ne suis pas mort*.

Consulter :
Marc Alyn
André de Richaud *(Seghers, 1966).*

Enfin, le LETTRISME. Depuis 1945 environ, un petit groupe d'esprits, aussi avides de nouveautés que pouvaient l'être les surréalistes des années 1920, s'est constitué autour d'**Isidore Isou** (né en Roumanie en 1925). Ainsi est né le lettrisme, doctrine qui fait de la lettre, et non plus du mot, l'élément de composition du poème. Une dizaine de volumes, cinq revues esthétiques, deux journaux politiques, quatre expositions de peinture, deux films, une pièce de théâtre, un ballet, tel est le bilan déclaré de ce mouvement, qui jusqu'ici s'est limité à un petit cénacle. Étendra-t-il son influence? C'est douteux, tant le public est fatigué de tant d'aventures littéraires et aspire à un ordre. L'historien curieux de formes bizarres lira, outre les œuvres d'Isou lui-même (*Introduction à une nouvelle poésie et à une nouvelle musique*, 1947, *l'Agrégation d'un nom et d'un Messie*, *Précisions sur ma poésie et moi*, 1949), ceux du principal éditeur et animateur du groupe, **Maurice Lemaître** (né en 1926) : *Qu'est-ce que le lettrisme?* (1955), *Bilan lettriste, Isou ou Introduction à une bibliographie créatrice* (1955), aux éditions Maurice Lemaître.

Où classer **Jacques Roubaud,** jeune mathématicien qui, en 1967, donne pour titre à son recueil le « signe d'appartenance » ε, propre à la théorie des ensembles ? Cette fois, l'expérience poétique est rigoureusement conduite, comme un jeu aux règles précises, quoique le « coup de dés » n'ait pas encore « aboli le hasard ».

Poésie existentialiste

L'existentialisme (cf. p. 349) s'exprime peu volontiers par la poésie. Il préfère le roman (cf. p. 297) ou le théâtre (cf. p. 341). Le titre du recueil de **Georges Bataille** (1897-1963) *Haine de la poésie* (1947) est très significatif, quoiqu'on y trouve de réelles beautés poétiques (cf. p. 353).

Le poète le plus important qu'on peut rattacher à cette tendance (Sartre du moins en témoignait dans *Situation I* dès 1947), est certainement **Francis Ponge** (né en 1899 à Montpellier). Ses petits poèmes en prose : *le Parti pris des choses* (1942), *Liasse* (1948), *Proèmes* (1948), sorte de poésie minérale, lourde, sans rien qui chante ni qui vibre, sont d'une pénétration difficile, mais d'un grand intérêt pour le philosophe. Rappelons une de ses fameuses formules : « L'homme est l'avenir de l'homme », mais c'est à travers les bêtes et les choses qu'il pénètre le plus profondément dans l'esprit humain : *le Lézard* (1953), *le Savon* (1967) et tous les poèmes réunis dans *le Grand Recueil* (1961),

Consulter :
Philippe Sollers
Francis Ponge *(Seghers, 1963).*
Jean Thibaudeau
Ponge par lui-même *(Gallimard, Bibl. Idéale, 1967).*
Jean-Pierre Richard
Onze études sur la poésie moderne *(Seuil, 1964).*

dans *Tome Premier* (1965), dans *le Nouveau Recueil* (1967).

André Frénaud (né en 1907) a lancé en poésie un message voisin de l'existentialisme dans *les Rois Mages* (1944), écrits pendant sa captivité en Allemagne, republiés et corrigés en 1966. *La Noce noire* (1948), grand poème de la nocturnité, de l'ambiguïté, reprend les mêmes thèmes. Dans ses grands poèmes (*Énorme figure de la déesse Raison*, *les Paysans*, *Source entière*), Frénaud, au-delà du sentiment de l'échec, construit un système poétique où il défend l'honneur de combattre sans espoir.

Consulter :
G.-E. Clancier
André Frénaud *(Seghers, 1963).*

Un prêtre défroqué, passionné de littérature et de religion hébraïque, **Jean Grosjean** (né en 1912) a écrit plusieurs volumes sur des thèmes bibliques (*Terre du temps*, 1946, *Hypostases*, 1950, *le Fils de l'homme*, 1953, *Majestés et Passants*, 1956) et magnifiquement orchestré la situation de l'être dans le monde et dans l'histoire (*Austrasie*, 1961, *Élégies* 1967). **Jean Genêt** (né en 1910), lyrique passionné en vers ou en prose (*Chants secrets*, 1945, *Notre-Dame-des-Fleurs*, *le Miracle de la rose*, 1951, *le Pêcheur du Suquet*, 1953), est aux antipodes de Francis Ponge, et prouve ainsi que l'existentialisme n'a pas encore trouvé sa poésie propre, si du moins il doit en avoir une. (Sur ses romans et son théâtre, voir p. 302 et 335.)

Poésie d'Afrique et d'ailleurs

Un des événements importants de l'après-guerre est l'essor de la poésie nègre de langue française. Elle est nourrie de culture européenne, mais n'a rien abandonné de ses caractères propres. C'est aussi une poésie engagée, car elle parle volontiers contre la colonisation, ou du moins contre les préjugés européens. Plusieurs anthologies ont révélé une trentaine de talents, originaires de toutes les parties de l'Union française : Guyane, Martinique, Guadeloupe, auxquelles on peut joindre Haïti, l'Afrique noire, Madagascar, la Réunion, et aussi l'Indochine. Ce sont :

Poètes d'expression française (Seuil, 1947).

Haïti. Poètes noirs (Éd. du Seuil, 1951).

Anthologie de la Nouvelle Poésie nègre et malgache (PUF, 1948), précédée d'une profonde préface de Jean-Paul Sartre, qui définit le problème.

Anthologie négro-africaine (Marabout-Université, 1967), et les publications de *Présence africaine*.

Léopold Sédar Senghor.

Consulter :
Armand Guibert
Léopold Sédar Senghor
(Seghers, 1961).

Parmi les principaux :

Léopold Sédar Senghor (né au Sénégal en 1906), agrégé de l'Université, président de la République du Sénégal, a parfaitement réussi la synthèse de l'âme européenne et de l'âme nègre dans une mystique très originale. Son art, qui se souvient des mélodies africaines, s'exprime le plus souvent par le verset claudélien : *Chants d'ombre* (1945), *Hosties noires* (1948), *Chants pour Naëtt* (1949), *Nocturnes* (1961).

Léon-G. Damas (né à Cayenne en 1912) pratique une poésie plus crue, plus brutale, plus « occidentale » aussi. Il semble avoir subi l'influence de la poésie négro-américaine. *Pigments* (1937), *Graffiti*, *Black Label*, etc.

Aimé Césaire.

Consulter :
Lilyan Lagneau-Kesteloot
Aimé Césaire *(Seghers).*

Hubert Juin
Aimé Césaire, poète noir
(Présence africaine).

Aimé Césaire (né à la Martinique en 1913), normalien, agrégé, député, voit dans les revendications des Noirs un aspect de la lutte éternelle des prolétaires contre les possédants. Mais sa poésie est très fortement européanisée. Il fut l'ami d'André Breton et cultive l'esthétique surréaliste : *Cahier d'un retour au pays natal* (1947), *les Armes miraculeuses* (1946), *Soleil cou coupé* (1948). Dans ses derniers recueils, il puise davantage aux sources de l'éternelle poésie primitive (*Ferrements*, 1959, *Cadastre*, 1961). Sur son théâtre, voir p. 337.

Édouard Glissant (né à la Martinique en 1928) écrit avec un beau lyrisme, qui n'exclut ni la colère ni la satire, l'épopée de l'homme occidental et la révolte des esclaves (*les Indes*, 1956), qui cherchent à retrouver leurs sources profondes (*le Quatrième Siècle*, 1964). Il réunit ses principaux *Poèmes* en 1965 (éditions du Seuil). Sur son théâtre, voir p. 337, et ses romans, p. 284.

Parmi les Malgaches, de **Joseph Rabéarivelo** (1901-1937) à **Jacques Rabemananjara** (*Antidote*, 1961), la poésie n'a cessé de fleurir en langue française.

Mais ce sont probablement les écrivains des pays arabes qui ont le mieux su transporter le génie lyrique de leur langue maternelle dans celle qui demeure pour eux le principal véhicule de leur culture. En Afrique du Nord, des Algériens **Mohammed Dib** (voir p. 144) et **Kateb Yacine** (voir p. 145) au jeune Marocain **Mohammed Khair-Eddine,** l'anthologie d'Albert Memmi (voir p. 145) donne de beaux exemples de vrais talents.

Au Liban, les recueils poétiques abondent. Ils éclosent presque spontanément comme les fleurs du pays sous les signatures de Nadia Tuéni, May Murr, Lucien Elia, Vénus Khoury, Frida Bagdadi, Julien Harb, etc., et du plus original de tous, au génie hermétique et tourmenté, **Fouad Gabriel Naffah** (né en 1925), dont on lira la *Description de l'homme, du cadre et la lyre* (Mercure de France, 1963) et *l'Esprit-Dieu et les Biens de l'azote* (1966).

Recherches sur la poésie

Depuis vingt ans, il se fait en France quantité de recherches sur les origines, la nature, les procédés, les fins de la poésie. Quelque poètes, tel **Rolland de Renéville** (né à Tours en 1903), ont à peu près abandonné la pratique des vers pour méditer sur le phénomène intellectuel dont l'esprit créateur est l'objet. Cette tendance, qui commence avec Baudelaire et qu'ont déjà illustrée, dans les générations précédentes, Valéry, Bremond, Bachelard, Maritain, etc., a donné naissance à des essais profonds. Signalons :

Rolland de Renéville. — L'Expérience poétique *(Gallimard, 1938).*
Univers de la Parole *(Gallimard, 1944).*

Benjamin Fondane. — Faux Traité d'esthétique *(1938).*

Thierry Maulnier. — Introduction à la poésie française *(Gallimard, 1939).*

Jean Paulhan. — Clef de la poésie *(Gallimard, 1944).*

Jules Monnerot. — La Poésie moderne et le Sacré *(Gallimard, 1945).*

Roger Caillois. — Les Impostures de la poésie *(Gallimard, 1945).*
Vocabulaire esthétique *(Fontaine, 1946).*

Isodore Isou. — Introduction à une nouvelle poésie et à une nouvelle musique *(Le Lettrisme) (Gallimard, 1947).*

Pierre Emmanuel. — Poésie, raison ardente *(PUF, 1948).*

René Nelli. — Poésie ouverte, poésie fermée *(Cahiers du Sud, 1948).*

Lucien-Paul Thomas. — Le Vers moderne, ses moyens d'expression, son esthétique *(Liège, 1948).*

Jacques Charpier et Pierre Seghers. — L'Art poétique *(Seghers, 1959).*

Yvon Belaval. — Poèmes d'aujourd'hui *(Gallimard, 1964).*

Et beaucoup d'autres études parues aussitôt après la guerre, au moment où chacun faisait son bilan, dans des revues trop souvent disparues : Poésie, Fontaine, Confluences, etc.

Parmi de nombreuses anthologies, celle de :

Jean Paulhan et Dominique Aury. — Poètes d'aujourd'hui *(Clairefontaine, 1947, 2 vol.)*

donne un très curieux choix de « poètes du dimanche ». On y voit quel genre de poésie naît spontanément dans l'âme populaire.

Ces prises de conscience nouvelles de « l'expérience poétique » et l'étonnante pléiade des poètes énumérés ci-dessus permettent d'attester la valeur de cette génération dans ce domaine, et de formuler une pleine confiance dans l'avenir de la poésie française.

LE ROMAN

Le roman français subit une crise. Le prestige des grands aînés, de Roger Martin du Gard à Malraux, à Mauriac, à Aragon, ne suffit pas à imposer aux jeunes auteurs une manière. Tous se cherchent. Vers 1960, toutes les formules possibles se côtoient en France, depuis les plus éprouvées jusqu'aux plus hasardeuses. De nombreux journaux ont mené des enquêtes très instructives sur cette crise. Il y eut autant de raisons invoquées que de personnalités consultées. La cause profonde de cette anarchie tient sans doute dans le fait que le roman est, plus qu'aucun genre, intimement lié à la vie sociale. Il ne saurait y avoir unité de la production dans un pays divisé en classes et catégories très différentes. Si l'équilibre se maintient entre tant de techniques romanesques, c'est que l'équilibre se maintient aussi — un équilibre bien fragile — dans la vie politique et sociale. Il est un fait pourtant : le roman traditionnel, qu'il soit psychologique à la Mauriac ou documentaire à la Zola, est en déclin. La recette en est usée. Les jeunes romanciers cherchent d'autres voies. Dans la mesure où ils font encore appel à des maîtres, c'est à Stendhal, à Proust, ou même à Sade, et aussi à certains écrivains américains. Mais déjà le roman américain est lui-même dépassé, et l'on invente des recettes nouvelles.

Dans le choix que nous présentons, nous sommes obligés de nous limiter. Nous ne retiendrons que quelques titres, parmi les milliers que le roman français depuis la guerre a proposés aux lecteurs. Nous ne nous flattons pas de connaître tout. Nous avons cité des noms qui nous semblent présenter des chances, dans les années 60, de devenir ceux de quelques grands romanciers de l'avenir. Dans cette compétition acharnée tous n'y parviendront pas.

Nous serions étonnés pourtant si de la liste qui suit il ne s'en détachait pas plusieurs.

Consulter :

Claude-Edmonde Magny
Métamorphose du roman *(Poésie 46, nº 34)*.

Roger Caillois
Puissance du roman *(Sagittaire, 1945)*.

Pierre de Boisdeffre
Où va le roman? *(Del Duca, 1962)*.

Maurice Nadeau
Le Roman français depuis la guerre *(Gallimard, Idées, 1963)*.

R. M. Albérès
Métamorphoses du Roman *(A. Michel, 1966)*.

Gerda Zeltner
La Grande Aventure du roman français au XXe siècle *(Gonthier, 1967)*.

Romans de conception traditionnelle

Malgré son intérêt diminué, le roman traditionnel est loin d'être abandonné par la nouvelle génération Psychologiques ou réalistes, ces romans sont toujours caractérisés par l'excellence de la documentation, l'habileté de l'intrigue, le sens de la composition, l'art de la description et du dialogue, le souci du style.

Dans la tradition du roman d'analyse

Francis Ambrière (né en 1907), de formation universitaire, a écrit *les Grandes Vacances* (1946), récit à peine romancé des années de guerre et de captivité. L'auteur y décrit son expérience (qui est celle de deux millions de Français) avec une justesse incomparable et un style un peu académique, mais très ferme. De lui aussi : *le Solitaire de la Cervara*, curieux comme un roman policier.

François-Régis Bastide (né en 1926), écrivain à la fois lucide et sensible, au style exigeant, à la langue harmonieuse, fait une large part à la musique dans ses beaux livres, qui sont plus souvent des méditations romancées que de véritables romans : *Lettre de Bavière*, 1947, *la Troisième Personne*, 1948, *la Jeune Fille et la Mort*, 1949, *la Lumière et le Fouet*, 1951, *les Adieux*, 1956. Avec *la Vie rêvée* (1962) et *la Palmeraie* (1967), il s'abandonne davantage à sa nature, qui oscille entre la passion de vivre et l'appel du rêve, de l'imagination, de la création.

Marc Blancpain (né en 1909), l'extraordinairement actif secrétaire général de l'Alliance française, a donné *le Solitaire* (1945), autre récit de prisonnier de guerre, de facture régulière. Dans *Catherine*, puis dans *le Carrefour de la Désolation* (1951), *Ces demoiselles de Flanfolie* (1956), *l'Estaminet des cœurs sensibles*

(1960), jusqu'aux *Truffes du voyage* (1965) et *Ulla des Antipodes* (1967), il poursuit dans le roman et dans la nouvelle (cf. p. 316), une carrière littéraire d'une grande probité de pensée et de style.

Gaston Bonheur (né en 1913), journaliste, écrivain de théâtre et de cinéma, a attiré l'attention et la sympathie amusée et émue du grand public en faisant revivre l'atmosphère des écoles communales sous la IIIe République (*Qui a cassé le vase de Soissons?* 1964, *La République nous appelle,* 1965).

Jacques de Bourbon-Busset (né en 1912) a quitté la carrière diplomatique et s'est imposé tout de suite par de courts récits très riches de sentiments et d'idées, et de style parfait (*Antoine, mon frère*, 1957, *le Silence et la Joie*, *Fugue à deux voix*, *Moi César*, *Mémoires d'un lion*, *l'Olympien*, etc.). Il mêle de plus en plus les problèmes éthiques et politiques dans *la Grande Conférence* (1963) et *la Nuit de Salerne* (1965), et dans son *Journal*, qu'il tient et publie régulièrement sous le titre *les Arbres et les Jours*.

Georges Bordonove (né à Enghien en 1920) fait cohabiter harmonieusement dans son œuvre analyse psychologique et étude de mœurs, vision poétique du monde et inspiration historique, imagination et réalisme : *la Caste* (1952), *Pavane pour un enfant* (1953) montre le merveilleux épanouissement d'une âme enfantine, *les Armes à la main* (1955) dans le décor de la guerre de Vendée, *le Bûcher* (1957) ou la croisade contre les Albigeois, *Deux cents chevaux dorés* (1958) pendant la guerre des Gaules, *l'Enterrement du comte d'Orgaz* (1959), habile contrepoint entre l'Espagne actuelle et celle du Gréco, *les Quatre Cavaliers* (1962), *Chien de feu* (1963), pathétique confrontation entre un homme et un loup, *les Atlantes* (1965), sur les derniers jours de l'Atlantide, *les Lances de Jérusalem*, *le Roman du Mont-Saint-Michel*, *les Rois fous de Bavière*, et récemment *Molière génial et familier* (1967).

Georges Bordonove.

Michel Braspart (né en 1921) a composé un roman tout classique, avec beaucoup de nuances psychologiques, et un style de grande tradition : *le Divertissement* (1948). Dans *la Mauvaise Carte* (1951) affleure un pessimisme discret.

Roger Breuil (1900-1948) reste l'auteur de *Brutus* (1945), essai sur le fameux assassin de César. Sous la fiction antique apparaît un héros tout moderne de la liberté.

Gil Buhet (né en 1910) a fait une trilogie : *Bohème d'eau douce* (1946). C'est la jeunesse aventureuse d'un marinier sur le Rhône. La poésie s'y mêle habilement au romanesque.

José Cabanis (né en 1922) pratique un réalisme psychologique nourri aux meilleures sources (Stendhal, Proust, voire Jouhandeau). Ses premiers romans, composés savamment, d'un style honnête et discrètement frémissant, s'organisent autour d'un personnage central, Gilbert Samalagnon (*l'Age ingrat*, 1952, *l'Auberge fameuse*, 1953, *Juliette Bonviolle*, 1954, *les Mariages de raison*, 1958). Puis il sort peu à peu de sa personnalité pour créer des êtres autonomes (*le Bonheur du jour*, 1961) ou de grandes fresques comme *la Bataille de Toulouse* (1966).

Rolland Cailleux (né en 1908) restera comme l'auteur d'*Une lecture* (1948), roman subtil centré autour de l'œuvre de Proust. Lire aussi un conte philosophique : *les Esprits animaux* (1955).

Gilbert Cesbron (né à Paris en 1913) possède le don admirable de communier et de faire communier avec ses personnages. On le découvre en 1944 avec *les Innocents de Paris*, puis dans *la Tradition Fontquernie* où il campe une famille aristocratique. Psychologue de l'enfance, il écrit *Notre prison est un royaume* en 1948. En 1952, il révèle au public la destinée pathétique des prêtres-ouvriers dans un livre puissant : *Les saints*

Gilbert Cesbron.

vont en enfer. Dans *Chiens perdus sans collier* (1958), il défend la cause émouvante de l'enfance délinquante. Il est aussi le romancier de *la Souveraine*, *Vous verrez le ciel ouvert*, *Avoir été*, *Il est plus tard que tu ne penses.* En 1952, la guerre d'Algérie lui inspire un dramatique et beau roman : *Entre chiens et loups. L'Abeille contre la vitre* (1964) est l'histoire d'une jeune femme, intelligente et laide, confrontée à l'amour. Dans *C'est Mozart qu'on assassine* (1966), il se fait l'avocat poignant et simple des enfants du divorce. Il est également auteur de théâtre : *Il est minuit, docteur Schweitzer*, et d'essais frémissants : *Ce siècle appelle au secours*, *Une sentinelle attend l'aurore*. On lira avec intérêt son *Journal sans date*. Par l'attention chaleureuse qu'ils portent aux hommes, les ouvrages de Cesbron sont une précieuse leçon de lucidité et d'espérance. De par son talent, c'est l'un des romanciers les plus importants d'aujourd'hui.

Consulter :
Michel Barlow
Gilbert Cesbron, témoin de la tendresse de Dieu
(Laffont, 1965).

Marguerite Combes (morte toute jeune en 1946), crée dans *le Renard du Levant* (1945) toute une mythologie celtique autour d'un violent conflit de caractères.

Michel Déon (né en 1919) représente assez bien la continuation de Stendhal, ou plutôt de Gobineau et de Barrès. L'Espagne et la Méditerranée sont présentes dans son œuvre (*la Corrida*, *Tout l'amour du monde*, *le Rendez-vous de Patmos*), mais aussi ses professions de foi d'homme de droite (*la Carotte et le Bâton*, 1960).

André Dhôtel (né en 1900) a percé tard (*Ce jour-là*, 1947), mais a donné aussitôt avec *David* (1948) une étude incisive d'un jeune indifférent. *Ce lieu déshérité* (1949), *l'Homme de la scierie* (1950), *le Pays où l'on n'arrive jamais* (1955), *Mémoires de Sébastien* (1957), *Ma chère âme* (1961), *les Mystères de Charlieu-sur-Bar* (1962), *la Tribu Bécaille* (1963), *le Mont Damion* (1964), *Pays natal* (1966) et *Lumineux rentre chez lui* (1967) confirment son talent discret, qui tient à la fois d'Alain-Fournier et d'Henri Bosco par le réalisme magique.

Jean Dutourd (né à Paris en 1920) a écrit un « Traité de l'ambition » : *le Complexe de César*, d'un style vif et intelligent. Il est l'auteur de romans teintés d'un humour chaleureux ou burlesque, incisif et pétillant d'esprit : *Une tête de chien* (1950), *Au bon beurre* (1952), *Doucin* (1955), *les Taxis de la Marne* (1956), *les Horreurs de l'amour* (1963). Il a également composé de brillants essais : *l'Ame sensible* (1959), *le Fond et la Forme* (1958, 1960, 1965); des nouvelles : *les Dupes* (1959). Dans *Pluche ou l'Amour de l'art*, paru en 1967, il brosse le portrait d'un peintre demeuré pur dans une époque corrompue par l'argent. C'est une satire féroce, menée avec éclat, des milieux snobs de la peinture. De tendance moralisatrice, son œuvre est souvent démoralisante.

Robert Escarpit (né en 1918) pratique un humour d'excellent aloi et de style impeccable mais souriant dans plusieurs romans satiriques dans la veine d'Anatole France ou de Marcel Aymé (*Sainte-*

Lysistrata, 1962, *le Littératron*, 1964, *Lettre ouverte à Dieu*, 1966).

Luc Estang (cf. p. 234), dans le sillage de Bernanos, décrit les conflits du vice et de la foi dans *les Stigmates* (1949), qu'il retira du commerce, dans *Cherchant qui dévorer* (1951), dans *les Fontaines du grand abîme* (1954), qui forment une trilogie au titre révélateur : *Charges d'âmes*. Son œuvre se poursuit, toujours égale, toujours heureuse par ses sujets et par son expression, éclairée d'une foi que révèlent ses essais : *le Passage du Seigneur* (1945), *Ce que je crois* (1956), et son théâtre : *le Jour de Caïn* (1967).

Solange Fasquelle.

Solange Fasquelle (née en 1933) a publié plusieurs romans d'une sensibilité toute féminine : *Malconduit*, *le Congrès d'Aix* (prix Cazes), *Que faire de la vie*, *Hôtel Salvador*. En 1967, le prix des Deux-Magots lui est décerné pour un beau récit d'un charme troublant, qui vient confirmer son talent : *l'Air de Venise*. Elle conte, dans une musique nostalgique, l'histoire de deux solitudes féminines. Elle a également composé des pièces et des émissions pour la radio et la télévision. Critique, elle collabore à de nombreux journaux et fait partie du comité de rédaction des *Cahiers des Saisons*.

Lucie Faure.

Lucie Faure (née en 1908) est une romancière attachée à la peinture du mensonge et des malentendus dans les relations humaines. Son talent subtil s'est révélé dans deux beaux romans : *les Passions indécises* et *les Filles du Calvaire* (1963). Ce dernier ouvrage montre d'une façon pathétique la difficulté d'aimer et de vivre en toute sincérité. En 1965, elle publie un livre de nouvelles : *Variations sur l'imposture*, qui sont des explorations psychologiques de personnages que la romancière met en scène avec délicatesse, émotion et cruauté. Elle a également traité du difficile problème de l'inconscient dans un roman dont les relations entre un psychanaliste et ses patients constituent l'intrigue : *l'Autre Personne* (1968).

Jean Fougère (né en 1914) est l'auteur d'un parfait roman d'amour : *Un don comme l'amour* (1945), d'une bonne satire du Français moyen : *les Bovidés*, d'une très remarquable étude sur *Thomas Mann ou la Séduction de la mort*. *La Pouponnière* (1949) décrit des bébés avec un humour émerveillé, et *la Cour des Miracles* (1955), *les Petits Messieurs* (1963), la faune littéraire parisienne avec une ironie parfois caustique.

André Fraigneau (né en 1907), écrivain qui se veut « désengagé », sait séduire par son élégance et sa désinvolture dans ses romans *(les Étonnements de Guillaume Francœur)* et ses « journaux apocryphes ».

Bruno Gay-Lussac (né en 1918) excelle à décrire le trouble des âmes déchirées entre la grâce divine et la sexualité (*Une gorgée de poison*, 1950, *le Salon bleu*, 1965).

Geneviève Gennari (née en Italie en 1920) analyse la situation des jeunes filles bourgeoises dans les convulsions du monde d'aujourd'hui (*les Cousines Muller*, 1949, *les Nostalgiques*, 1953, *Journal d'une bourgeoise*, 1959).

Georges Govy (né en Russie en 1910) retrace dans *Sang russe* (1946) quelques scènes de la révolution soviétique vers 1920. De lui encore, *les Jours maigres* (1947); *le Moissonneur d'épines* (1955) conquit le grand public.

Paul Guth (né en 1910) est devenu un de nos meilleurs conteurs humoristiques à partir de sa série du *Naïf* (1953), personnage de Français moyen plein de bons sentiments, sorte de Candide du monde moderne, qu'on voit aux prises successivement avec l'armée, l'université, les problèmes du logement et du mariage. Dans le même ton, il a entrepris depuis 1960 une autre série : *Jeanne-la-Mince*, confrontée à Paris, à l'amour et à la jalousie. C'est aussi un brillant critique : on lui doit une *Histoire de la littérature* savoureuse, où rivalisent connaissances objectives et jugements très personnels.

Philippe Jullian (né en 1919) a repris la tradition des romans spirituels et mondains avec un humour acide très anglais (*Sirops*, *la Veuve du baronnet*, *les Morot-Chandonneur*, etc.).

Jacques Lemarchand (né en 1908) s'est livré dans *Geneviève* (1945) à une dissection très précise d'un cas de jalousie — une des épures psychologiques les plus rigoureuses qui soient. *Parenthèse* (1944) fait preuve d'un esprit désinvolte, mais profond. Puis il met son talent et son honnêteté au service du bon théâtre. *Le Figaro littéraire* lui doit chaque semaine une de ses meilleures pages.

Paul-André Lesort (né en 1915) a tenté, sous l'influence de Gabriel Marcel et de Jaspers, d'exprimer la misère de la condition humaine dans une sorte d'existentialisme chrétien. Bien que desservie parfois par son écriture, cette œuvre bouleverse par la gravité des problèmes abordés (*les Reins et les Cœurs*, 1947, *le Fil de la vie*, 1951-1954, *le Fer rouge*, 1957, *Vie de Guillaume Périer*, 1966).

Françoise de Ligneris (née dans l'Allier en 1913) possède une personnalité violente, au sang sauvage, qui la place parmi les premières romancières de son temps. Clinicienne de l'âme humaine de grand talent, elle analyse surtout le conflit profond qui hante les amants au sein même de leur amour : *Fort-Frédérick* (1957), *Psyché 58* (1958), *Bijoux* (1960), *les Lentes Nuits* (1962). Avec *la Femme et le Poison* (1964), elle a réussi à concilier dans un roman envoûtant une pure intrigue psychologique à une réflexion morale, dans le cadre luxuriant et misérable du Mexique d'aujourd'hui. Elle a un don de forte simplicité et le sens du détail qui frappe.

Joseph Majault (né en 1916) représente l'humanisme chrétien nourri de vertus familiales (*Entre tes mains*, 1954, *les Dernières Amarres*, 1956, *Un amour heureux*, 1957, *les Enfants du soir* (1962), *la Conférence de*

Genève (1967). Son autobiographie donne l'humble mesure de la condition humaine (*Mythologie d'un homme moyen*, 1964).

Charles Mauban (né en 1907) se situe dans la tradition de Gide et de Mauriac avec *le Chemin du silence* (1947), découverte de l'amour par un jeune adolescent.

Michelle Maurois.

Michelle Maurois, fille d'André Maurois, est une romancière en vue. Elle commence sa carrière dans les lettres après la dernière guerre en écrivant d'excellentes nouvelles réunies dans trois recueils : *la Table des matières*, *Accord parfait*, *l'Œil neuf*. Elle entre dans le roman avec *les Arapèdes;* elle y révèle une remarquable maîtrise dans la façon de traiter un sujet délicat. Dans *les Grandes Personnes* (1966), second roman au talent éclatant, elle procède avec délicatesse et humour à une impitoyable investigation psychologique d'êtres de mensonge et de comédie. On lui doit un *Savoir-vivre actuel* (avec Paul Guth), et un très drôle, tendre et féroce *Art d'utiliser les hommes* (1968).

Marie Mauron (née en 1910) est l'un des meilleurs conteurs de notre temps. Elle exprime, avec un art parfait du récit, zébré de notations rapides sur la

Marie Mauron.

mort et l'amour, toute la poésie de la Provence : *la Transhumance, le Royaume errant, la Provence au coin du feu, Mes grandes heures de Provence, Éternelle Magie, La mer qui guérit, Châteaux de cartes* (1966), d'une grande humanité pour les humbles, *les Cas de conscience de l'instituteur, les Lampions des fêtes.* Elle écrit comme elle raconte, avec une concision exemplaire qui ramène à l'essentiel tous les traits de l'intrigue.

Christian Mégret (né en 1904) évoque le drame d'un prisonnier dans *l'Absent* (1946), pose le problème de la responsabilité morale dans *Jacques.* Son premier livre, *les Anthropophages* (1937), avait reçu les félicitations d'André Gide. *C'était écrit* commente les rapports du romancier avec ses personnages. *Le Carrefour des solitudes* (1957) rend vraisemblable l'amour sans préjugés d'une paysanne soviétique et d'un Noir américain.

Pierre Minet (né en 1910) raconte dans *la Porte noire* (1946) et dans *la Défaite* (1947) l'épopée des intellectuels de Montparnasse, qui retombent brisés pour avoir trop cherché l'absolu.

Christian Murciaux (né en 1915), poète, dramaturge, produit régulièrement des romans psychologiques de facture traditionnelle, qui s'imposent peu à peu au public et à la critique par leurs sujets romantiques et leur forme luxuriante. *Notre-Dame des Désemparés* (1960), qui se passe pendant la guerre d'Espagne, obtint le Grand Prix du Roman de l'Académie française. L'Espagne, l'Orient et la peinture se partagent son inspiration.

Roger Nimier (1925-1962), vrai descendant de Laclos et de Stendhal, décrit avec force et cynisme les convulsions des deux générations : *le Hussard bleu* (1950), *les Enfants tristes* (1951), *Histoire d'un amour* (1953), *D'Artagnan amoureux* (1962). Il a cherché à réfuter Sartre dans *Amour et Néant* (1951). Son talent de critique « désengagé » éclate dans les *Journées de lecture* (1965).

François Nourissier (né à Paris en 1927) compose une œuvre pleine de sensibilité, d'ironie et de talent, l'une des plus caractéristiques de sa génération. *L'Eau grise*, son premier roman, paraît en 1951, puis *la Vie parfaite* (1953), *les Orphelins d'Auteuil* (1956), *le Corps de Diane* (1957), *Portrait d'un indifférent* (1958) analysent avec désinvolture et délicatesse les rapports de l'homme et de la femme. En 1958, il entreprend une confession arrachée au temps et à la pudeur où se révèle, au gré du souvenir, les grands et petits secrets d'une existence : *Bleu comme la nuit* (1964), *Un petit bourgeois* (1964), récit lucide et sans complaisance d'un enfant du demi-siècle qui éclaire toute une époque, et *Une Histoire française* (1966). Critique à l'intelligence aiguë, il collabore à de nombreux journaux et revues.

Jean Orieux (né en 1907) décrit le drame d'une vieille marquise criblée de dettes, qui préfère refuser l'aide d'un bourgeois enrichi que de capituler devant l'argent-roi : *Fontagre* (1945). C'est un spécialiste des âmes provinciales (*l'Aigle de fer*, *les Bonnes Fortunes*, *le Lit des autres*, etc.). Son monumental *Voltaire* (1966) témoigne de dons éclatants dans la biographie romanesque plus que dans l'Histoire et dans la Critique.

Charles-Louis Paron (né en 1914), écrivain belge, a composé *Zdravko le Cheval*, nouvelles poétiques au charme amer. *Et puis s'en vont* (1945) est l'histoire d'une famille dont l'auteur décrit les souffrances résignées.

Jacques Perry (né en 1921) s'est révélé par *l'Amour de rien* (1952) puis a consigné dans les trois volumes de *Vie d'un païen* (1965-1967) la geste d'un homme libre.

Roger Peyrefitte.

Roger Peyrefitte (né en 1907) reste l'auteur des *Amitiés particulières* (1945), excellent roman d'analyse consacré à un cas délicat de sexualité pervertie. *Les Ambassades* (1951) et *la Fin des ambassades* (1953), mi-roman, mi-pamphlet, ont souvent choqué, quelquefois amusé les lecteurs. Il s'est spécialisé dans l'évocation du monde méditerranéen et de ses mœurs : *l'Oracle* (1948), *Du Vésuve à l'Etna* (1953), *les Chevaliers de Malte* (1957), *l'Exilé de Capri* (1959). Dans *les Clefs de Saint-Pierre*, il prend pour cible le Vatican (1955); dans *les Fils de la lumière*, la franc-maçonnerie (1961). Puis il publie *la Nature du Prince* (1963), *les Juifs* (1965), *les Américains* (1968). Avec *Notre amour* (1967), il peint à nouveau l'univers des relations singulières.

Raymond Picard (né en 1917) mène, avec une rigueur classique, l'aventure d'une âme trop tôt dissoute par le bonheur : *les Prestiges* (1947).

Maurice Pons (né en 1926) fait feu de tous les sujets pour lancer des étincelles qui scintillent mais ne réchauffent guère, au fil d'une douzaine de romans assez cyniques, parmi lesquels on remarqua surtout *le Passager de la Nuit* (1960).

Henri Queffélec (né en 1910) exprime l'âme bretonne dans *Un recteur de l'île de Sein* (1945) et dans la plupart de ses romans, comme *Frères de la brume* (1961) et *Un royaume sous la mer* (1958). Il a le sens du sacré et de la vie spirituelle, religieuse ou laïque (*Au bout du monde*). Il poursuit depuis 1963 une série intitulée *Le Livre de la reine aux poissons*, où paraissent tour à tour l'Arcoat et l'Armor. Par la qualité et la régularité de sa production, Queffélec apparaît comme un maître rigoureux et probe.

Yves Régnier (né en 1914) est avant tout un artiste de la prose française, à la sensibilité originale et au goût tout classique (*le Royaume de Bénou*, 1958, *les Ombres*, 1963).

Christine de Rivoyre.

Christine de Rivoyre (née en 1921) est une romancière sarcastique et désabusée, mais dont l'humour et le brio font une virtuose de l'étude de mœurs et de la peinture des caractères : *l'Alouette au miroir* (1955), *la Mandarine* (1957), *la Tête en fleurs* (1960), *la Glace à l'ananas* (1962). Dans *les Sultans* (1964), elle trace d'une plume acide et ironique le portrait des don Juan d'aujourd'hui, et, dans *le Petit Matin* (1968), celui d'une jeune fille qui découvre l'amour pendant les années noires de l'occupation, avec un officier allemand. Elle possède un style vif et plein de couleur qui masque, avec beaucoup de légèreté, une profonde humanité.

René Reudel (né en 1904) a commencé dans *Si le sel s'affadit* (1947) à raconter l'expérience morale et religieuse d'un jeune séminariste de Bordeaux.

Christiane Rochefort (née en 1917) a bien décrit l'envoûtement sexuel d'une jeune femme par un mâle presque réduit à l'animalité (*le Repos du guerrier*, 1958). *Les Petits Enfants du siècle* (1961) décrivent avec humour la condition des ménages modernes. Les bouillantes *Stances à Sophie* (1963) font la satire des hommes et des bourgeois, de même qu'*Une rose pour Morrison* (1966).

Françoise Sagan.

Françoise Sagan (née en 1935) s'imposa tout de suite à un immense public français et étranger, dès l'âge de dix-huit ans, par un petit chef-d'œuvre de finesse, de pudeur et de style, *Bonjour Tristesse* (1954), que suivit *Un certain sourire* (1956), plus profond encore, plus secret, puis *Dans un mois, dans un an* (1957). Elle confirme à nouveau dans *Aimez-vous Brahms?* (1959), *les Merveilleux Nuages* (1961), *la Chamade* (1965) ses dons exceptionnels pour l'analyse des sentiments féminins, qu'elle dépeint d'une manière classique et cependant très personnelle, avec intelligence, désinvolture et amertume. *Le Garde du cœur* (1968), écrit avec son habituelle et remarquable économie de moyens, met à nu la part la plus secrète de deux êtres : le plaisir de protéger et d'être protégé à la fois. On y retrouve, plus achevé encore, l'un des univers romanesques les plus originaux de cette génération. Auteur de théâtre, Françoise Sagan porte habilement à la scène ses personnages favoris, des jeunes gens un peu fous, un peu tristes, mal adaptés à la société, à leurs rêves, à leurs désirs et à autrui : *Château en Suède* (1960), *la Robe mauve de Valentine*, *les Violons parfois*, *l'Écharde* et *le Cheval évanoui* (1966).

Consulter :
Georges Hourdin
Le cas Françoise Sagan *(Le Cerf, 1958).*
Gérard Mourgue
Françoise Sagan *(Éd. universitaires, 1958).*

Michel de Saint-Pierre (né en 1916), cousin et plus ou moins disciple de Montherlant, possède un beau tempérament d'écrivain-né, qui ne s'encombre pas de théories et mène ses romans tambour battant. *Les Aristocrates* (1954), *les Écrivains* (1957), *les Nouveaux Aristocrates* (1960) s'inscrivent dans la tradition de la littérature à sang bleu. Ensuite, il étudie la condition des *Nouveaux Prêtres* (1965), de *Ces prêtres qui souffrent* (1966), avec une franchise qui provoqua une *Sainte Colère* (1965).

Olivier Séchan (né en 1911), dans *Chemins de nulle part* (1946) évoque le désordre de l'amour dans une ville de province. Ses autres romans s'inscrivent dans la même tradition psychologique : *les Eaux mortes, la Chasse à l'aube, l'Amour du vide, Les morts n'en sauront rien*, etc.

Pierre-Henri Simon (né en 1903), professeur, poète, critique, essayiste lucide et généreux, a décrit les cas de conscience de l'homme contemporain, et particulièrement du chrétien, dans des romans vivants et solides (*l'Affût*, 1946, *les Raisins verts*, 1950, *Les hommes ne veulent pas mourir*, 1953, *Elsinfor*, 1957, *Portrait d'un officier*, 1958, *le Somnambule*, 1960, *Histoire d'un bonheur*, 1965). Il faut lire son essai pénétrant, *Ce que je crois* (1966), pour apprécier ce bel alliage de foi et de raison, vertus au nom desquelles il fait le sévère *Diagnostic des lettres françaises contemporaines* (Nizet, 1966). Dans *Pour un garçon de vingt ans* (1967), il défend les chances menacées de la santé morale et du bonheur.

Maurice Toesca (né en 1904) montre la dureté du parti hitlérien, auquel une jeune fille sacrifie son frère, ses amours, sa vie : *le Soleil noir* (1946). Récit violent et amer, remarquable par la sobriété des termes. *Le Singe bleu* (1948) est d'un pénétrant moraliste, sous des dehors d'humour froid. *Le Scandale* (1950) fustige l'administration. Ses autres livres sont plutôt des méditations que des fictions, malgré 'affabulation romanesque (*le Dernier Cri d'un homme*, 1964); ils valent par l'admirable rigueur du style. Il a également écrit, dans la ligne de ses études sur George Sand, plusieurs plaidoyers en faveur de la femme.

Dans la tradition du roman réaliste

René Blech (né en 1898), dans *le Tir aux pigeons* 1947), peint la société normande avec ses fermiers, ses bourgeois et ses nobles dans un art vivant et populaire.

Jean-Louis Bory (né en 1919) a décrit la vie d'un village français sous l'occupation : *Mon village à l'heure allemande* (1945). Il vise à l'objectivité. Mais dans ce livre et dans les suivants (*Chère Aglaé*, *Fragile ou le Panier d'œufs*, *Clio dans les blés*, *l'Odeur de l'herbe*, et un très original recueil de récits, *Usé par la mer*, 1959), la vie quotidienne est sensiblement colorée par un tempérament pessimiste, quoique tendre. Il s'est fait l'excellent biographe et éditeur d'un grand romancier méconnu : *Eugène Sue* (1962).

Guy des Cars (né en 1911) s'impose par le nombre de ses volumes et l'importance de ses tirages (*l'Officier sans nom*, 1940, *le Grand Monde*, 1961).

Michel de Castillo (né à Madrid en 1933) a rendu le pathétique de la tragédie espagnole (*le Manège espagnol*, 1961) et de la déportation (*Tanguy*, 1953), court récit, un chef-d'œuvre.

Jean-Pierre Chabrol (né en 1925) compose, depuis *la Dernière Cartouche* (1953), une œuvre pittoresque et réaliste, éclatante de verve méridionale, pleine de chaleur humaine : *le Bout-galeux* (1956), *Fleur d'épine* 1957), *Un homme de trop* (1958), *les Innocents de mars* 1960), *les Fous de Dieu* (1962), *la Chatte rouge* 1963), roman inspiré de sa vie d'étudiant, *Mille* *millions de Nippons* (1964), récit ironique et insolite sur le Japon. Avec *les Rebelles* (1965), il écrit une chronique savoureuse d'un village cévenol. *La Gueuse* (1966) est de la même veine vigoureuse et émouvante : il nous entraîne à la façon d'un Zola dans les mines de charbon, avec leur misère noire et leurs conflits sociaux. Chabrol excelle à peindre, avec un incomparable souffle, ces fresques tumultueuses comme la vie, nourries d'une expérience ancestrale de la terre et des hommes. En 1967, il a réuni des récits sous le titre : *l'Illustre Fauteuil*, et publié son premier roman d'amour : *Je t'aimerai sans vergogne*. En dehors de ses livres, ce poète et conteur d'une puissante personnalité s'est fait connaître par des émissions de télévision et des films.

Jean-Pierre Chabrol.

Edmonde Charles-Roux a connu la jeunesse vagabonde des enfants de diplomates : Prague, Rome... On lui doit l'un des ouvrages les plus envoûtants de ces dernières années : *Oublier Palerme* (prix Goncourt 1966). Dans ce roman d'une grande richesse, deux mondes s'affrontent : l'Ancien et le Nouveau — la Sicile et les États-Unis — et deux conceptions de la vie et de l'amour se heurtent. Elle manie les intrigues avec habileté, et sa prose virile est en même temps d'un charme très féminin.

Georges-Emmanuel Clancier (né à Limoges en 1914) est avant tout connu pour sa vaste fresque familiale et provinciale : *le Pain noir*, où se retrouvent des préoccupations proches aussi bien de Zola que de Martin du Gard : (*le Pain noir*, *la Fabrique du Roi*, *les Drapeaux de la ville*, *la Dernière Saison*). C'est une œuvre solide, juste et ambitieuse. On lui doit encore des romans : *Dernière heure*, *Quadrille sur la tour*, et des nouvelles d'une sensibilité délicate qui révèlent un talent subtil : *les Arènes de Vérone*. En 1965, il publie un livre profondément attachant : *les Incertains;* c'est un roman ardent où s'affrontent deux couples aux passions indécises et pourtant chargées de violence, et une profonde étude psychologique. Clancier est aussi poète, cf. p. 231.

Georges-Emmanuel Clancier.

Pierre Daix (né en 1922) ajoute à son intense activité de critique (il est en outre rédacteur en chef des *Lettres françaises*) une production romanesque qui s'inscrit dans la ligne de sa vocation militante (*Classe 22*, 1952-1953, *l'Accident*, 1965).

Maurice Druon (né en 1918), auteur avec Joseph Kessel du *Chant des Partisans*, raconte, sans grande originalité technique mais avec un sens dramatique intense, l'histoire hallucinante d'une grande famille bourgeoise, dans sa trilogie naturaliste *les Grandes Familles* (1948-51). Moderne Alexandre Dumas, il s'adonne de plus en plus au roman historique (*les*

Rois maudits (1955-1960, meilleure édition 1965-1966). *Les Mémoires de Zeus* (1963 et 1965) contiennent de grandes leçons de sagesse humaine sous les apparences d'une mythologie romancée.

Pierre Gamarra (né en 1919) décrit la vie des familles toulousaines (*les Enfants au pain noir*, 1950, *la Femme et le Fleuve*, 1951, *le Maître d'école*, 1955, *la Femme de Simon*, 1961, *les Mystères de Toulouse*, 1967).

Jean-Jacques Gautier.

Jean-Jacques Gautier (né en 1908) excelle à mettre en scène les drames cachés de la vie provinciale. Après *l'Oreille* (1945), il se situe tout à fait dans la ligne des Goncourt pour *Histoire d'un fait divers* en 1946. On lui doit ensuite de nombreuses études de mœurs, qui sont toutes des petits chefs-d'œuvre de psychologie : *les Assassins d'eau douce* (1947), *le Puits aux trois vérités* (1949), *la Demoiselle de Pont-aux-Anes* (1950), *Nativité* (1952), *M'auriez-vous condamné?* (1952), *Maria la Belle* (1954), *C'est tout à fait moi* (1956), *Si tu ne m'aimes pas je t'aime* (1960). Dans *C'est pas d'jeu* (1962), il conte avec ironie et tendresse le drame d'un homme heureux qui se découvre mortel. *Un homme fait* (1964) nous donne une pathétique image de l'homme en proie à l'existence. C'est un moraliste qui travaille sur le vif. Gautier est aussi le redoutable critique dramatique du *Figaro*.

Marcel Haedrich (né en Alsace en 1913) s'impose au public comme un témoin de son temps et le porte-parole de toute une génération : *Drame dans un miroir*, *la Rose et les Soldats*, *le Patron* (1964) — figure d'un grand industriel dans la France de l'occupation, de la Résistance et de la Libération — brasse tout un univers social et humain, historique et moral. Haedrich possède un grand talent d'observateur allié à une profonde ferveur littéraire et à un style direct et familier d'une aisance remarquable. Il nous restitue les hommes et les événements qu'il a connus avec un sens parfait du détail et de l'évocation romanesque. Il ne lui manque rien de ce qui fait le bon et le grand

Marcel Haedrich.

romancier. Un livre de souvenirs, *l'Entre-deux-dieux* est paru en 1967.

Roger Ikor.

Roger Ikor (né à Paris en 1912) possède une technique solide, à égale distance de Proust et de Zola, qu'il a mise au service d'une verve d'une grande ampleur et d'une grande générosité : *A travers nos déserts* (1950), *les Grands Moyens* (1951). Il a étudié les milieux juifs, sous le titre général *les Fils d'Avrom*, dont un volume obtint la consécration, en 1955, avec *les Eaux mêlées*. Il écrit des nouvelles : *Ciel ouvert* (1959), compose une grande fresque romanesque en quatre volumes : *Si le temps...* (1960-1964), publie *Gloucq* (1965), puis *les Poulains* (1966), un livre plein de lucidité et de ferveur humaine sur le problème de la jeunesse qui croît à l'ombre des H.L.M., et, en 1968, il s'interroge à nouveau sur le problème juif dans *Peut-on être juif aujourd'hui ?*

André Kedros (né à Corfou en 1920) se souvient de ses origines méditerranéennes en insistant davantage sur les problèmes sociaux que sur le pittoresque de son pays (*Peuple roi*, 1952, *les Carnets de M. Ypsillante, homme d'affaires*, 1955). Il a obtenu le prix Populiste pour *le Dernier Voyage du « Port-Polis »*. Un autre roman, *Même un tigre*, est paru en 1967.

Armand Lanoux (né en 1913) se rattache davantage à Zola et à Maupassant, dont il a composé les biographies, mais son naturalisme se teinte d'une fantaisie et d'une poésie souvent cocasses, qui font de lui le plus délicieux des chroniqueurs. *Le Commandant Watrin* (1956), qui met en scène les destinées de deux officiers, s'élève jusqu'au roman d'idées. *Le Rendez-vous de Bruges* (1958), puis *Quand la mer se retire* (1963) complètent le cycle infernal de la guerre — de « Margot l'enragée. »

Françoise Mallet-Joris (née à Anvers en 1930) est l'une des premières romancières actuelles. Elle fait des débuts éclatants en 1951 avec *le Rempart des*

Françoise Mallet-Joris.

Béguines, roman d'analyse sur l'évolution d'une jeune fille confrontée avec les problèmes de la vie, que suivent *la Chambre rouge* (1955) et des nouvelles : *Cordélia* (1956). A partir de *Mensonges* (1956), elle incline davantage vers le réalisme balzacien et fait une large place à la description des milieux sociaux : *l'Empire céleste* (1958). *Les Personnages* (1961) situent le drame spirituel d'une jeune fille à l'époque de Richelieu. Dans *les Signes et les Prodiges* (1966), roman-vérité inquiet, elle ne sépare pas le problème spirituel de son décor humain et quotidien. On lui doit aussi une originale *Lettre à moi-même* (1963), qui nous édifie sur son évolution religieuse, et un ouvrage inspiré par l'histoire vraie de trois affaires de sorcellerie : *Trois âges de la nuit* (1968).

Martine Monod (née en 1921) compose avec beaucoup d'intelligence et de talent littéraire des romans assez « engagés » (*Malacerta*, 1950, *le Whisky de la reine*, 1955, *le Nuage*, 1955).

Hélène Parmelin (née en 1915), femme du grand peintre Édouard Pignon, romance son attachement politique dans *la Montée au mur* (1951) et dans d'autres romans. Elle prend quelque distance dans *Aujourd'hui* (1963).

Louis Parrot (1906-1948) fut un bon poète et un excellent ouvrier de la critique française. Son meilleur roman : *Nous reviendrons* (1946) se passe en Espagne pendant la guerre civile. Avec *l'Espoir* de Malraux, c'est le meilleur livre que nous possédions sur cette tragédie. *Paille noire des étables* (1944) retrace une sombre histoire de l'occupation nazie, laquelle cherchait à dépraver même les enfants. *La Flamme et la Cendre*, posthume, avive le regret de sa mort précoce.

Henri Pollès (né en 1909) exploite aussi le thème de la Résistance : *Toute guerre se fait la nuit* (1945). En humaniste heureux, il analyse chaleureusement son propre fils dans *le Fils de l'auteur* (1965).

Vladimir Pozner (né en 1905), le célèbre pamphlétaire des *Etats-Désunis* (1950), traite, sur le mode réaliste, l'histoire d'un village sous l'occupation : *les Gens du pays* (1946). La nostalgie de l'Espagne républicaine lui inspire *Espagne, premier amour* (1965). On lui doit encore *Deuil en vingt-quatre heures* et *le Mors aux dents.*

Michel Robida (né en 1909) a raconté les années de guerre sous le titre *le Temps de la longue patience* (1946). Il continue avec conscience son métier de romancier et de critique (*Retour à Coëtalan*, 1963).

Samivel (pseudonyme, choisi dans Dickens, de Paul Gayet, née en 1907) s'est exprimé successivement dans le domaine des arts graphiques, de l'image animée et de la littérature. Auteur de récits, de nouvelles, d'importants essais sur les grandes civilisations historiques et certains aspects de l'univers (*l'Or de l'Islande*, *Trésor de l'Égypte*, *Le Soleil se lève en Grèce*), c'est un voyageur et conférencier célèbre. Il a publié, en 1967, un roman : *le Fou d'Edenberg*. A travers la chronique d'une mutation — celle de la vieille montagne en proie aux sports d'hiver — c'est, dans un style parfaitement simple, le roman d'une époque déchirée entre deux mondes.

Gilbert Sigaux (né en 1918) avait excellemment commencé une œuvre de romancier réaliste et social (*les Chiens enragés*, 1949), mais il l'interrompit volontairement, et, on l'espère, provisoirement en 1951 (*Fin*) pour se consacrer à de solides et brillants travaux de critique et d'édition.

André Stil (né en 1921) est passé sans effort du reportage (*Le mot mineur, camarade*, 1949) au roman réaliste, épique et révolutionnaire (*le Premier Choc*, 1951-1952) à un populisme de bonne facture (*Pignon sur ciel*, 1955).

Paul Tillard (1914-1966), déporté (lire son *Mauthausen* que suivit, en 1965, son pathétique témoignage : *le Pain des temps maudits*), applique le réalisme socialiste dans ses peintures de la guerre civile : *On se bat dans la ville* (1946), et de la Résistance : *les Combattants de la nuit* (1947), ou encore de la Chine : *le Montreur de marionnettes*, 1956. Puis il élargit son horizon esthétique et politique non sans beaucoup d'idéalisme généreux. *L'Outrage* (1958), *la Rançon des purs* (1960), *Ma Cousine Amélie* (1962) décrivent son expérience intérieure à travers les événements d'une vie trop tôt interrompue.

Joseph Zobel (né en 1915 à la Martinique) a bien évoqué la vie et les problèmes de son pays dans *la Rue Case-Nègres* (1950).

Parmi les adeptes du roman réaliste à tendance révolutionnaire, on peut encore citer **Gaston Baissette, René Jouglet** (1884-1961), **Jean Laffitte,** etc.

Dans la tradition du roman d'aventures

Gontran de Poncins (né en 1897) a connu le plus grand succès dans le monde entier avec *Kablouna*, reportage romancé sur les peuples du Grand Nord (écrit aux États-Unis pendant la guerre).

Françoise d'Eaubonne (née en 1920) fait revivre l'épopée des conquistadores du XVIe siècle dans une atmosphère de fantaisie et d'humanisme érudit : *Comme un vol de gerfauts* (1947). Avec *Indomptable Murcie* (1948), nous sommes replongés dans un XVIIIe siècle sans conventions. Elle professe avec bonheur un féminisme sans complexe (*Mémoires d'une jeune fille enragée*, 1965) qui nourrit son admiration pour Isabelle Eberhardt (*la Couronne de sable*, 1968).

Georges Arnaud (né en 1917) a su créer une hallucinante épopée dans *le Salaire de la peur* (1950).

Jan Van Dorp (né en 1908) ressuscite la Flandre de la fin du XVIIe siècle et la vie des corsaires dans *Flamands des vagues* (1948).

Jacques Laurent (né en 1919), sous le pseudonyme de Cécil Saint-Laurent, a conté dans le genre Alexandre Dumas les aventures de *Caroline chérie* (1947) et la suite... Sous son nom véritable, il composa quelques romans plus ambitieux (*les Corps tranquilles, le Petit Canard*).

Roger Frison-Roche (né en 1906), homme d'action et journaliste sportif, a fort bien exploité la vogue des sports d'hiver et de la montagne dans *Premier de Cordée* et *la Grande Crevasse* (1947), puis la « lumière de l'Arctique » (*la Dernière Migration*, 1965).

Jean Lartéguy (né en 1920) compose, avec un sens parfait du récit et de l'anecdote, des reportages romancés qui sont de véritables fresques d'histoire contemporaine. Ouvrages vivants, riches en couleur, inspirés par les événements du tiers monde : *les Mercenaires, les Centurions, les Prétoriens, les Tambours de bronze, les Chimères noires, le Mal jaune, Sauveterre, le Paravent japonais, Un million de dollars le viêt.* En 1968, après l'Afrique et l'Asie, il a ramené d'Amérique latine un beau livre de violence et d'espoir : *les Guérilleros.* Jean Lartéguy, grand reporter, travaille sur le vif et approche chaque chose pour en mieux parler.

Jean Lartéguy.

Zoé Oldenbourg (née à Pétrograd en 1916) pratique le roman historique avec beaucoup de conscience et de force (*Argile et Cendres*, 1946, *la Pierre angulaire*, 1953, *Réveillés de la vie*, 1956, *le Bûcher de Montségur*, 1959, *les Brûlés*, 1960, *les Cités charnelles*, 1961, *les Croisades*, 1965).

Henri Castillou (né en 1921) sait rénover l'exotisme des paysages et des caractères dans des histoires — réelles ou romancées — de bon aloi (*Soleil d'orage*, 1952).

La littérature de l'aviation a connu un grand développement ces dernières années, tandis que celle de la mer est plutôt en déclin. Les auteurs sont en général des aviateurs, anciens pilotes de guerre. Ils n'ont pas à faire preuve, à vrai dire, d'une grande imagination : leur mémoire y suffit. Tous se souviennent de la grande figure qui les domine et les inspire : Saint-Exupéry (cf. p. 182).

Jules Roy (né en Algérie en 1907) aimant l'aventure et aimé d'elle, l'auteur de *Passion et mort de Saint-Exupéry* (1964), fut après la guerre le plus remarquable écrivain d'action de sa génération. *La Vallée heureuse* (1946) raconte les raids de bombardements sur la vallée de la Ruhr. Colonel, il quitta l'armée en 1953. Il précisa sa philosophie stoïcienne, bien qu'amère, dans *le Métier des armes* (1948) et dans *l'Homme à l'épée* (1957). L'auteur du *Navigateur* (1954), *la Femme infidèle* (1955), *les Flammes de l'été* (1956), *les Belles Croisades* (1959) est devenu un moraliste attentif aux drames de notre temps malgré son égocentrisme évident : *Retour de l'enfer* (1951), *la Bataille dans la rizière* (1953), *la Bataille de Diên Biên Phu* (1963), sur la guerre d'Indochine, *la Guerre d'Algérie* (1960), *Autour du drame* (1961), *le Voyage en Chine* (1965) et *le Grand Naufrage* (1966), sur Pétain. En 1968, il décide de se consacrer à la création romanesque avec une grande fresque sur l'Algérie de 1830 à 1962 : *les Chevaux du Soleil.*

La collection « Ciel et Terre », dirigée par Jules Roy (éditions Charlot), fournira au lecteur d'autres titres. Signalons en outre : **Pierre Closterman** *(né en 1921) :* le Grand Cirque *(1948),*

Enfin les explorateurs de l'Amazone ou des deux pôles, les alpinistes de la très haute montagne, les spéléologues, les chasseurs sous-marins, les prospecteurs de volcans... nous ont appris que notre vieille planète offrait encore du champ à l'aventure.

Jules Roy.

L'Histoire, plus ou moins romancée, a toujours la faveur du grand public. De nombreux auteurs, souvent bien documentés, s'adonnent avec succès à ce genre. Citons parmi les plus lus :

Robert Aron (né en 1898) ajoute à ses essais politiques et religieux (*Histoire de Dieu*, 1963) une œuvre importante d'historien : *Histoire de Vichy* (1954), *Histoire de la Libération de la France* (1959), *les Grands Dossiers de l'Histoire contemporaine* (1962-1963), *Charles de Gaulle* (1964).

André Castelot.

Alain Decaux (né en 1925) s'est rendu célèbre par ses *Dossiers secrets de l'Histoire*. On lira encore de lui *la Castiglione* et *Offenbach, roi du second Empire*.

André Castelot (né en 1911), l'auteur de *Drames et Tragédies de l'Histoire*, *Destins hors série de l'Histoire*, *les Battements de cœur de l'Histoire*, compose aussi de nombreuses biographies : *Joséphine*, *l'Aiglon*, *Marie-Antoinette*, *Madame Royale*, *le Prince rouge*, *la Duchesse de Berry*, *la Reine Galante*. Il est également l'auteur d'un *Bonaparte* (1968) et d'un *Napoléon* (1968), qui constituent un brillant récit de la vie de l'Empereur et des intrigues qui l'ont jalonnée.

Philippe Erlanger (né en 1903) est un historien peu conformiste mais d'une extrême rigueur dans la documentation et dans le style. Marcel Pagnol l'a surnommé le « Simenon de l'Histoire ». On lui doit notamment : *Cinq-Mars*, *Aventuriers et Favorites*, *l'Étrange mort de Henri IV*, *Louis XIV*, un excellent *Richelieu* (1967), et d'autres remarquables études sur le XVIe et le XVIIIe siècle.

Jean-Raymond Tournoux (né en 1914) explore les coulisses de l'Histoire contemporaine dans *Carnets secrets de la politique*, *l'Histoire secrète*, *Secrets d'États*, *Pétain et de Gaulle*, *la Tragédie du Général* (1967).

Romans de conception nouvelle

Les formules traditionnelles et spécifiquement nationales sont en régression. Ce phénomène s'est déjà produit plusieurs fois dans la littérature française. A la fin du XVIIIe siècle par exemple, l'influence anglaise est venue revigorer le roman français affaibli; à la fin du XIXe, ce fut l'influence russe. De nos jours, les jeunes romanciers regardent hors des frontières, spécialement vers les États-Unis, où fleurissent des techniques nouvelles (cf. Claude-Edmonde Magny : *l'Age du roman américain*, Seuil, 1948, nouvelle édition 1967), ou vers l'U.R.S.S., où un grand dynamisme épique anime les meilleures œuvres. Ou encore, on retourne à des régions peu connues du patrimoine national pour y apprendre des procédés, pour en tirer un esprit, une atmosphère. Et aussi, on cherche, on invente... Malgré tout, ces romans de conception nouvelle conservent des caractères typiquement français : ils font une large part à la vie intérieure, ils se préoccupent des problèmes moraux, ils témoignent d'un large sens social; leur désordre même est concerté et organisé, ils sont en général bien écrits, et parfois même trop « écrits »... Cet ensemble de qualités relie la production actuelle au passé, en même temps que la figure originale du roman au XXe siècle se constitue.

Quelques noms, quelques œuvres remarquables :

Raymond Abellio (né en 1907) a romancé après la guerre son expérience de militant politique, de la guerre d'Espagne, de l'occupation, en des romans violents et touffus (*Heureux les pacifiques*, 1945, *la Folle de Babel*, 1962). Il s'oriente *Vers un nouveau prophétisme* (1950).

Robert Antelme est l'auteur d'un grand livre : *l'Espèce humaine* (1947), où l'expérience des camps de concentration est analysée et pensée de l'intérieur.

Christine Arnothy.

Christine Arnothy (née en 1930 à Budapest) entre dans les lettres avec un pathétique récit autobiographique : *J'ai quinze ans et je ne veux pas mourir* (1954), qui, traduit en dix-sept langues, connaît un succès mondial. Elle publie ensuite *Dieu est en retard* (1955), *Il n'est pas si facile de vivre* (1957), *Pique-nique en Sologne* (1960), *le Cardinal prisonnier* (1962), *la Saison des Américains* (1964) et, en 1966, *le Jardin noir*, peuplé des fantômes de Dachau. C'est une romancière inspirée par l'histoire contemporaine. Sa sensibilité, son talent de psychologue lui font porter sur le monde un regard plein de ferveur humaine. Sa première pièce, *la Peau de singe*, a été représentée en 1961.

Audiberti (cf. p. 120) est l'auteur d'une dizaine de romans explosifs, qui n'ont d'autre sujet que le vagabondage d'un esprit doué d'une imagination et d'un génie verbal phénoménaux. Toutes ses histoires fantastiques : *Abraxas*, *Carnage*, *la Nâ*, *le Maître de Milan*, *la Poupée*, *Les tombeaux ferment mal*, récompensent ceux qui n'hésitent pas à épouser leurs méandres, jusqu'à *Dimanche m'attend* (1965), paru quelques mois avant sa mort, un dimanche matin...

Yvonne Baby est née au Touquet. Fille du professeur Jean Baby et belle-fille du critique Georges Sadoul, elle est journaliste et collabore à la rubrique cinéma du *Monde*. Elle s'impose en 1967 avec un roman d'une grande finesse, sensible et discret, sur l'aventure politique de sa génération : *Oui, l'espoir*. C'est le récit pathétique, écrit d'une voix désabusée, d'un apprentissage de la vie, de la liberté et de l'amour. Ce témoignage important et lucide, où la réflexion et la méditation se mêlent au souvenir, a été couronné par le prix Interallié.

Michel Bataille (né en 1926) obtient le prix Stendhal en 1947 pour son premier roman, *Patrick*. Il publie en 1950 *la Marche au soleil*, récit d'un difficile voyage en Afrique rendant compte de nouvelles découvertes

Jacques Audiberti.

Michel Bataille.

en égyptologie. Puis de beaux romans : *Cinq jours d'automne* (1963), adapté pour la télévision, *le Feu du ciel* (1964), *Une pyramide sur la mer* (1965), *la Ville des fous* (1966). *L'Arbre de Noël* (1967) s'attache à éclairer, d'une façon bouleversante, les rapports d'un père et de son jeune fils condamné par la maladie. Il met en lumière, avec talent, la destinée de l'homme d'aujourd'hui.

Hervé Bazin (né en 1918), rejeton d'une illustre famille d'académiciens, a bien mal tourné! *Vipère au poing* (1948), suivie de *la Mort du petit cheval*, expression de haine qui oppose un fils à sa mère, est d'une admirable violence et d'un style donné par le tempérament, non cherché. Il décrit avec un réalisme parfois brutal des « cas » psychologiques à la limite de la pathologie (*l'Huile sur le feu*, 1954, *Qui j'ose aimer*, 1956, *Au nom du fils*, 1960). *Le Matrimoine* (1967) continue la série des analyses des situations familiales.

Consulter :
J. Anglade
Hervé Bazin *(Gallimard, Bibl. Idéale, 1962).*

Béatrix Beck (née en 1914) a créé un type de femme forte sans raideur et catholique sans conventions (*Barny*, 1947, *Léon Morin prêtre*, 1952). Elle poursuit sa carrière originale avec *Des accommodements avec le ciel* (1954), *le Muet* (1963), *Cou coupé court toujours* (1967).

Célia Bertin (née en 1921) a participé avec Pierre de Lescure aux recherches de la revue *Roman*, parue depuis 1951 à Saint-Paul-de-Vence. De *la Parade des impies* (1946) à *la Dernière Innocence* (1953) et à *Une femme heureuse* (1963), elle perfectionne sa technique romanesque sur des sentiers nouveaux, mais différents de ceux du « nouveau roman ».

Roger Bésus (né en 1915), digne héritier des écrivains normands, illustre les drames métaphysiques et religieux dans des romans violents et colorés (*Louis Brancourt*, *le Scandale*, 1955, *Paris le Monde*, 1964).

Véronique Blaise (née en 1922) a publié un roman féerique exceptionnel : *le Jour des Rois*, 1950, suivi de deux autres romans, *le Temps de notre vie*, Gallimard, 1957, et *Seven to seven*, aussi insolite qu'attachant.

Julien Blanc (1908-1949) s'est contenté de raconter sa vie. Mais il y avait là matière à l'œuvre la plus hallucinante qui soit. *Seule la vie*, en trois volumes, décrit d'abord (*Confusion des peines*, 1945) sa triste enfance d'orphelin dévoyé. Puis *Joyeux, fais ton fourbi* (1945), véritable « saison en enfer », nous renseigne sur les compagnies disciplinaires d'Afrique. Enfin, *le Temps des hommes* fixe son expérience de la guerre d'Espagne, de l'amour, de la paternité, de la mort.

Antoine Blondin (né en 1922) représente la veine picaresque et cocasse (*l'Europe buissonnière*, *les Enfants du Bon Dieu*, 1952, *l'Humeur vagabonde*, 1955, *Un singe en hiver*, 1959, *la Fin de tout*, 1963) au service d'une pensée très désinvolte, qui se veut désengagée, sinon réactionnaire.

Pierre Boulle (né en 1912) concilie avec bonheur le roman d'action et le roman psychologique. Il s'est imposé comme l'un des grands romanciers de l'après-guerre avec un excellent roman : *le Pont de la rivière Kwaï*, dont le cinéma s'est emparé. Ses ouvrages suivants ont confirmé ses qualités romanesques et la profonde humanité de son inspiration : *Un métier de seigneur*, *le Jardin de Kanashima*, *le Sacrilège malais*, *Histoires charitables*, *la Planète des singes* (1963), roman d'anticipation où la fantaisie se mêle à des considérations sur l'avenir de l'homme, et *le Photographe*. Pierre Boulle sait être un ironiste dans la grande tradition.

Jacques Brosse (né en 1922) consacre de plus en plus ses dons de prosateur, évidents dans un récit comme *la Chemise rouge* (1959), à la description des choses et des plantes intériorisées dans « l'espace du dedans » (*l'Ordre des choses*, 1958, *l'Éphémère*, 1960, *Inventaire des sens*, 1965).

Henri Calet (1903-1955) raconte dans *le Bouquet* (1945) une histoire banale de prisonnier de guerre, d'une manière très personnelle. *Le Tout sur le Tout* (1948) est le récit hardi d'une petite vie d'intellectuel raté.

Jean Cayrol (cf. p. 232) a dressé, dans *Je vivrai l'amour des autres* (3 vol., 1947-50), le type du « clochard », éternel déporté de la société, vrai « Lazare », qui ne « sait plus très bien de quel côté des barbelés il se trouve », et qui assume chrétiennement toute la misère du monde. Depuis cette réussite, Jean Cayrol reprend régulièrement, et avec le même bonheur, l'analyse de ses personnages de prédilection, solitaires, instables, plongés dans une sorte de rêve éveillé, riches d'un cœur trop lourd (*le Vent de la mémoire*, 1952, *l'Espace d'une nuit*, 1954, *le Déménagement*, 1956, *la Gaffe*, 1957, jusqu'à *Midi minuit*, 1966, et *Je l'entends encore*, 1968). Son univers parfois flou et brumeux s'éclaire à la lumière du *Droit de regard* (1963). Il a collaboré à l'un des meilleurs films d'Alain Resnais : *Muriel*.

Consulter :
Daniel Oster
J. Cayrol et son œuvre
(Seuil, 1967).

Agnès Chabrier (née en 1914) décrit les tragédies polonaises (*la Vie des morts*, 1946) et hongroise (*Au vent de l'hiver*, 1950). Une partie de son œuvre est publiée sous le nom de Daniel Gray.

Andrée Chedid.

Andrée Chedid (née au Caire en 1921) s'est fait connaître en France dès 1943 par des poèmes. En 1949, elle publie un roman qui la situe au premier rang du jeune roman français : *le Sixième Jour*, que suivront *l'Étroite Peau*, *Jonathan*. En 1963, elle nous donne un livre d'une fraîcheur et d'une poésie exceptionnelles : *le Survivant*. C'est l'histoire d'une quête pathétique dans le désert et un bel acte de foi dans la vie. Elle conduit l'analyse psychologique et le « suspens »

avec une grande maîtrise. Andrée Chedid est aussi auteur de théâtre : *les Nombres* et *Bérénice d'Égypte* (1968).

Georges Conchon.

Georges Conchon (né en 1925) est l'auteur des *Grandes Lessives* (1953), *les Chemins écartés* (1954), *les Honneurs de la guerre* (1955), *Tous comptes faits* (1957), *la Corrida de la victoire* (1959), *l'Esbrouffe* (1961). *L'État sauvage* (1964) est le récit, conté avec finesse et humour, des aventures étranges d'un Européen de bonne volonté confronté avec la nouvelle Afrique noire décolonisée. Avec *l'Apprenti gaucher* (1967), il s'en prend à « l'état civilisé » : ce roman amusant et brillant est une satire de l'homme de gauche ou plus précisément de l'auteur par lui-même. Il a composé le portrait type de l'intellectuel des années soixante.

Jean-Louis Curtis.

Jean-Louis Curtis (né en 1917) possède une curiosité humaine, sympathique ou ironique, toujours en éveil. Il s'affirme, dès 1946, comme l'un des plus doués parmi les jeunes romanciers, avec *les Jeunes Hommes*, qui retracent l'expérience morale des hommes de la génération de 1940. En 1947, il obtient un grand succès avec *les Forêts de la nuit*. Après un dramatique *Gibier de potence* (1949), *Chers Corbeaux* (1951) décrit la faune de Saint-Germain-des-Prés. *Les Justes Causes* (1954), *l'Échelle de soie* (1956), *la Parade*, *Cygne sauvage* continuent, avec une étonnante maîtrise, la chronique des mœurs de notre temps. Dans *la Quarantaine* (1966), la fiction s'efface devant la vérité sociale et intérieure de l'homme de quarante ans. C'est un chef-d'œuvre de psychologie, qui met à jour le mécanisme secret du vieillissement. *Un jeune couple* (1967) est une satire de l'époque et l'histoire d'un amour. Curtis écrit également des pièces pour la radio et la télévision.

Pierre Daninos (né en 1913) a publié le journal intime du Créateur, tombé par hasard sur la terre : *le Carnet du Bon Dieu* (1947). Son humour égaie les tristes confidences d'un raté : *l'Éternel Second* (1949). Il s'est fait une spécialité de l'anecdote humoristique, qu'il s'agisse des mœurs quotidiennes (*Sonia*) ou des excentricités franco-britanniques (*les Carnets du major Thompson*, 1954). *Un certain Monsieur Blot* s'élève jusqu'à l'analyse d'un caractère (1960), tandis qu'il renouvelle ses drôleries pleines de bon sens dans *Snobissimo* (1964) et *le Trente-Sixième Dessous* (1966). Il a réuni lui-même les plus belles perles de sa pensée légère et spirituelle dans *Daninoscope* (1963).

Luc Dietrich (1912-1944) reste l'auteur du *Bonheur des tristes* (1935) qui romance la poésie un peu fantastique de son enfance. *L'Apprentissage de la ville* (1942) et *l'Injuste Grandeur* (1951) permettent d'approcher son étonnante personnalité de mystique et d'écrivain.

Jean Douassot (né en 1923), malade, isolé dans la montagne, a porté témoignage sur la misère sociale et ses conséquences, sur l'état d'âme d'un enfant, dans un gros livre chaotique et bouleversant, *la Gana* (1958).

Michel Droit.

Michel Droit (né en 1923) commence une carrière de journaliste en 1944 qui le conduira au *Journal télévisé*, puis au *Figaro littéraire*, dont il est le rédacteur en chef depuis 1961. Il publie son premier livre *De Lattre, maréchal de France* en 1952. Puis il compose des romans : *Plus rien au monde* (1954), *Pueblo* (1957). *Le Retour* nous place devant l'un des aspects les plus douloureux du drame des rapatriés d'Algérie. *Les Compagnons de la Forêt-Noire* (1966) est un beau livre, dur, humain et fraternel, sur la campagne d'Allemagne à la fin de la guerre. Michel Droit est un témoin important de sa génération. Il est aussi l'auteur d'essais et de récits de voyage.

René Fallet (né en 1927) reconstitue cyniquement la vie des adolescents dans les faubourgs parisiens pendant la guerre : *Banlieue Sud-Est* (1947). *La Fleur et* *la Souris*, *Pigalle* (1950), *la Grande Ceinture* (1957), *Il était un petit navire* (1962), *Paris au mois d'août* (1964) prolongent, avec plus d'art, le populisme de son premier roman.

Pierre Fisson.

Pierre Fisson (né à Tiflis en 1918) a vécu à Berlin avec l'armée américaine d'occupation. Il en a ramené *Voyages aux horizons* (1948), épopée pessimiste, qui nous promène à travers le monde dans une course hallucinée. *Les Certitudes équivoques* (1950) anticipent un avenir de terreur. *Mexique* (1953) est d'une belle violence, comme la plupart de ses reportages plus ou moins romancés, *les Rendez-vous de Moscou* (1965).

Romain Gary (né en Russie en 1914) mérite une attention toute particulière pour la vigoureuse concision de son *Éducation européenne* (1945) sur la résistance polonaise. *Tulipe* (1946), *le Grand Vestiaire* (1949) peignent le chaos du monde moderne. *Les Racines du ciel* (1956), œuvre puissante et symbolique sur la destinée des éléphants d'Afrique, rendirent célèbre cet écrivain si bien doué, qu'un recueil de souvenirs, *la Promesse de l'aube* (1960), permit à ses admirateurs d'approcher de plus près. Sa désinvolture racée déconcerte et bouleverse le lecteur dans l'extravagante *Lady L.* (1963), puis l'affole dans ses analyses de la « comédie américaine » : *les Mangeurs d'étoiles* (1966), l'inquiète par l'évocation des temps de terreur : *la Danse de Gengis Cohn* (1967), premier volet de *Frère Océan.*

Virgil Gheorghiu (né en Roumanie en 1916) entre dans les lettres de 1949 avec un beau roman quasi autobiographique : *la Vingt-Cinquième Heure*. Inspiré par une foi mystique ardente, chacun de ses livres donne une puissante et poétique démonstration d'évangélisme, où le réalisme se mêle à l'imagination légendaire et à l'âpre leçon de morale : *la Seconde Chance*, *L'homme qui voyagea seul*, *les Sacrifiés du Danube*, *les Mendiants de miracles*, *la*

Virgil Gheorghiu.

Cravache, *Perahim*, *la Maison de Petrodava*, *le Peuple des immortels*, *les Immortels d'Agapia* (1964), *le Meurtre de Kyralessa* (1965), *la Condottiera* (1967). On lui doit aussi des *Vies de saint Jean Bouche-d'Or*, *Luther* et *Mahomet*. Virgil Gheorghiu s'est fait ordonner prêtre de l'Église orthodoxe en 1963.

Édouard Glissant.

Édouard Glissant (né à la Martinique en 1928), poète (cf. p. 243), réalise dans son œuvre une parfaite synthèse de ses origines antillaises, de sa connaissance des traditions européennes et de son esprit d'avant-garde et de nouveauté littéraire. Par un roman profondément original, *la Lézarde*, il s'impose en 1958 à l'attention du grand public. *Le Quatrième Siècle* (1964) est une véritable chronique, d'un lyrisme chaud et coloré, qui nous fait revivre avec une incomparable ferveur l'histoire de l'esclavage et de la traite des Noirs aux Antilles. Glissant possède un langage bien à lui, ruisselant d'images, plein de mouvement et dont le vocabulaire est d'une richesse peu commune. On lui doit aussi du théâtre : *Monsieur Toussaint* (cf. p. 337).

Julien Gracq (né en 1910) se rattache au mouvement surréaliste. *Un beau ténébreux* (1945) pose le cas d'un Don Juan vieilli et romantique, dans un feu d'artifice d'images riches en symboles. Dans *Au château d'Argol* (1938), dans *le Rivage des syrtes* (1951), de puissantes orgues wagnériennes orchestrent la magie des mythes. *Un balcon en forêt* (1958) développe à nouveau le thème de l'attente. Écrivain solide et presque déjà classique, Gracq a condamné les mœurs littéraires actuelles dans un brillant pamphlet : *la Littérature à l'estomac* (1950), dans *Préférences* (1961) et dans *Lettrines* (1967).

Julien Gracq.

Consulter :
J.-L. Leutrat
Julien Gracq *(Éd. Univ., 1967)*.

Kléber Haedens (né en 1913) témoigne d'un tempérament robuste, satirique, parfois violent, qui engendre des œuvres plus fracassantes par les situations et par le style que réellement pessimistes, depuis *l'École des parents* (1937) jusqu'à *L'été finit sous les tilleuls* (1966), en passant par le fameux *Salut au Kentucky* (1947), où le recul du temps tempère ses sarcasmes.

Armand Hoog (né en 1912), excellent critique, est l'auteur d'un remarquable recueil d'essais écrit en captivité et publié en 1946 : *Littérature en Silésie*. Son premier roman *l'Accident*, paru en 1947, obtient le prix Sainte-Beuve 1948. *Le Dernier Tonnerre* paraît en 1958. Dans *les Deux Côtés de la mer* (1967), il conte avec une rare maîtrise l'histoire d'un homme au double visage, surpris entre son passé et son présent, entre l'Europe et l'Amérique. Son art est subtil et d'une grande consistance humaine, embrassant également l'Histoire et l'univers quotidien des êtres.

Raymond Jean, critique à l'esprit clair et aux idées neuves, a témoigné sur la guerre d'Indochine dans un bon livre sans concessions (*le Village*, 1966). Il concilie l'humanisme et le « nouveau roman ».

Alfred Kern (né en 1919), après quelques tentatives fort honorables, a réussi en 1957 un difficile chef-d'œuvre, *le Clown*, où la fantaisie se mêle à l'Histoire, en même temps qu'un homme cherche à se définir dans ses rapports avec un monde qui lui échappe constamment. *L'Amour profane* (1959), *le Bonheur fragile* (1960), *le Viol* (1964) suggèrent des profondeurs métaphysiques qui apparentent son art à celui d'un Thomas Mann.

Hervé Kerven (né en 1910) a fait l'épopée des militants révolutionnaires de sa génération dans un livre vigoureux, dramatique et riche d'expérience personnelle : *Compagnons d'Europe* (1949).

Anna Langfus (née en Pologne en 1920, morte en 1966) s'est inspirée du drame de sa famille et de son pays pour écrire, entre autres, *les Bagages de sable* (1962), qui méritent de lui survivre.

Jacques Lanzmann (né en 1927), doué d'une expérience multiple de voyageur et d'ouvrier, transpose ses propres aventures avec un grand talent d'évocation : L'Islande (*La glace est rompue*), l'Amérique latine (*le Rat d'Amérique*), une croisière en U.R.S.S. (*Cuir de Russie*, 1957), le drame des travailleurs algériens (*les Passagers du « Sidi-Brahim »*, 1958), la République de Haïti (*Un tyran sur le sable*, 1959), Cuba (*Viva Castro*, 1959), etc. Il appartient à l'équipe des *Temps modernes*.

Pierre-Jean Launay attire l'attention des critiques dès son premier livre : *le Maître du logis*. Avec son second roman, *Léonie la Bienheureuse* (1938), il devient célèbre juste à la veille de la guerre. Il publie ensuite *les Héros aux mains vides*, *Corps à cœurs*, *Ludovic le Possédé*, puis deux livres de nouvelles : *L'amour n'est pas l'affaire des hommes*, et *La mort rôde aux carrefours*, récits inspirés par la lutte clandestine à laquelle l'auteur a participé. *Aux portes de Trézène* (1966), son plus récent roman, dont le titre évoque un souvenir racinien, est l'aboutissement d'un long silence et de méditations. L'auteur s'est inspiré des mythes anciens pour écrire un récit moderne, passionné, d'un style plein de force et d'une grande richesse.

Jean Malaquais (né à Varsovie en 1908), débuta par *les Javanais* (1939), roman violent, expression d'une personnalité puissante. *Planète sans visa* (1947) est une œuvre non moins bouleversante, à prétentions cosmiques, tandis que *le Gaffeur* (1953) tend vers le roman d'anticipation.

Robert Margerit (né en 1910), comme Julien Gracq et Marcel Schneider, transporte dans le roman certains mythes surréalistes : *Mont-Dragon* (1945), *le Dieu nu* (1951). Il poursuit désormais son œuvre dans le sillage de ses recherches historiques (*la Révolution*, 3 vol., 1963, *Waterloo*, 1965, *les Hommes perdus*, 1968).

Loys Masson (né à l'île Maurice en 1915) édifie avec régularité et avec un talent très chaud une œuvre de romancier de la mer et de l'aventure hallucinante. En France depuis 1939, il n'est jamais retourné dans son île natale, mais c'est autour d'elle et de l'océan Indien que s'articulent ses ouvrages : en 1945, il publie d'abord deux romans, *l'Étoile et la Clef* et *le Requis civil*, puis prend un nouveau départ en 1956 avec *les Tortues*, que suivront *la Douve*, *les Sexes foudroyés*, *les Mutins*, *le Notaire des Noirs* (1962), *les Noces de la vanille*, *Lagon de la Miséricorde* (1964), *le Feu d'Espagne*, *les Anges noirs du trône* (1967). Ce romancier virtuose est aussi auteur dramatique et poète (cf. p. 233).

Pierre Moinot (né en 1920) a mis en scène la guerre à laquelle il a participé (*Armes et bagages*, 1951, *la Chasse royale*, 1953) d'une manière qui transcende l'événement et porte un témoignage général sur l'homme et la nature (*le Sable vif*, 1963).

Robert Morel (né en 1922) dépayse le lecteur dans une prenante légende épique : *Saga* (1945). Ce jeune écrivain, nourri de la Bible et de la littérature ésotérique, présente des talents fort variés : *l'Annonciateur*, *l'Évangile de Judas*, *Vous aurez*, *Contre les hommes*, *Joyeuse*, etc.

Georges Navel (né en 1904) a témoigné, dans *Travaux* (1945) et dans *Parcours* (1950), de son expérience d'autodidacte sensible à la poésie du monde, malgré ses tendances matérialistes. *Chacun son royaume* (1960) exalte « l'instinct de liberté ».

Jacques Nels (né en 1901) se permet tous les bouleversements possibles de la chronologie pour nous décrire l'itinéraire sentimental d'un personnage entre deux stations d'autobus : *Poussière du temps* (1946).

René de Obaldia (né en 1918 à Hong-Kong) disloque le temps et l'Histoire et recompose, non sans humour, certains épisodes fameux du passé (*Tamerlan des cœurs*, 1955, *Fugue à Waterloo*, 1957) ou l'univers non conformiste d'un vieillard (*le Centenaire*). Voir aussi son théâtre p. 337.

Louis Pauwels (né en 1920) s'est surtout intéressé aux problèmes du mysticisme, notamment au cas du philosophe Gurdjieff. On retiendra surtout de lui *l'Amour monstre* (1955) et un pamphlet sur notre siècle (*le Temps des assassins*). Puis c'est le fameux *Matin des magiciens* (en collaboration avec Jacques Bergier) et la fondation de la revue *Planète*, qui draine toutes les tendances scientifico-ésotériques d'un vaste public français et étranger.

Jacques Perret (né en 1901) conte, comme tant d'autres, ses épreuves de prisonnier de guerre dans le *Caporal épinglé* (1947), mais avec un humour remarquable. Il est le créateur d'une sorte de bouffonnerie lyrique, qui n'exclut pas le sens des graves problèmes (*le Vent dans les voiles*, *la Bête Mahousse*, *Bande à part*, *Rôle de plaisance*, etc.).

Jacques Peuchmaurd (né en 1923), auteur d'une longue nouvelle intitulée *la Plage de Saint-Clair*, 1956 (dont on a tiré un film télévisé en 1962), s'impose en 1958, avec *le Plein Été*, comme un solide romancier campant avec force des personnages généreux dans le quotidien. En 1964, un second roman : *le Soleil de Palicorna* confirme ses dons hérités de la tradition des grands moralistes. *La Nuit allemande* (1967) est le récit d'une douloureuse expérience : la découverte de la guerre et de la vie par un petit bourgeois aventurier; cette confession pathétique est aussi le roman de l'amitié, aux réflexions toujours pertinentes.

Colette Peugnier renoue avec la tradition des histoires « vraies ». Son premier roman *Sarah Cortez* (1966) est un roman « romanesque » riche de toute la substance et de la chaleur de la vie. Son second livre, *Un jour dans la vie de Mennie Lee*, nous fait découvrir un écrivain de nouvelles dures et vraies — un nouveau conteur.

Anne Philipe, épouse de Gérard Philipe (1922-1959), est née à Bruxelles. Elle publie en 1955 *Caravanes d'Asie*, récit d'un voyage dans le Sin-Kiang. On lui doit des reportages parus dans la presse sur le Japon, Cuba, etc. On découvre la romancière en 1963, avec *le Temps d'un soupir*, méditation inoubliable sur l'amour et sur la mort, d'une sensibilité douloureuse mais lucide et stoïque. C'est un dialogue avec une ombre qui se poursuit hors du temps. Dans la même veine, elle publie en 1967 *les Rendez-vous de la colline*, beau récit aux résonances secrètes, délicates, écrit avec simplicité, d'un grand amour : celui d'une jeune veuve et de son enfant. Ses romans ont un éclat mystérieux qui touche le cœur.

Anne Philipe.

Charles Le Quintrec (né dans le Morbihan en 1926) excelle à donner aux êtres et aux choses une saveur particulière et une lumière intérieure qui ne sont qu'à lui : *les Chemins de Kergrist*, *le Dieu des chevaux*, *la Maison du moustoir* et, en 1965, *le Mur d'en face*, odyssée attachante d'un jeune provincial parmi la faune pittoresque et misérable du quartier des Halles à Paris. La critique a vu en lui un Giono breton. Poète, on lui doit : *la Lampe des corps* et *les Noces de la terre* (prix Max Jacob).

Lucien Rebatet (né en 1903), un des chefs de file de la littérature de la « collaboration » (*les Décombres*, 1942), retrouve un second souffle, tout aussi hargneux, dans *les Deux Étendards* (1952) et *les Épis mûrs* (1954).

Jean Reverzy (1914-1958), médecin lyonnais, a montré dans *le Passage* (1954), puis dans *Place des Angoisses* (1956), dans *le Corridor* (1958) et dans plusieurs romans et essais posthumes, comment l'imminence de la mort peut changer notre vision du monde, notre jugement des hommes et notre sentiment intime du temps.

Emmanuel Roblès (né à Oran en 1914) se fit remarquer en 1943 par *Travail d'homme*, œuvre énergique, que suivirent des nouvelles : *Nuits sur le monde. Les Hauteurs de la ville* (1948) et *Cela s'appelle l'aurore* (1952), histoires de vengeance et d'amour sous le soleil d'Algérie ou de Sardaigne, puis *la Mort en face*, *le Vésuve* et *la Remontée du fleuve* (1964) confirment la maîtrise de Roblès, déjà affirmée au théâtre (cf. p. 327).

Consulter :
J.-L. Depierris
Entretien avec Emmanuel Roblès *(Seuil, 1967).*

David Rousset (né en 1912) a décrit « l'univers concentrationnaire » (titre de son premier essai) dans *les Jours de notre mort* (1947), immense fresque où la puissance des idées s'allie à un sens remarquable de la composition dramatique. C'est sans doute le chef-d'œuvre de la littérature sur les camps.

Robert Sabatier (né en 1923) compose une œuvre poétique et romanesque où se retrouvent deux aspects de sa personnalité : imagination débridée et discipline littéraire. Son talent éclate au grand jour dans un concert de truculence et de pathétique, de pittoresque et de réalisme, de picaresque et de poésie. Depuis 1950, il ne cesse de produire de beaux romans : *Alain et le Nègre* (dont Maurice Delbez a tiré un film), *le Marchand de sable*, *le Goût de la cendre*, *Boulevard* (qui a inspiré un film à Julien Duvivier), *Canard au sang*, *la Sainte Farce*, *la Mort du figuier*, *Dessin sur un trottoir*. En 1966, il publie *le Chinois d'Afrique*, qui jette une lumière implacable et crue sur un homme d'aujourd'hui déchiré entre l'appétit de vivre et le désespoir du monde.

Robert Sabatier.

Maurice Sachs (né en 1906, mort mystérieusement en Allemagne en 1945), fut à la fin de sa vie un être déchu. Le monde tel qu'il le voit à travers le sentiment de sa dégradation est peint dans *le Sabbat* (écrit avant 1939, publié en 1946), *Chronique joyeuse et scandaleuse*, et *la Chasse à courre* (1949).

Albertine Sarrazin (1937-1967) a su romancer (à peine) sa courte vie de fille tragiquement dévoyée dans un style nerveux et musclé, donné par la nature (*l'Astragale*, 1965, *la Cavale*, 1965, *la Traversière*, 1966).

Marcel Schneider (né en 1913) construit des mythes d'un surréalisme élégiaque et tendre (*Cueillir le romarin*, 1948, *le Chasseur Vert*, 1950, *le Cardinal de Virginie*, 1961, *Opéra Massacre*, 1965). Un essai : *Entre deux vanités* (1967) nous introduit dans son univers personnel.

Manès Sperber, né en Tchécoslovaquie, devenu écrivain de langue française, a romancé sous forme de tableaux apocalyptiques les problèmes qui déchirent le peuple juif aussi bien que les militants des partis marxistes (*Et le buisson devint cendre*, 1949, *Plus profond que l'abîme*, 1949, *la Baie perdue*, 1953). *Qu'une larme dans l'océan* a été préfacé par Malraux. On lui doit encore un essai où s'exprime son humanisme profond : *le Talon d'Achille* (1957).

André Schwarz-Bart (né en 1928 à Metz), d'une famille juive martyrisée, autodidacte, a d'abord été l'homme d'un seul livre, *le Dernier des Justes* (1959), consacré au calvaire du peuple d'Israël au cours des âges et notamment pendant la dernière guerre; mais ce document historique et humain, à peine romancé, ardent, mystique et pathétique, suffit à émouvoir l'opinion universelle. Avec sa femme Simone, il applique sa sensibilité d'écorché aux Noirs et aux Mulâtres des Antilles (*Un plat de porc aux bananes vertes*, 1967).

Roger Vailland (1907-1965), apparenté d'abord aux surréalistes (groupe du « Grand Jeu »), écrivit un roman riche et subtil sur la Résistance, d'une composition très originale : *Drôle de jeu* (1945). *Les Mauvais Coups*, à propos d'un amour de vieillard, remettent en question les fondements de la morale et de la société, qu'*Un jeune homme seul* (1951) s'emploie à reconstruire. A des romans « sérieux » conçus selon les règles du réalisme socialiste (*Beau Masque*, *325.000 francs*) font suite des œuvres plus libres de ton et d'idées, qui font une part importante à l'érotisme (*la Loi*, 1957, *la Fête*, 1960, *la Truite*, 1964). Sur son théâtre, cf. p. 328. Ses œuvres complètes ont paru aux éditions Rencontre en 1967, dont ses essais réunis déjà sous le titre *le Regard froid* (1963).

Parmi d'autres romanciers de cette génération au talent certain, nous en avons encore remarqué beaucoup d'autres, dont les ouvrages nous ont intéressé, ému, instruit ou diverti. En nous excusant de les mentionner simplement dans cette édition, et regrettant de n'avoir pu tout lire, tout connaître, nous énumérons les suivants, sans pour autant proscrire les autres de la république des Lettres :

Colette Audry (née en 1906) : *Derrière la baignoire*, 1962; **Elisabeth Barbier** (1920) : *les Gens de Mogador*, 1947; **Yves Berger** (1933) : *le Sud*, 1962; **Véronique Blaise**; **Roger Bordier** (1923) : *les Blés*, 1961; **Camille**

Roger Vailland.

Bourniquel (1918) : *le Lac*, 1964; **Jacques Brenner** (1922) : *Trois jeunes tambours*, 1965; **René-Jean Clot** (1913) : *le Mât de Cocagne*, 1953; **Lise Deharme** : *Cette année-là*, 1945; **Jean Duché** (1915) : *Elle et Lui*, 1951; **Salwat Etchart** : *Le monde tel qu'il est*, 1967; **Claire Etcherelli** : *Élise ou la Vraie Vie*, 1967; **Paul Gardenne** (1918-1954) : *le Vent noir*, 1947; **Yves Gibeau** (1913) : *Allons z'enfants*, 1952; **Serge Groussard** (1912) : *Un officier de tradition*, 1955; **Jean-Claude Hémery** : *Curriculum vitae*, 1966; **Jean-René Huguenin** (1936-1962) : *la Côte sauvage*, 1960; **Simonne Jacquemart** (1922) : *le Veilleur de nuit*, 1962; **Henriette**

Jelinek : *la Marche du Fou*, 1967; **Hubert Juin** (1926) : *Chaperon rouge*, 1963; **Maria Le Hardouin** (1912-1967) : *l'Étoile absinthe*, 1967; **Renée Massip** (1907) : *la Bête quaternaire*, 1963; **Jean Meckert** (1910) : *Justice est faite*, 1954; **Michel Mohrt** (1911) : *la Prison maritime*, 1962; **Pierre Molaine** (1906) : *les Orgues de l'Enfer*, 1950; **Irène Monesi** : *Nature morte devant la fenêtre*, 1966; **Morvan-Lebesque** (1911) : *l'Amour parmi nous*, 1958; **Gérard Mourgue** (1921) : *le Prince de ce monde*, 1959; **Françoise Parturier** (1929) : *Les lions sont lâchés*, 1955; **Roger Rabiniaux** (1914) : *Impossible d'être abject*, 1958; **Henri-François Rey** (1920) : *les Pianos mécaniques*, 1961; **Jacques Robichon** (1920) : *la Mise à mort*, 1951; **Dominique Rolin** (1913) : *les Marais*, 1942; **Roger Rudigaux** (1962) : *Saute-le-temps, journal d'un écrivain*, 1960; **Marcel Sauvage** (1895) : *la Fin de Paris;* **Claude Seignolle** (1917) : *la Malvenne*, 1965; **Marie Susini** (1920) : *les Yeux fermés*, 1964; **Albert Vidalie** (1913) : *les Bijoutiers du clair de lune;* **José Luis de Villalonga** (1920) : *Les ramblas finissent à la mer*, 1952; **Michel Zeraffa** (1918) : *le Temps des rencontres*, 1949.

Sommes en chantier

Parmi les sommes romanesques déjà entreprises avant la guerre, certaines ne sont pas encore terminées, celle de René Béhaine, par exemple (cf. p. 179). Pendant et après la guerre, des écrivains tentés par le succès des sommes précédentes et par celui de quelques énormes romans américains, ont adopté cette formule. Rappelons qu'on attend les suites de nombreux romans cycliques.

Dans la nouvelle génération, les premiers ouvrages de Jean Cayrol, Maurice Druon, Julien Blanc et même Jean-Paul Sartre présentent, en plusieurs volumes, les aspects les plus divers de la société. Mais ce sont plutôt de grands romans que des cycles véritables. A ce genre appartiennent plus précisément :

Edmond Buchet (né en 1907). Il a situé à Genève, où il est né, les épisodes multiples de ses *Vies secrètes* (terminées en 5 vol. fin 1948). Cette série englobe toute l'histoire européenne de 1904 à nos jours. La technique rappelle celle de Roger Martin du Gard, avec un sérieux un peu plus lourd. Edmond Buchet n'y est pas tendre pour les protestants.

Thyde Monnier (née à Marseille en 1887, morte en 1967) fut un écrivain de race, puissante, innocemment païenne et glorifiant l'instinct, qui n'a peur ni des pensées ni des mots. Elle infuse une étonnante vie à ses récits et à ses personnages tumultueux, dont elle

Thyde Monnier.

mêle les destins avec un talent véhément et une rare chaleur. Son premier grand livre, *la Rue Courte*, évocation réaliste de Marseille, paraît en 1937. Puis elle entreprend le cycle d'une dynastie paysanne en Provence qui comprend sept tomes : *les Desmichels* (1937-1948). Romancière féconde, elle compose ensuite un nouveau cycle : *Franches-Montagnes*, dont, en 1965, elle reprend les thèmes pour les fondre en une seule chronique très riche : *les Filles du feu*, où nous retrouvons ses dons exceptionnels de conteur. Sous le titre général *Moi*, elle a publié ses mémoires : *Faux départ* (1949), *la Saison des amours* (1950), *Sur la corde raide*, *Jetée aux bêtes*.

Henri Troyat.

Henri Troyat (né à Moscou en 1911), académicien, compose une œuvre abondante où alternent romans et séries romanesques. Il est l'auteur de *Faux Jour* (1935), *l'Araigne* (1938), *la Tête sur les épaules*, *Une extrême amitié*, *le Geste d'Eve* (1964), etc. Une première et vaste fresque romanesque de la Russie nous mène de 1888 à l'après-guerre : *Tant que la terre durera* (1947-1950). Un autre cycle, *les Semailles et les Moissons*, puis un troisième, *la Lumière des justes* (1959-1963) nous permettent de connaître dans ses profondeurs les drames du peuple russe. Cette œuvre riche et harmonieuse, avec ses personnages emportés par la passion et par l'Histoire, récompense la patience du lecteur. Depuis 1965, il a commencé un nouveau cycle : *les Eygletière*. On lui doit des nouvelles : *les Ailes du diable* (1966). On lira également ses biographies très denses (*Dostoïevski*, *Pouchkine*, *Lermontov* et *Tolstoï*).

René Laporte (1905-1954), poète (cf. p. 224), dramaturge, homme d'affaires, écrivit une dizaine de romans avant *les Membres de la famille* (1948). C'est l'histoire de la bourgeoisie après 1936. La ligne en est plus nette, le rythme plus vif que dans la plupart des ouvrages de ce genre; le contenu plus léger aussi. Cette somme, prévue en trois cycles de plusieurs volumes chacun, a été interrompue par la mort.

Yvonne Chauffin (née en 1905) compose de remarquables « scènes de la vie de province » dans les quatre volumes des *Rambourg* (1952-1955).

Le roman existentialiste

Une partie de la production romanesque demande à être classée à part, car elle présente une certaine unité de pensée et d'art : ce sont les romans existentialistes. L'existentialisme (cf. p. 349) possède là son mode d'expression privilégié. Rien n'est plus romanesque que ces personnages qui cherchent leur « essence » dans le développement de leur « existence ». La durée, ressort principal de tout roman, est la dimension essentielle de l'univers existentialiste. Ces romans se présentent donc non point comme ceux de Balzac, où l'essence des créatures (généralement une passion) est définie *a priori* et développée à partir de cette définition, mais plutôt comme ceux de Stendhal ou de Dostoïevski, dont les personnages se font et se défont sous nos yeux. Ces romans sont aussi la meilleure illustration qui existe de la *liberté*, c'est-à-dire d'une disponibilité permanente de l'être.

Jean-Paul Sartre (né à Paris en 1905), chef de l'école, en est aussi le meilleur romancier. Intelligence, don de sympathie, imagination de l'intrigue et des détails, style enveloppant, naturel et précis, dépourvu du pédantisme philosophique, toutes ces qualités mettent les romans de Sartre au premier plan de la production *Le Mur* (1939), recueil de nouvelles, reste peut-être sa plus belle réussite. Qu'il décrive des combattants de la guerre d'Espagne, une femme succombant à la folie, un raté maniaque ou l'adolescence d'un futur « chef », il reste toujours vrai, intelligent, artiste. Dans *la Nausée* (1938), il crée un individu larvaire, Roquentin, qui agonise entre la médiocrité des choses et sa propre impuissance : c'est le type même de l'être sans liberté, que l'existentialisme veut guérir en

Jean-Paul Sartre.

Page de droite :
Simone de Beauvoir.

l'arrachant au déterminisme. *Les Chemins de la liberté* s'affirment comme son œuvre capitale. Le premier volume : *l'Age de raison* (1945) montre Mathieu Delarue à la recherche de cette liberté qui le rendra maître de son destin. Le second : *le Sursis*, est d'une technique très particulière, l'action se passe en vingt lieux à la fois, et l'auteur change de scène sans transition au cours du même paragraphe. On y sent l'influence de Dos Passos. Dans *la Mort dans l'âme* (1949), Mathieu choisit le sacrifice. Cet héroïsme dure-t-il? C'est ce que devait nous apprendre *la Dernière Chance*. Mais Sartre n'est pas revenu à la forme romanesque, et les *Mots* (1964) semblent bien régler son compte à la « littérature », encore qu'ils soient peut-être son chef-d'œuvre d'écrivain. (Sur son théâtre, cf. p. 342; sur sa philosophie et les ouvrages à consulter, cf. p. 351.)

Consulter :
Un essai de J.-P. Sartre dans Situations I *et le numéro spécial de la revue* Critique *(juin 1965).*

Simone de Beauvoir (née en 1908), disciple fidèle, s'est attaquée au roman dans *l'Invitée* (1943), roman psychologique écrit en un style volontairement gris. *Le Sang des autres* (1945) est d'une technique plus moderne. L'auteur y campe un homme de la Résistance aux prises avec l'éternel dilemme des fins et des moyens. *Tous les hommes sont mortels* (1946) est une sorte de conte philosophique. *Les Mandarins* (1954), qui font la synthèse de ses thèmes privilégiés, constituent une sorte de chronique des milieux de gauche dans les années d'après guerre, en même temps qu'une confession douloureuse et voilée de son auteur. Elle a entrepris d'écrire son autobiographie : *Mémoires d'une jeune fille rangée* (1958) sont l'histoire de l'enfance et de l'adolescence; *la Force de l'âge* (1960) est le récit de la maturité; *la Force des choses* (1963) retrace surtout les activités des intellectuels de gauche depuis 1944. En 1964, elle publie un beau récit sur la mort de sa mère : *Une mort très douce*. Puis, en 1966, un récit mince, rapide, tout en dialogues, a surpris : *les Belles Images*, histoire d'une famille de riches bourgeois. *La Femme rompue* (1967) met en scène des femmes confrontées à l'adultère et à la vieillesse.

(Sur son théâtre, cf. p. 343; sur sa philosophie et les ouvrages à consulter, cf. p. 352.)

René Etiemble (né en 1910) fit scandale en écrivant *l'Enfant de chœur* (1937), histoire d'un inceste compliqué d'une syphilis. Après un long silence occupé seulement par des œuvres critiques, il continue à décrire la vie d'André Steindel dans les trois tomes de *Peaux de couleuvre*, livre cynique, d'une grande sécheresse apparente, mais riche d'idées alertes. Ses articles de critique, groupés sous le titre *Hygiène des Lettres* (5 vol. en 1967), témoignent d'une santé robuste et d'un style sûr. *Parlez-vous franglais?* (1964) milite pour la pureté de la langue.

Robert Merle (né en 1908) met en scène des héros lucides et violents, avec une parfaite maîtrise de son art (*Week-End à Zuydcoote*, 1949, *La mort est mon métier*, 1953, *l'Ile* (1962), et, au théâtre, *Flamineo*). Il se voue à un couple de dauphins humanisés dans *Un animal doué de raison* (1967), récit de politique-fiction, qui analyse les rapports du savant et de l'État dans le monde moderne.

Maurice Blanchot (né en 1907) écrit des livres peu accessibles au grand public, tant ils sont fantastiques et mystérieux, en dépit d'une langue parfaitement achevée. On trouve une ample matière à la réflexion métaphysique dans ses œuvres critiques (*Thomas l'Obscur*, 1941, *Aminabad*, 1942, *Faux Pas*, 1943, *la Part du feu*, 1949, *l'Espace littéraire*, 1955), et dans des récits assez obscurs : *l'Arrêt de mort* (1948), *Celui qui ne m'accompagnait pas* (1953), *le Dernier Homme* (1957), *le Livre à venir* (1959), *l'Attente et l'Oubli* (1962).

Raymond Guérin (1905-1955) a commencé une *Ébauche d'une mythologie de la réalité*, dont a paru le premier volume : *l'Apprenti* (1946), livre très cru sur les perversions de l'enfance. En 1941, *Quand vint la fin* raconte sa jeunesse bouleversée, que complète dans l'édition de 1945 un important essai sur le sens de son œuvre. *La Confession de Diogène* (1948) affirme le même scepticisme anarchiste.

Consulter :
Jean Clouzet
Boris Vian *(Seghers, 1966).*
De Vrée
Boris Vian *(Hostfeld, 1967).*
Numéro spécial de Bizarre *(février 1966).*
Henri Baudin
Boris Vian, la poursuite de la vie totale *(Centurion, 1966).*

Boris Vian (1920-1959) ne fut compris qu'à la fin de sa courte vie, lorsqu'à travers les mystifications et les cocasseries transparut le tragique moderne de *Vercoquin et le Plancton* (1946), de *l'Écume des jours* (1947), son chef-d'œuvre, et d'*Automne à Pékin* (1947). (Sur son théâtre, voir page 333.)

Violette Leduc (née en 1913) est l'auteur de *la Bâtarde* (1964). Dans ce beau livre, salué comme un événement et préfacé par S. de Beauvoir, une femme descend au plus secret de soi et se raconte avec une sincérité intrépide. On lui doit également des récits : *l'Asphyxie, l'Affamée, la Femme au petit renard* (1965), de grand talent, composés sur les thèmes de la solitude et de la déchéance.

Joignons-leur le bel acteur berbère **Mouloudji** (né en 1922) : *Enrico* (1945); **Yassu Gauclère** (1908-1961) : *l'Orange bleue* (1940), *la Clé* (1951); **Jean Cau** (né en 1925), dont le Goncourt couronne *la Pitié de Dieu* (1961), et enfin **Jean Genêt,** enfant de l'Assistance publique, condamné de droit commun, auteur dramatique (cf. p. 335), qui s'est peint lui-même dans son *Journal du voleur* et dont Sartre a disséqué l'âme (*Saint Genêt, comédien et martyr*).

Consulter :
R. de Luppé
Albert Camus *(Temps présent, 1951).*
Roger Quilliot
Albert Camus, la mer et les prisons *(Bibl. Idéale, Gallimard, 1956).*
J.-C. Brisville
Albert Camus *(Gallimard, 1959).*
A. Hourdin
Camus le Juste *(Éd. du Cerf, 1960).*

Albert Camus (né en Algérie en 1913, mort en 1960) a publié en 1942 un roman considérable par sa facture nouvelle et son fond : *l'Étranger*. Il crée là un type inoubliable d'homme indifférent, « étranger » à tout. Meursault travaille, il aime, il tue, il est condamné à mort sans prendre intérêt au film de sa vie. Dans la chaleur et la lumière d'Algérie, la sensation de l'absurdité du monde revêt un tragique intolérable. *La Peste* (1947) est un mythe qui traduit l'occupation allemande; mais, sous cette fiction, toute la condition humaine est décrite, avec cette intelli-

Albert Camus.

Numéro spécial de la Table Ronde *(février 1960).*

Hommage à Albert Camus *(NRF, 1960, nouvelle édition 1967).*

Morvan-Lebesque
Albert Camus par lui-même *(Seuil, 1964).*

J. Onimus
Camus devant Dieu *(Desclée de Brouwer, 1965).*

André Nicolas
Albert Camus *(Seghers, 1966).*

P.-G. Castex
Albert Camus et « l'Étranger » *(Corti, 1966).*

Le Camus *de la collection* « *Génies et Réalités* » *(Hachette, 1964).*

gence brûlante et vibrante qui caractérise le talent de Camus. *La Chute* (1956) situe en Hollande l'expérience ambiguë, aux résonances chrétiennes, d'une sorte de juge pénitent. Les nouvelles de *l'Exil et le Royaume* (1957), dont les plus belles concernent son Algérie natale, expriment douloureusement les exigences de bonté, et en même temps de lucidité, d'un des écrivains les plus nobles que la France ait comptés. Le prix Nobel lui fut décerné en 1957 et lui inspira son beau *Discours de Suède*, dans lequel il définit avec clarté ses exigences de créateur. Ses *Carnets*, dont le premier volume est paru en 1962 et le second en 1964, sont d'un grand intérêt. Après sa mort, Roger Quilliot a réuni ses œuvres complètes (récits, nouvelles, théâtre et essais) en deux volumes (Bibliothèque de la Pléiade). Sur son théâtre, cf. p. 343; sur ses essais, cf. p. 353.

Le « nouveau roman »

A partir de 1950, on commence à parler en France, et presque simultanément dans beaucoup de pays étrangers, d'une nouvelle école française du roman. Bien que le nombre des lecteurs ne soit pas encore considérable (à l'exception de *la Modification* de Michel Butor qui obtint, en 1957, le prix Théophraste-Renaudot), ce mouvement éveille une curiosité grandissante, justifiée désormais par l'abondance et la qualité de la production. C'est sans doute de ce côté-là qu'on verra le genre, un peu essoufflé, du roman se renouveler dans les années à venir.

A vrai dire, les écrivains en question constituent moins une école qu'une équipe, que relient des expériences communes (ils ont entre quarante et soixante ans), généralement un éditeur commun (Jérôme Lindon, directeur des Éditions de Minuit), des convictions philosophiques et politiques analogues (intellectuels de gauche), un fonds de procédés de composition et de style qui tranchent vivement sur la technique habituelle du roman réaliste ou du roman psychologique.

Les origines de ce courant se reconnaissent aisément. D'abord le roman naturaliste. Non point le naturalisme épique à la Zola, mais celui des « petits naturalistes » des années 1890 : Céard, Hennique, le premier Huysmans surtout, voire Jules Renard. Plus près de nous, Kafka et James Joyce, dont Samuel Beckett fut le secrétaire. Plus près encore, *l'Étranger* de Camus. Mais ce mouvement doit aussi beaucoup aux critiques littéraires et aux philosophes; il est un produit de laboratoire, et comme tel se rattache aux recherches de Pierre de Lescure et de la revue *Roman*, qui parut quelque temps à Saint-Paul-de-Vence, aux articles et aux exemples de Maurice Blanchot (cf. p. 301), au *Degré zéro de l'écriture* de Roland Barthes, à l'intelligence aiguë de jeunes essayistes qui ont aidé ces romanciers à définir et à préciser leurs buts et leurs méthodes (Guy Dumur, Bernard Dort, Bernard Pingaud, etc.), aux études linguistiques et aux recherches du groupe *Tel quel*. Enfin, ces écrivains ont été largement influencés par la phénoménologie, l'existentialisme et le structuralisme. Bien qu'il soit beaucoup plus qu'eux un « moraliste », Sartre ne renie pas ces épigones un peu secs, qui ont tant de choses communes avec lui.

Malgré de grandes différences de style et de conception, on peut d'ores et déjà ranger dans cette rubrique les romanciers suivants :

Samuel Beckett.

Samuel Beckett (né à Dublin en 1906) a, depuis la guerre, écrit en français une demi-douzaine de romans qui seraient peut-être restés ignorés sans le succès de son théâtre (cf. p. 331) : *Murphy* (publié en 1953, mais écrit d'abord en anglais beaucoup plus tôt), *Molly* (1951), *Malone meurt* (1951), *l'Innommable* (1953), *Nouvelles et Textes pour rien* (1955), *Comment c'est* (1960) exhibent le même personnage larvaire, mais douloureux et finalement sympathique, proférant avant le silence définitif un interminable radotage, dont on ne sait s'il est le magma fécond de l'humanité future ou la déliquescence finale d'un univers déjà putréfié. *Têtes mortes* (1967) comprend trois textes : *Imagination morte, imaginer*, *Assez* et *Bing*, qui témoignent de l'impossibilité de parler et de se taire. (Consulter les ouvrages indiqués p. 331.)

Alain Robbe-Grillet (né à Brest en 1922), de formation plutôt scientifique et technique, passe pour le plus intransigeant de tout ce groupe. Nulle concession au « pittoresque », au « romanesque », mais un dénombrement implacable des objets qui entourent les personnages, les conditionnent, les déterminent.

Alain Robbe-Grillet.

Les Gommes (1953) parodient le drame d'Œdipe, absurde s'il en fut. *Le Voyeur* (1955), peut-être son chef-d'œuvre, dissout l'événement essentiel (sans doute un viol suivi d'un crime) dans le recensement des innombrables détails qui noient la conscience psychologique et morale du personnage. *La Jalousie* (1957), jouant sur le mot « jalousie » (sentiment et objet), met l'accent sur l'importance du regard comme condition de l'existence d'autrui. Dans *le Labyrinthe* (1959), tous les procédés d'affolement sont appliqués avec une virtuosité merveilleuse. A défaut de pouvoir « en » sortir (quelle issue ?), on éprouve une âpre volupté à se perdre. Il consacre au cinéma une partie de son intelligence active (*l'Année dernière à Marienbad*, 1961, *l'Immortelle*, 1963, *Trans Europ Express*, 1966), sans abandonner le roman, qui devient plus romanesque avec *la Maison de rendez-vous* (1965). Les principes de son œuvre sont exposés dans *Pour un nouveau roman* (1963).

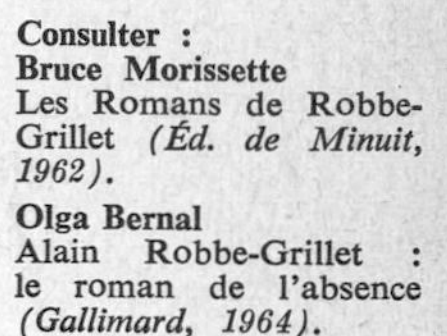
Consulter :
Bruce Morissette
Les Romans de Robbe-Grillet *(Éd. de Minuit, 1962).*
Olga Bernal
Alain Robbe-Grillet : le roman de l'absence *(Gallimard, 1964).*

Michel Butor (né à Mons-en-Barœul, près de Lille, en 1926) a su couler dans des architectures nouvelles un contenu romanesque et psychologique remarqua-

Michel Butor.

blement riche et varié. Il est le plus doué, le plus brillant, le plus connu de la nouvelle école. *Passage de Milan* (1954) et *l'Emploi du temps* (1955) restituent fidèlement l'écoulement des heures dans la grisaille de la vie. *La Modification* (1957) dut largement son succès au fait d'être écrit à la deuxième personne, sorte d'agression contre le lecteur, qui le force à entrer dans le jeu. *Degrés* (1960), vrai tour de force, enregistre simultanément tout ce qui se passe entre le maître et ses élèves dans une salle de classe. Il est aussi l'auteur aux recherches très subtiles de *Mobile* (1962), *Réseau aérien* (1962), *Description de San Marco* (1964) et d'une composition sonore : *6 810 000 litres d'eau par seconde*, publiée en 1965 et créée à la Maison de la Culture de Grenoble en 1967. Il a écrit une sorte d'autobiographie : *Portrait de l'artiste en jeune singe* (1967). Ses recueils d'essais et de conférences, *Illustrations, Essai sur les Essais, Répertoire* (1960-1967) prolongent cette œuvre finalement peu romanesque, véritable chantier d'expériences verbales, où la prose française acquiert une dimension nouvelle.

Consulter :
Michel Leiris
Le Réalisme mythologique de Michel Butor *(Critique, février 1958).*
Jean Roudaut
Michel Butor ou le livre futur *(Gallimard, 1964).*
Georges Charbonnier
Entretiens avec Michel Butor *(Gallimard, 1967).*
Georges Raillard
Butor *(Bibl. Idéale, Gallimard, 1968), en attendant le grand ouvrage de* **Françoise Van Rossum** *sur* la Modification.

Nathalie Sarraute (née à Ivanovo, en Russie, en 1902) fait tournoyer ses personnages dans un flux de sensations de toute sorte. Pourtant, des êtres complets, originaux et profonds parviennent à naître une fois vaincu le vertige des mots, et ce sont finalement de grands et beaux romans ou essais classiques que *Tropismes* (1957, écrit en 1938), *Portrait d'un inconnu* (1957, écrit en 1949), *Martereau* (1953), *le Planétarium* (1959), dont un certain humour à la Gogol n'est pas absent, *les Fruits d'or* (1963), roman sur un roman. *L'Ère du soupçon* (1956) contribue à fonder avec sa tonalité propre l'esthétique du « nouveau roman ».

Nathalie Sarraute.

Consulter :
M. Cranaki et Belaval
Nathalie Sarraute *(Gallimard, Bibl. Idéale, 1965).*
René Micha
Nathalie Sarraute *(Éd. Univ., 1966).*

Claude Simon (né à Tananarive en 1913) reste fidèle depuis 1945 (*le Tricheur*) à la même écriture compliquée, avec ses longues phrases à la Proust, qui cherchent à épouser tout le temps et tout l'espace dans leur continuité. *Le Vent* (1957) et *l'Herbe* (1958) préparent le premier livre qui enfin consacre sa puissante originalité : *la Route des Flandres* (1960). *Le Palace* (1962) et surtout *Histoire* (1967) sont des kaléidoscopes d'images, de mots et de dialogues en liberté.

Consulter : **Ludovic Janvier** Une parole exigeante *(Minuit, 1964)*.

Robert Pinget (né en 1920) a orienté délibérément le « nouveau roman » vers le burlesque et le baroque. C'est une autre manière de traiter la réalité, mais le fond est le même : rendre sensible, par la description des surfaces, la condition affolante des hommes qui ne parviennent à se fixer à rien (*Mahu ou le Matériau*, 1952), *le Renard et la Boussole*, 1953, *Graal Flibuste*, 1957, *Baja*, 1958, *le Fiston*, 1959). En 1962, *l'Inquisitoire* lui apporte la consécration, gros livre fascinant comme une subtile machine d'horlogerie, puis le plus classique *Quelqu'un* (1965), qui rallie l'unanimité de la critique éclairée, ainsi que *Libera* (1968).

Claude Ollier (né en 1923) était l'auteur d'un seul roman : *la Mise en scène* (1958). Écrit au présent, c'est un tour de force, dont la technique ne doit pas dissimuler les recherches de fond. *L'Échec de Nolan* (1967) confirme cette réussite romanesque, poétique, linguistique : l'univers extérieur et intérieur s'y déploie en contrepoints merveilleusement agencés.

Robert Pinget.

Marguerite Duras.

Marguerite Duras (née en Indochine en 1914) s'apparente à cette équipe sans y appartenir vraiment. Ses romans, depuis *la Vie tranquille* (1944), au *Marin de Gibraltar* (1952) et à *Moderato cantabile* (1958), racontent des histoires, analysent des personnages, tiennent moins compte des objets que des sentiments et des idées. Mais ses derniers ouvrages, notamment *le Square* (1955), la rapprochent des jeunes romanciers de la nouvelle vague par une recherche des profondeurs qui n'a plus rien à voir avec la psychologie traditionnelle. Depuis *Hiroshima mon amour* (1960), elle poursuit très librement son œuvre entre le roman, le cinéma et le théâtre, dont les techniques s'entremêlent : *Dix heures et demie du soir en été* (1960), *le Vice-Consul* (1966), *l'Amante anglaise* (1967). Tous ses personnages sont tragiquement seuls dans un monde indifférent.

Consulter :
Henri Hell
L'univers romanesque de Marguerite Duras *(Plon, 1965).*

Claude Mauriac (né en 1914) conserve une part de l'héritage psychologique de son père, mais il met l'accent, avec une intelligence sûre et un grand talent, sur les problèmes d'architecture et de mise en place. Descriptions, dialogues, réflexions s'ordonnent en un monument « Dialogues intérieurs » : *le Dîner en ville* (1959), *La marquise sortit à cinq heures* (1961), *l'Agrandissement* (1963), et surtout l'impeccable épure romanesque que constitue *la Conversation* (1965), sont à inscrire au bilan positif du « nouveau roman ». Sur ses principes littéraires il s'est expliqué dans *l'Alittérature contemporaine* (1958).

Jean-Pierre Faye (né en 1926), qui appartint au groupe « Tel quel » mais reste plus près de Sartre, qui l'a soutenu à ses débuts, écrivit trois romans : *Entre les rues*, *la Cassure*, *Battement*, dont il reprit ensuite savamment les thèmes dans un étourdissant exercice de composition : *Analogue*, récit autocritique (1964). C'est avec *l'Écluse* (1964) qu'il semble adhérer totalement à l'esthétique nouvelle, mais il garde son indépendance et un accent très personnel. Sa verve critique se déploie dans *le Récit hunique* (1967).

Philippe Sollers (né en 1936) s'affirme dès vingt ans (*le Défi*, 1957) comme un écrivain racé, soucieux de la vie intérieure, non moins préoccupé par les problèmes d'écriture. Aragon et Mauriac ont loué l'auteur déjà mûr d'*Une curieuse solitude* (1958), du *Parc* (1961), composé en une sorte de prose harmonieuse à large respiration, de l'*Intermédiaire* (1963)... Dans *Drame* (1965), il cherche à définir les lois de la création romanesque avec une autorité qui fait de lui le maître écouté du groupe « Tel quel ». Les titres annoncés de ses prochains romans : *Nombres*, *Logiques*, laissent prévoir qu'ils appartiendront à la même veine minérale.

Jean-Marie Le Clézio (né en 1943) ne s'apparente à l'école du nouveau roman que par la facture insolite, tantôt très concertée, tantôt assez relâchée, de ses

Jean-Marie Le Clézio.

romans à larges digressions : *le Procès-Verbal* (1963), *la Fièvre* (1965) ou « neuf histoires de petite folie ». Les idées se ressentent de l'influence de Sartre et des psychologues modernes. L'intérêt du *Déluge* (1966), de *l'Extase maternelle* (1967) est dans le regard qu'il porte sur le monde et dans le verbe qui en donne une transposition hallucinée.

Bertrand Poirot-Delpech (né en 1929), l'alerte auteur du *Grand Dadais* (1958), se tourne vers l'esthétique nouvelle sans que cessent de le préoccuper les problèmes éthiques et sociaux (*la Grasse Matinée*, 1960, et surtout *l'Envers de l'eau*, 1963).

Georges Pérec a tout de suite fait impression sur le grand public par son premier gros ouvrage, *les Choses* (1965), qui montre en un style précis l'envahissement de deux consciences par l'univers d'objets dont ils sont la proie.

Alain Badiou (né en 1937) a fait d'*Almagestes* un étourdissant exercice verbal, aux implications profondes, dont il s'explique dans *Sur le roman* (1968).

Roger Laporte, dans son premier texte, *la Veille*, « approche d'un roman », observe la « genèse de la genèse » et vérifie par quelles lois le langage devient littérature. Mieux encore dans *Une voix de fin silence* (1966) et *Pourquoi* (1967).

Jean Ricardou compose *l'Observatoire de Cannes* et *la Prise de Constantinople* comme des mélanges chimiques plus ou moins détonants. En fait, il s'intéresse davantage à l'expérience elle-même qu'à son résultat, comme l'attestent ses *Problèmes du Nouveau Roman* (1967). Il est en outre l'animateur quelque peu terroriste du groupe « Tel quel ».

D'autres écrivains, peu à peu, jeunes ou moins jeunes, se laissent aller vers le « nouveau roman », ou du moins en subissent l'influence, qui se manifeste par des recherches accrues de style et de composition. Tels Michel de Castillo, Louis Guilloux et même Aragon. On pourrait citer encore les œuvres de **Jean Lagrolet, Kateb Yacine, Paul Gegauff, Hélène Bessette, Jacques Borel, Maurice Roche, Pierre Bourgeade,** etc. Mais il faut s'attendre à ce que bien d'autres encore dans les prochaines années rejoignent l'extraordinaire laboratoire du nouveau roman, d'où sont sortis déjà des produits fort valables.

Consulter :
Revue Esprit *(juillet-août 1958).*
Revue Critique : *N°s 80, 86-87, 100-101, 111-112, 146, etc.*
Maurice Blanchot
Le livre à venir *(Gallimard, 1959).*
Jean Bloch-Michel
Le Présent de l'indicatif *(Gallimard, 1964), et d'une façon générale les comptes rendus des deux revues précitées ainsi que ceux des* Temps Modernes, *de la* NRF, *des* Lettres nouvelles, *de* Critique, *du* Nouvel Observateur, *de* Tel quel, *des* Cahiers du Chemin, *etc.*
Contre le nouveau roman, *on pourra s'amuser à lire quelques études, parodies ou pamphlets romancés, qui sont plus divertissants que convaincants :*
Kléber Haedens
Paradoxe sur le roman *(Grasset, 1964).*
Pierre de Boisdeffre
La cafetière est sur la table *(la Table ronde, 1967).*
Romain Gary
Pour Sganarelle *(Gallimard, 1965), etc.*

Renaissance de la nouvelle

Si le roman français a subi une crise dont il commence tout juste à sortir, la nouvelle est au contraire en pleine prospérité. Ce qui distingue le roman de la nouvelle, c'est moins une question de longueur qu'une question de durée. Le roman a besoin d'un long espace de temps pour que les personnages y mûrissent, y vieillissent... La nouvelle est un instantané du réel, une coupe brutale dans une vie humaine, ou dans un groupe social. Le chaos du monde moderne se prête mieux à ces photographies de la réalité, qui fixent le momentané, le transitoire, presque sans lien avec le passé, et sans regard vers l'avenir.

Vercors (né en 1902), de son vrai nom Jean Bruller, est la plus belle révélation de la Résistance. Ancien typographe, dessinateur remarquable, il fonda les *Éditions de Minuit*, qui publièrent clandestinement le fameux *Silence de la mer* (1942). Dans son humanité, sa pudeur, ses choses tues ou murmurées, ce simple récit a fait plus contre l'hitlérisme que tant de déclamations retentissantes. *La Bataille du silence* (1967) retrace la genèse de ce livre en ces temps tragiques de guerre et de résistance. *La Marche à l'étoile* (1943) condense en cinquante pages l'expérience d'un juif slovaque qui croit en la France jusqu'à sa dernière minute et qui meurt fusillé par les gendarmes de Pétain. Livre accablant, qui fit réfléchir tous les Français et plongea même les tièdes dans des abîmes de mauvaise conscience. *Les Armes de la nuit* racontent la déchéance d'un homme qu'on a obligé à devenir le pourvoyeur d'un four crématoire. *La Puissance du jour* (1951) nous apprend comment cet homme peut

Vercors.

ressusciter, tandis que *Plus ou moins homme* (1950) réunit plusieurs essais sur les exigences de notre condition. *Les Yeux et la Lumière* (1948) et *les Animaux dénaturés* (1955) ont un peu déçu : pris par la gravité de ses « cas » moraux, Vercors tend vers la parabole. Dans une émouvante confession intitulée *P.P.C.* (1957), il donne congé au parti communiste. Enfin, sous le titre *Sur ce rivage*, il entreprend un cycle de petits romans très minutieusement composés. *Zoo ou l'Assassin philanthrope*, « comédie judiciaire, zoologique et morale », cherche également à définir en quoi consiste « l'honneur d'être homme ».

Pierre Gascar (né en 1916) a renouvelé et élargi l'art de la nouvelle. Ses recueils, où le réalisme et la satire sociale alternent avec le fantastique, suggèrent les rapports profonds des hommes et des bêtes, et des hommes entre eux, dans la guerre, dans l'action. Cet art est servi par une étonnante force de style, expression d'une pensée à la fois lucide et généreuse (*les Bêtes*, *le Temps des morts*, 1953, *la Graine*, 1955, *l'Herbe des rues*, 1957, *Soleils*, 1960, *les Charmes*, 1965). Parfois, ces nouvelles prennent l'ampleur de véritables romans sans rien perdre de leur densité : *la Barre de corail*, 1958, *le Fugitif*, 1961, *les Moutons de feu*, 1963, etc.

Pierre Gascar.

Pierre Courtade (1915-1963) a écrit un recueil de nouvelles sur la Résistance, qu'Aragon salua comme un « événement de l'histoire littéraire française » : *Circonstances* (1946). Inspirées parfois de Giraudoux, parfois de Steinbeck ou de Kafka, ces nouvelles sont d'une technique très variée. *Les Animaux supérieurs* (1956) sont de la même veine d'où sont nés par ailleurs quelques romans (*Jimmy*, 1951, *la Rivière noire*, 1953, *la Place Rouge*, 1961, qui fait avec beaucoup de talent le bilan des expériences d'un jeune intellectuel communiste depuis 1935).

A ces nouvelles, à celles des écrivains de la génération précédente : Aragon, Marcel Arland, Marcel Aymé,

Elsa Triolet, etc., ajoutons encore **Marc Blancpain** (voir p. 246) : *Contes de la lampe à graisse* (1945) et dix autres recueils; **Henri Castillou** (né en 1921) : *le Fleuve mort*; **Albert Cossery** (né en 1913 au Caire) : *les Hommes oubliés de Dieu*; **Jacqueline Marenis** : *Présence d'une inconnue*; **Jules Monnerot** (né en 1908) : *On meurt les yeux ouverts*; **Édith Thomas** (née en 1909) : *Contes d'Auxois*; **François Vernet** (1917-1944) : *Nouvelles peu exemplaires*: **Louis-René des Forêts** (né en 1918) : *la Chambre des enfants*; **Daniel Boulanger** (né en 1922) : *les Noces du merle*; **Jean L'Hote** (né en 1929) : *Huguenot récalcitrant*; etc.

Renaissance de la littérature enfantine

Faute de pouvoir nous étendre sur ce chapitre, nous renvoyons les lecteurs aux rubriques particulières des revues bibliographiques.

Rappelons seulement le chef-d'œuvre du genre, *le Petit Prince* de **Saint-Exupéry** (cf. p. 182), qui met à la portée des enfants une vraie poésie et une douloureuse philosophie, et *les Contes du chat perché* de **Marcel Aymé** (cf. p. 140), qui méritent non moins de devenir classiques. Un ancien ministre, **Christian Pineau** (né en 1904), a composé une dizaine de contes tout à fait remarquables, tant par l'inspiration que par le style. Le Belge **Maurice Carême** (né en 1899) séduit poétiquement ce qui reste de l'enfant dans l'adulte (voir l'anthologie de Jacques Charles, Seghers, 1965).

Mais l'on s'adressera d'abord aux romanciers et aux poètes, aux poètes romanciers, qui rejoignent spontanément l'enfance : **Charles Vildrac, Henri Bosco, Maurice Carême, Robert Desnos, Jacques Prévert, André Dhôtel,** lequel parvient à recréer parfois la magie du *Grand Meaulnes*.

Consulter :
Jean de Trignon
Histoire de la littérature enfantine *(Hachette, 1950)*.

LE THÉATRE

La nouvelle « avant-garde »

La Seconde Guerre mondiale a ébranlé fortement le théâtre dit « d'avant-garde », qui avait triomphé vers 1930 (cf. p. 184). Le Cartel des Quatre s'est disloqué. Rien ne reliait plus les glorieux pionniers du théâtre, sinon leurs souvenirs et leur amitié. Peu avant la guerre, Georges Pitoëff, le plus original des quatre, est mort, et Ludmilla, sa femme, erra pendant de longues années en Suisse et au Canada (où elle monta la *Phèdre* de Racine), avant de revenir à Paris jouer la *Jeanne d'Arc* de Péguy. Mais elle n'avait plus de théâtre attitré; et, deux fois veuve, on eût dit qu'elle avait perdu tout son courage; après sa mort, ce sont ses enfants qui lui ont succédé sur les planches. Louis Jouvet partit en 1941 pour l'Amérique du Sud, avec toute sa troupe et Molière, Musset, Claudel, Giraudoux dans ses valises; il y parcourut 67 000 kilomètres, rayonna jusqu'au Mexique, donna 376 représentations dans de petites villes perdues du Pérou et de la Bolivie, connut des morts, des abandons, un incendie. Toute cette étonnante odyssée est racontée dans son petit livre *Prestige et perspective du théâtre français*. Charles Dullin, lui, demeura à Paris en butte aux attaques sournoises de la presse collaboratrice. Mais la IIIe République qui, pour l'honorer, lui avait confié l'immense théâtre Sarah-Bernhardt, lui avait rendu un mauvais service. Sur une scène trop grande, devant une salle impossible à remplir, Dullin n'était plus à son aise. Une mauvaise gestion financière le lui a fait retirer en 1947, et il a trouvé refuge, avant de mourir, auprès de son ami Gaston Baty. Ce dernier s'était consacré pendant la guerre aux marionnettes; il anima ensuite à nouveau son théâtre Montparnasse, où Marguerite Jamois joua du Salacrou, de l'Alexandre Arnoux... Ce n'était plus un vrai théâtre d'avant-garde. L'Athénée de Jouvet, de même, était devenu un lieu presque aussi officiel que la Comédie-Française;

Jouvet n'innovait plus; ses mises en scène impeccables, autrefois révolutionnaires, apparaissent aujourd'hui comme le canon du bon goût : son *Dom Juan* même, si attendu, prodigieuse résurrection, plein d'intelligence (1947), est précisément trop ingénieux, trop chargé de beautés accessoires. Décors de Christian Bérard, musique de Francis Poulenc ou d'Honegger, costumes des grands couturiers, le public allait au théâtre comme à une exposition; les snobs se pâmaient, mais le texte disparaissait sous cet embaumement. Qu'on ne parle donc plus de théâtre d'avant-garde! A la mort de ses principaux créateurs, c'était un théâtre triomphant, et déjà les jeunes gens s'en détournaient comme de toute chose triomphante.

Par chance, il s'est trouvé aussitôt une jeune équipe pour prendre sa succession. La guerre a créé, dans une certaine mesure, des conditions favorables à un second renouveau. Le théâtre, pour les Parisiens, était comme une église. Ils s'y retrouvaient pour communier dans le génie national. Les autorités occupantes y tolérèrent une certaine liberté : elles étaient intéressées à ce que demeure intacte la réputation de la culture française dans une Europe germanisée. Des artistes hardis en ont profité pour prendre d'heureuses initiatives. Ainsi les tournées du Regain allèrent répandre dans la province les meilleures pièces classiques et modernes en des mises en scène originales. C'était une reprise de la tradition séculaire du théâtre nomade, que déjà Léon Chancerel (1886-1965) avait remise en honneur avec ses Comédiens-Routiers (voir : Jean Cusson : *Un réformateur du théâtre, Léon Chancerel. L'Expérience des Comédiens-Routiers*, 1919-1939. — La Hutte, 1945). A Paris même, de nouveaux auteurs et de jeunes metteurs en scène ont jeté, dans ces années-là, les bases d'une nouvelle avant-garde.

Jean-Louis Barrault (né en 1910), le meilleur disciple de Dullin, s'était fait remarquer en 1939 quand son maître lui avait prêté l'Atelier pour y représenter *la Faim* de Knut Hamsun et l'*Hamlet* de Jules Laforgue. Devenu célèbre par le cinéma, entré à la Comédie-Française, il y monta les plus beaux spectacles de la guerre : *Antoine et Cléopâtre* et *Hamlet* de Shakespeare, le *Soulier de Satin* de Claudel. Il reprit son indépendance en 1946 pour s'installer avec Madeleine Renaud, sa femme, au théâtre Marigny, sur les Champs-Élysées. Son succès y fut immense et légitime. *Les Nuits de la colère* de Salacrou, *les Fausses Confidences* de Marivaux, *Amphitryon* de Molière, *Hamlet*, dans la traduction de Gide, ses pantomimes sur la musique de Kosma, etc., comptèrent parmi les plus belles réussites. Son adaptation, avec Gide, du *Procès* de Kafka fut plus contestable, de même que l'*État de siège*, d'Albert Camus. Avec *le Soulier de satin*, ses réalisations de *Partage de midi*, *Christophe Colomb*, *Tête d'or* ont fait de lui un serviteur attitré des drames de Paul Claudel, dont il a parfois trop édulcoré l'exubérance originale. Malgré quelques erreurs, Barrault reste un des premiers hommes de théâtre

Jean-Louis Barrault.

de ce temps. Et c'est justice qu'après des années de luttes et d'errances, il ait enfin trouvé le havre dont il est digne, l'Odéon, devenu Théâtre de France, où la mise en scène des classiques ne l'empêche pas de tenter des expériences nouvelles (Ionesco, Schéhadé, Vauthier, Marguerite Duras).

Plus modestes, plus pauvres, plus riches peut-être d'avenir lointain nous paraissent les théâtres suivants :

L'*Atelier* d'**André Barsacq** (né en 1909) qui travaille dans l'ancien théâtre de Dullin et dans le même esprit que lui. Il monte ordinairement les pièces de Jean Anouilh. Lui-même a écrit *Agrippa*, délicieuse histoire d'un imposteur.

Les *Noctambules*, dans une petite rue ancienne du quartier Latin, fut le type du pur théâtre d'avant-garde. Il s'y joua des pièces vraiment originales (Audiberti, Pichette, Clavel, etc.), avant qu'il ne soit converti en cinéma.

Le *théâtre Agnès-Capri*, à Montparnasse, a monté Audiberti, Fombeure, etc., et ranimé la vogue de Tchekhov, Courteline, et d'autres classiques du genre cocasse. La *Gaîté-Montparnasse* a lancé Boris Vian.

Le *théâtre de la Huchette* reprend et continue la même tradition, et se spécialise de plus en plus dans l'œuvre de Ionesco.

Le *Théâtre de poche*, minuscule studio de soixante places, le *théâtre du Quartier Latin*, etc., s'efforcent de trouver leur formule entre le théâtre pour snobs et le théâtre d'avant-garde.

Le *théâtre Babylone* joua pour la première fois Samuel Beckett avant de sombrer comme tant d'autres.

Le *théâtre de l'Alliance française* se lance dans des entreprises périlleuses et souvent réussies.

Le *théâtre de Lutèce* est devenu, grâce à **Laurent Terzieff** (1935), un petit chantier théâtral où se façonnent les pièces les plus neuves (Dubillard, Jean Genêt, Arrabal, Obaldia, Mrozek...).

Le *Théâtre national populaire*, créé et dirigé par **Jean Vilar** (né à Sète en 1912), continué par **Georges Wilson** (né en 1921), met à la portée de tous les œuvres les plus hautes du répertoire français et international (Corneille, Musset, Marivaux, Lesage, Hugo, Molière, Shakespeare, Kleist, Brecht, etc.) dans des mises en scène simples et suggestives, qui conservent aux grands textes leur vie. La revue *Bref* fait l'histoire de la prodigieuse et vraiment démocratique activité de ce théâtre. *Théâtre populaire* traite de problèmes plus généraux d'esthétique et de démocratisation théâtrale.

Enfin, le *théâtre de l'Est parisien*, également subventionné par l'État, donne à l'autre bout de Paris une très digne réplique du T.N.P. grâce à **Guy Rétoré** (1924).

Une impressionnante renaissance théâtrale se manifeste en province, en liaison avec la création des « Maisons de la Culture » (Bourges, Amiens, Caen, Grenoble, etc.). Ainsi, la politique de décentralisation préconisée dès 1947 par Jeanne Laurent ne commence guère à produire ses fruits que vingt ans plus tard.

Parmi ces « Centres régionaux d'Art dramatique », les plus actifs nous paraissent être en 1968 : *la Comédie de Saint-Étienne*, créée par **Jean Dasté** (1904); *le Centre dramatique de l'Est*, où **Hubert Gignoux** (1915) a succédé à **Michel Saint-Denis** (1897) et à **André Clavé**; *le Grenier de Toulouse*, avec **Maurice Sarrazin** (1925); *le Théâtre de la Cité*, à Villeurbanne, près de Lyon, où **Roger Planchon** (1931) éprouve les formes changeantes de son esthétique théâtrale et monte ses propres drames naturalistes et rustiques (*la Remise*, 1961, *Pattes blanches*, 1963); *la Comédie de l'Ouest*, à Rennes, avec **Georges Goubert** et **Guy Parigot**; *le Centre dramatique du Nord*, à Tourcoing, avec **André Reybaz** (1922); *la Comédie de Bourges*, avec **Gabriel Monnet** (1921); *le Centre dramatique du Limousin*, avec **J.-P. Laruy** et **G.-H. Régnier,** et aussi *la Comédie des Alpes*, à Grenoble, *le Théâtre du Bassin de Longwy, le Théâtre de Bourgogne*, à Beaune, *la Comédie de Nantes, la Comédie de la Loire*, à Tours, *la Compagnie du Théâtre de Caen, le Théâtre de Champagne*, à Reims, *le Théâtre populaire des Flandres*, à Lille, qui se livrent à des recherches théâtrales et présentent des spectacles originaux en dehors des préoccupations strictement commerciales. La banlieue parisienne participe également à cette entreprise de décentralisation et de démocratisation du théâtre traditionnel (*théâtre de la Commune*, à Aubervilliers, *théâtre Gérard-Philipe*, à Saint-Denis, *théâtre Romain-Rolland*, à Villejuif, etc.).

Ajoutons que, chaque année, le *Théâtre des Nations*, créé en 1954 au théâtre Sarah-Bernhardt d'abord, sous la direction d'**A.-M. Julien** (1903), puis au Théâtre de France, et le *Festival international du Théâtre universitaire*, à Nancy, révèlent au public français les innovations de l'étranger. Ces initiatives ont certainement exercé une influence sur le renouvellement du théâtre français par la connaissance qu'elles ont apportée des expériences allemandes, anglaises, russes, polonaises, italiennes, etc.

En dehors de toute appartenance précise à une organisation théâtrale ou culturelle, une pléiade de nouveaux metteurs en scène ont maintenu après la guerre et maintiennent toujours le renom des théâtres de Paris : **Nicolas Bataille** (1926), **Roger Blin** (1907), **Jacques Darcante** (1910), **Georges Douking** (1902), **Pierre Dux** (1908), **Jacques Fabbri** (1925), **Raymond Gérôme** (1920), **Jean-Pierre Grenier** (1914), **Raymond Hermantier** (1924), **Maurice Jacquemond** (1924), **Jean Le Poulain** (1924), **Jacques Mauclair, Jean Mercure** (1909), **Jean Meyer** (1914), **Sacha Pitoëff** (1920), **Yves Robert** (1920), **Raymond Rouleau** (1904), **Jean-Marie Serreau, Marcelle Tassencourt, Georges Vitaly** (1917), **Michel Vitold** (1915), etc.

Les amateurs de théâtre qui veulent posséder les textes des dernières pièces représentées sur les scènes françaises les trouveront publiées dans les revues et hebdomadaires spécialisés (cf. p. 372), dans des ouvrages à part, ou dans des collections spéciales. Les principales d'entre elles ont été ou sont encore :

Les Œuvres libres.
Le Magasin du Spectacle.
Les Suppléments de France-Illustration, *du* Monde Illustré, *de* Réalités, *d'*Élites Françaises, *d'*Opéra *devenu* Radiopéra.
La Collection Le Théâtre à Paris *(Sagittaire).*
La Collection Arlequin *(Les Quatre-Vents).*
Les Cahiers Théâtre.
*L'*Avant-Scène.

Rappelons aussi la Collection Mises en Scène *(Seuil), qui donne des pièces classiques dans des mises en scène nouvelles. Elle est remarquablement dirigée par Pierre-Aimé Touchard, un des meilleurs experts en matière théâtrale. Enfin, les Editions de l'Arche consacrent la plus grande part de leur activité à la défense et à l'illustration du théâtre, à la faveur de plusieurs collections* : Répertoire pour un théâtre populaire, Les Grands Dramaturges, Le Théâtre et les Jours, *etc.*

Les principaux ouvrages parus sur le renouvellement théâtral en France depuis 1940, sont :

Henri Gouhier. — L'Essence du théâtre *(Plon, 1943).*

W. Sabbatini. — Pratique pour fabriquer scènes et machines de théâtre *(Ides et Calendes).*

Pierre Sonrel. — Traité de scénographie *(Lieutier, 1944).*

Andre Villiers. — La Psychologie du comédien *(Mercure de France, 1942).* La Prostitution de l'acteur *(Pavois, 1946).*

Marcel Doisy. — Le Théâtre français contemporain *(La Boétie, Bruxelles 1947).*

Léon Moussinac. — Traité de la mise en scène *(Masson, 1948).*
Consulter page 323 la liste des principales revues théâtrales.

Francis Ambrière. — La Galerie dramatique *(Corréa, 1949).*

René Lalou. — Le Théâtre français depuis 1900 *(1951).*

Jean Vilar. — De la tradition théâtrale *(L'Arche).*

Roger Planchon et Claude Lochy. — Le travail au Théâtre de la Cité. I. Saison 1958-59 *(L'Arche, 1959).*

P. Surer. — Le Théâtre français contemporain *(Sedes, 1964).*

A. de Baecque. — Le Théâtre d'aujourd'hui *(Seghers, 1964).*

Paul Ginestier. — Le Théâtre contemporain dans le monde *(PUF, 1961).*

Paul-Louis Mignon. — Le Théâtre d'aujourd'hui de A jusqu'à Z. *(Brient, 1966).*

Guy Leclerc. — Les Grands Maîtres du théâtre *(E.F.R., 1965).*

On trouvera enfin de grandes richesses dans la revue Théâtre populaire *et dans les* Cahiers de la Compagnie Jean-Louis Barrault.

Sur le « Nouveau Théâtre », voir les ouvrages mentionnés p. 329.

Les meilleurs écrivains du théâtre appartiennent aujourd'hui à deux catégories : ceux qui continuent l'ancienne avant-garde et brillent seulement par la perfection d'un style inventé par leurs aînés : c'est le cas de Jean Anouilh, par exemple, qui relaie et renouvelle Giraudoux, comme Barrault succède à Dullin. D'autre part, des dramaturges nettement originaux, qui apportent « du nouveau », tout comme en 1900 Alfred Jarry.

Parmi les nouveaux auteurs déjà consacrés :

Jean Anouilh (né à Bordeaux en 1910) possède un talent puissant et varié. Il a lui-même divisé son œuvre en *Pièces noires*, *Pièces roses*, *Pièces brillantes*, *Pièces grinçantes*, *Pièces costumées*. Dans la manière gaie, on aimera surtout *le Bal des voleurs* (1937), espèce de ballet bouffon, dont le rythme disloqué et le mélange saugrenu d'honnêtes gens et de voleurs engendrent un comique infaillible. *Le Rendez-vous de Senlis* (1939) est d'une gaieté un peu triste : il repose sur la magie de l'illusion, le retour à la réalité, et son dénouement heureux nous laisse sceptiques. *Léocadia* (1939) est fondée aussi sur l'illusion du souvenir. Puis Anouilh se répète un peu trop : *l'Invitation au château* (1946) reprend ces éternelles histoires de jeunes filles pauvres introduites dans un monde luxueux, sous une lumière rose et grise, trop douce. On y passe une bonne soirée, mais d'Anouilh on attend autre chose. Ses *Pièces noires* nous semblent nettement supérieures. Dans *l'Hermine* (1931) et dans *la Sauvage* (1932), Anouilh pose son type de jeune fille révoltée, butée inexplicablement contre le bonheur, contre la vie, pour demeurer fidèle à un mystérieux absolu intérieur. *Le Voyageur sans bagages* (1936) traite le thème de l'amnésique après la guerre, emprunté à Giraudoux et repris combien de fois ensuite ! C'est la pièce de lui qui a le plus de portée sociale. *Eurydice* (1942) est un beau mystère tragique et poétique. Dans *Antigone*

Jean Anouilh.

(1942), Anouilh doit beaucoup à Sophocle, mais transforme l'idéal religieux et moral de l'héroïne antique en une sorte d'anarchisme pessimiste; et en face d'Antigone, qui meurt pour ainsi dire « gratuitement », pour se poser elle-même, n'est-on pas tenté de donner raison à Créon ? Du point de vue esthétique, cette « tragédie en smokings » a fait école. Ensuite, *Roméo et Jeannette* (1946), *Ardèle ou la Marguerite* (1948), *Médée* (1949), etc., pièces noires ou « nouvelles pièces roses », semblent être des caricatures d'Anouilh par Anouilh, jusqu'à *la Répétition* (1951) et *Colombe* (1951), qui décidément ne passent plus la rampe, tant la « thèse » pessimiste est indiscrète. Le public français et étranger commence à se détacher de ces héroïnes du genre « sauvage », de ces marionnettes en perruque ou en uniforme, dont l'auteur tire les ficelles avec un cynisme satisfait, telles qu'on en trouve dans *la Valse des toréadors* (1954), *Pauvre Bitos* (1956) ou *l'Hurluberlu* (1959). (On classe quelquefois Anouilh parmi les écrivains existentialistes. Nous ne voyons rien dans son œuvre qui puisse justifier une telle dénomination. C'est du nihilisme pur et simple, de nature impulsive, et sans doute d'origine sentimentale...) On l'attend maintenant dans une autre voie. Laquelle? S'il la trouve, nul doute qu'avec ses dons extraordinaires, son expérience du théâtre, sa puissance comique et tragique, son talent dans le drame comme dans la satire, cet auteur en pleine puissance créatrice ne produise d'autres chefs-d'œuvre. Déjà, en 1955, *l'Alouette*, qui reprend une fois de plus le thème de Jeanne d'Arc, témoigne non seulement d'un métier impeccable, mais d'une réelle profondeur de pensée. *Becket ou l'Honneur de Dieu* (1960) fait de l'amitié le moteur d'une tragédie forte et brillante. *La Grotte* (1961) retrouve le ton grinçant des premières pièces et leur virulence satirique. En 1962, il adapte *Victor ou les Enfants au pouvoir* de Roger Vitrac (voir p. 189), rendant ainsi hommage à son authentique précurseur.

Consulter :
Hubert Gignoux
Jean Anouilh *(Editions du Temps Présent, 1947).*
Pol Vandromme
Anouilh, un auteur et ses personnages *(Table Ronde).*
Philippe Jolivet
Le Théâtre de Jean Anouilh *(M. Brient, 1963).*

Marcel Aymé (cf. p. 140) a transporté au théâtre son talent d'humoriste et ses tendances anarchistes. *Lucienne et le Boucher* (1948) et surtout *Clérambard* (1950), comédie tendre, vivante, colorée, méritent leur succès. *La Tête des autres* (1952) passe la mesure, de même que *la Mouche bleue* (1957), satire manquée des mœurs américaines. *Les Oiseaux de Lune* proposent un agréable compromis entre le fantastique et la critique sociale. *Le Minotaure* et *la Convention Belzébir* (1967) se font amers et grinçants.

Claude Vermorel (né en 1909) fit jouer en 1942 une excellente *Jeanne avec nous*. Pièce solide, qui renouvelle entièrement le caractère de l'héroïne et de ses comparses, chose difficile après Schiller, Shaw, Péguy...

Messaline, assez confuse, avec des relents freudiens, s'inspire nettement de Salacrou. *Thermidor* (1948) tombe dans la rhétorique.

Félicien Marceau (né en 1913), romancier de grand talent, estimable critique balzacien, fit des débuts éblouissants à l'Atelier avec *l'Œuf* (1956), pièce d'un comique intelligent et amer. *La Bonne Soupe* (1958) exploite la veine satirique, tandis que *l'Étouffe-Chrétien* (1960) — il s'agit de Néron! — ne lui inspire qu'une médiocre parodie de l'Antiquité. *Un jour j'ai rencontré la vérité* (1967) tourne au théâtre d'idées.

Emmanuel Roblès (cf. p. 290), excellent romancier, a réussi un chef-d'œuvre pour son premier essai : *Monserrat* (1948). Cette sanglante tragédie, située au Venezuela en 1812, mais pleine des préoccupations actuelles, a été saluée unanimement comme la naissance d'une grande œuvre dramatique. *La Vérité est morte* (1952), qui concerne l'Espagne, confirme des dons éclatants, ainsi que *Plaidoyer pour un rebelle* et *Mer libre* (1965).

Jules Roy (cf. p. 272) s'inspire de son expérience de soldat, toujours déchiré entre les fins et les moyens, pour composer des œuvres pleines d'action et de problèmes, un peu confuses, animées d'un pathétique grandiloquent (*Beau Sang*, 1952, *les Cyclones*, 1957, *le Fleuve Rouge*, 1960).

René Laporte (cf. p. 296) donna, avec *Federigo*, une pièce passionnante, curieuse, à la fois réaliste et fantaisiste. Laporte a composé aussi d'excellents contes radiophoniques.

Georges Soria (né en 1914), nouvelliste, essayiste, poète et traducteur de plusieurs langues étrangères (notamment du russe) fit jouer *la Peur* (1954), *l'Orgueil et la Nuée* (1956), et connut une réussite éclatante avec *l'Étrangère dans l'île* (1959), habile et émouvante transposition dans l'île de Chypre des plus graves problèmes contemporains. *Les Témoins* (1962) et *les Passions contraires* (1963) méritaient un succès égal.

Thierry Maulnier (cf. p. 201), critique averti de Racine, qui ressuscita l'*Antigone* de Robert Garnier et la tragédie à sujet antique (*la Course des rois*) ou historique (*Jeanne et les juges*), unit dans *le Profanateur* (1950) sa pensée religieuse à ses dons de psychologue et de poète.

Maurice Clavel (né en 1920) a écrit une belle tragédie moderne sur la Résistance : *les Incendiaires* (1945). Sa manière est âpre et tendue, d'une grande profondeur de pensée, d'une opulente beauté poétique. *La Terrasse de midi* (1947) rappelle Hamlet et n'est pas trop écrasée par cette comparaison. Après plusieurs romans (*le Temps de Chartres*, 1960), il revient au théâtre avec un rare bonheur de style et d'imagination dramatique : *Saint Euloge de Cordoue* (1965).

Fabien Régnier a recréé un XVIe siècle très dramatique, dans *A l'approche du soir du monde*.

Roger Vailland (cf. p. 292) a mis toute son irrévérence et sa causticité dans une pièce antireligieuse (*Héloïse et Abélard*, 1947) et dans une autre dirigée contre le militarisme américain : *Le colonel Forster plaidera coupable* (1952).

Ces œuvres belles ne présentent pas de grandes innovations techniques par rapport à l'avant-garde de la génération précédente. Au contraire, d'autres auteurs continuent à inventer des formes inédites, et Paris s'affirme toujours comme un grand chantier d'expériences théâtrales.

Le « nouveau théâtre »

La genèse du « Nouveau Théâtre », qu'on a qualifié ainsi par analogie avec le « Nouveau Roman » ou la « Nouvelle Critique », n'est pas encore facile à retracer faute d'une enquête complète et approfondie. En fait, il constitue le dernier avatar du théâtre éternel toujours en révolution, génération après génération, comme c'est le cas pour tous les arts. Il correspond au nouveau type d'homme et de société que le progrès technique a forgé, avec tous ses problèmes éthiques et ses convulsions politiques, dans la deuxième moitié du XXe siècle.

C'est vers 1950 que le public prend conscience qu'il est né quelque chose de nouveau sur les scènes parisiennes. Mais les origines sont plus lointaines. Chez Jarry (voire déjà chez Henri Monnier), chez Claudel, chez Ghelderode, dans le théâtre surréaliste (Apollinaire, Pierre-Albert Birot), et surtout chez Antonin Artaud (voir p. 110), dont le « théâtre de la cruauté » garde une espèce de pouvoir magique, on trouve la préfiguration de l'esthétique nouvelle, et souvent les principes en sont déjà énoncés. Mais il ne faut pas négliger le rôle des auteurs et des théoriciens étrangers, dont Kleist, Büchner, Piscator, Peter Weiss en Allemagne, Tchekhov, Stanislavski, Meyerhold en Russie, Pirandello et Alberti en Italie, Lorca en Espagne, T.S. Eliot et Gordon Craig, puis Harold Pinter, Arnold Wesker et Joan Littlewood en Angleterre, Soan O'Casey et Bredam Behan en Irlande, Max Frisch et Friedrich Dürrenmatt en Suisse, les Polonais Gombrowicz et Mrozek, les Américains Saunders et Albie, etc. Parmi toutes ces influences diverses, et d'ailleurs contradictoires, c'est probablement celle de Bertolt Brecht, qui, conjointement avec le surréalisme et ses séquelles, a exercé l'action la plus fructueuse.

Du côté de Brecht, toute une pléiade de jeunes critiques, comme Roland Barthes, Guy Dumur ou Bernard Dort (auteur de *Lecture de Brecht*, Seuil, 1961, et de *Théâtre public*, 1953-1966, Seuil, 1967) ont analysé et commenté les théories de l'auteur du *Petit Organum*. La revue *Théâtre populaire* lui est en grande partie consacrée. Même s'ils ne suivent pas jusqu'au bout ces préceptes, beaucoup de dramaturges contemporains tentent de réaliser ce fameux théâtre à la fois épique et critique dont il est question.

Consulter :
G. Serreau
Histoire du « Nouveau Théâtre » *(Gallimard, 1966)*.
Jean Duvignaud
Sociologie du Théâtre *(PUF, 1965)*.
Léonard Pronko
Théâtre d'avant-garde *(Denoël, 1963)*.
Michel Corvin
Le Théâtre nouveau en France *(PUF, Que sais-je? 1966)*.
Théâtre 1968 *(Christian Bourgois)*.

Arthur Adamov (né à Kislovotsk, dans le Caucase, en 1908) doit à ses origines russes une bonne connaissance de Gogol, de Tchekhov et de Gorki, qu'il a traduits ou adaptés (*les Ames mortes*, 1960). Il composa d'abord de courtes pièces à peine jouables, sortes de parodies où s'exprime une vision assez anarchiste et pessimiste du monde (*Tous contre tous, la Grande et la Petite Manœuvre, l'Invasion, le Professeur Taranne*, etc.). *Le Ping-Pong* (1955) marque un tournant : c'est une allégorie grinçante de la réalité sociale, qui annonce déjà les pièces franchement politiques comme *Paolo Paoli* (1957), *le Printemps 71* (1961), *la Politique des restes* (1962), *Sainte-Europe* (1966). Le but visé par Adamov de devenir une sorte de Brecht français a-t-il été atteint? Nous n'osons l'affirmer. On consultera son recueil d'articles *Ici et maintenant* (1964), qui éclaire ses intentions dramatiques.

Armand Gatti (né en 1924), obsédé d'abord par la tragédie des camps de concentration (*l'Enfant-Rat, la Deuxième Existence du camp de Tatenberg*, 1962), construit de vastes fresques où le thème politique (la Chine, une grève, Sacco et Vanzetti, l'Espagne, le Viêt-nam) est extraordinairement orchestré et transposé dans un univers poétique (*le Poisson noir, la Vie imaginaire de l'éboueur Auguste G., Chant public*

Armand Gatti.

devant deux chaises électriques, la Passion du général Franco, V comme Viêt-nam). L'imaginaire, le symbolique et les détails d'un réalisme significatif se mêlent également, avec une force admirable, dans de grandes fresques qui exposent une conception profonde de l'homme et de la vie (*les Treize Soleils de la rue Saint-Blaise*).

Dans cette même veine où la réalité est poétiquement et théâtralement démarquée en vue de la mise en évidence d'une vérité politique, on peut noter encore **Michel Vinaver** avec *les Coréens* et *les Huissiers* (1967); **Charles Prost** avec *Veillons au salut de l'Empire* (1959), *Adieu Jérusalem* (1962), *la Crise des esprits supérieurs* (1962); **Gabriel Cousin** (né en 1918) avec *l'Usine* (1951), *l'Aboyeuse et l'Automate* (1961), *l'Opéra noir*, sans oublier les antécédents lointains, quoique non brechtiens, de ce théâtre politique : *Nékrassov* et *les Séquestrés d'Altona*, de **Sartre**, *Boulevard Durand*, de **Salacrou**, *Naissance d'une cité* et *Toulon*, de **Jean-Richard Bloch**, le « théâtre du peuple » de **Romain Rolland.**

Consulter :
Émile Copperman
Le théâtre populaire, pourquoi ? *(Maspero, 1965).*

Du côté de Sartre, — sinon de Kafka — plutôt que du côté de Brecht, on a pu définir un « théâtre de l'absurde », qui n'est d'ailleurs pas toujours dépourvu de critique sociale, mais plus générale, moins engagée dans l'analyse directe des événements historiques ou contemporains.

Samuel Beckett (cf. p. 305) a été révélé par *En attendant Godot* (1952), grâce à la mise en scène de Roger Blin et au théâtre Babylone. Très scénique malgré l'absence d'intrigue, cette espèce de tragédie misérable et burlesque exprime l'angoisse de vivre, le mépris des puissants de ce monde, et l'attente de quelque chose d'inouï, qui est peut-être Dieu. *Fin de partie* (1957), *la Dernière Bande* (1959) (il s'agit d'une bande de magnétophone...), *Oh! les beaux jours* (1963), *Têtes mortes* (1965-1967) portent à la scène les personnages élémentaires de ses romans, qui profèrent, à

Consulter :
Maurice Blanchot
Le livre à venir *(Gallimard, 1959).*
André Marissel
Samuel Beckett *(Éd. Univers., 1963).*
Pierre Mélèse
Samuel Beckett *(Seghers, 1966).*
Ludovic Janvier
Pour Samuel Beckett *(Éd. de Minuit, 1966).*

peu près immobiles, des soliloques chargés d'un désespoir impressionnant.

Eugène Ionesco (né en Roumanie en 1912) fit son apparition en 1950, quand le théâtre des Noctambules eut le courage de monter *la Cantatrice chauve*. C'était de l'Henri Monnier ou du Jarry, avec des traces de surréalisme, de l'anarchisme grinçant, et des velléités d'attenter sérieusement à la logique et au langage. Parmi une quinzaine de comédies saugrenues, pleines de calembours volontairement absurdes, on relèvera surtout, entre 1950 et 1960, *Jacques ou la Soumission*, *les Chaises*, *Comment s'en débarrasser*, *Tueur sans gages*, qui illustrent des thèmes véritablement classiques par des procédés scéniques insolites. Dans *le Rhinocéros* (1960), représenté par Jean-Louis Barrault, la fable s'insère dans un moule presque traditionnel et témoigne en faveur d'une morale positive : la défense de la liberté individuelle. Dès lors, le grand public lui est acquis, et il ira de succès en succès (*Le roi se meurt*, 1962, *le Piéton de l'air*, 1963), jusqu'à la Comédie-Française (*la Soif*

Eugène Ionesco.

et la Faim, 1966). Il s'explique sur ses conceptions dramatiques dans *Notes et contre-notes* (1966); il dévoile l'univers de ses pensées dans *Journal en miettes* (1967).

Consulter :
Martin Esslin
Théâtre de l'absurde (*Buchet-Chastel, 1963*).
Simone Benmussa
Ionesco (*Seghers, 1966*).
J.-H. Donnard
Ionesco dramaturge (*Minard, 1966*).

François Billetdoux (né en 1927) ne prétend nullement démontrer l'absurdité du monde : il se contente de présenter l'humanité comme elle est, comme elle va, dans les péripéties alternées du bonheur et du malheur. Il en résulte un registre tantôt émouvant, tantôt comique, qui comporte des notes très originales (*Tchin-Tchin*, 1957, *le Comportement des époux Bredburry*, 1960, *Va donc chez Torpe*, 1961, *Comment va le monde, Môssieu? Il tourne, Môssieu!* 1964, *Il faut passer par les nuages*, 1964).

Boris Vian (voir p. 302) est en général plus satirique et moins poétique dans son théâtre que dans ses contes. Ce sont des farces burlesques, où toutes les valeurs sont traitées avec dérision, à grand renfort de mots d'esprit (*Équarrissage pour tous*, 1950, *les Bâtisseurs d'empire*, 1959, *le Goûter des généraux*, 1965, etc.).

Romain Weingarten tourne également en dérision les institutions et les mœurs, qu'il soumet à l'effet corrosif d'un langage en liberté (*Akara*, 1948, *les Nourrices*, 1960, *l'Été*, 1965).

Roland Dubillard s'est imposé à l'attention des chercheurs de jamais-vu, jamais-entendu, quand furent représentés en 1961 *Naïves Hirondelles*, où les silences ont presque autant d'importance que les mots. *La Maison d'Os* (1962) portait sur la petite scène du théâtre de Lutèce le grand problème métaphysique de l'homme aux prises avec son corps, avec ses souvenirs, avec le monde, avec la destinée...

Faut-il ajouter ici **Robert Dhéry** (né en 1921)? Aux antipodes de la poésie, il renouvela le comique burlesque et fit courir Paris en 1948 avec *Branquignol*, puis maintint son succès, à l'étranger comme en France, grâce à des comédies musicales d'une veine insolite, où malheureusement le texte tient de moins en moins de place (*Ah! les belles bacchantes*, etc.).

On retiendra aussi la pièce habile, obsédante, de **Georges Michel** (né en 1926) : *la Promenade du dimanche* (1967), sans oublier les premiers initiateurs d'un genre à la fois philosophique, humoristique et poétique, tel que **Jean Tardieu** (voir p. 228) et son *Théâtre de chambre*, qui fait une grande place aux hasards du langage, et **Maurice Fombeure** (voir p. 237), auteur, avec Jean-Pierre Grenier, d'un mélodrame parodique : *Orion-le-Tueur*.

Tout près de ce style allusif, de ces situations révélatrices, on pourrait parler du *théâtre des écrivains du « nouveau roman »*. La plupart de ces auteurs (voir p. 304 et suiv.) ont en effet transposé à la scène (parfois à l'écran) les principes et la technique de leur œuvre romanesque sur des sujets voisins, voire identiques. Parmi ceux qui nous paraissent y avoir le mieux réussi, mentionnons :

Marguerite Duras (voir p. 310) et sa pièce immobile, courte, dense, *le Square* (1955), puis *Des journées entières dans les arbres* (1966), où Madeleine Renaud fut une mère poignante, quoique abusive, *les Eaux et Forêts*, *les Viaducs de Seine-et-Oise*, qui se recoupent avec le film *la Musica*.

Robert Pinget (voir p. 309) est assez proche de Beckett avec la même vision désespérée du monde, presque aussi nihiliste, et qui pourtant rend un son plus sentimental et plus consolant (*Lettre morte*, 1960, tirée du roman *le Fiston*, *Ici ou ailleurs*, *Architruc*, *l'Hypothèse*, *la Manivelle*, 1962, etc.).

Nathalie Sarraute (*le Silence*, *le Mensonge*), **Brice Parain** — voir p. 308 — (*Noir sur blanc*), **Claude Simon** (*la Séparation*), **Claude Mauriac** (*la Conver-*

sation) et même **Michel Butor** (*6 810 000 litres d'eau par seconde*) ont suscité au théâtre la curiosité et l'estime des lecteurs de leurs romans, mais n'ont pas encore vaincu l'indifférence du grand public.

Du côté du *théâtre poétique*, on retrouve tous ces écrivains — poètes, romanciers ou purs dramaturges — qui ont participé à cette extraordinaire « fête des mots » (Geneviève Serreau) qu'inspirèrent le surréalisme, ses succursales et ses annexes. Bien que leurs œuvres rejoignent très souvent les positions politiques ou philosophiques des autres tendances contemporaines, la primauté du verbe et du jeu crée une atmosphère théâtrale assez différente.

Jacques Audiberti (cf. p. 120) a d'abord causé beaucoup d'étonnement. *La Bête noire*, devenue *la Fête noire* (1945), *Quoat-Quoat* (1946), *les Femmes du bœuf* (1948) charrient toutes sortes de richesses désordonnées et peu accessibles. Mais *Le mal court* connut dès 1947 un grand succès, qui se renouvela brillamment dix ans plus tard grâce à Suzanne Flon. Cette farce philosophique pose tout le problème moral de l'Orient et de l'Occident : l'innocence et la vertu étaient du côté de l'Orient; mais l'Occident lui a appris que le Mal existe; alors l'Orient jouera aussi le jeu du Mal. Malheureusement, Audiberti eut de plus en plus tendance à ramener ses investigations parapsychologiques à la fonction de simples recettes pour faire rire; il a recherché le grand public, qui de fait est venu à lui au fur et à mesure qu'il lui faisait des concessions (*la Hobereaute*, 1958, *l'Effet Glapion*, 1959, *la Logeuse*, 1960, *la Fourmi dans le corps*, 1961).

Jean Genêt (cf. p. 241 et p. 302) est l'auteur des *Bonnes*, montées par Jouvet dès 1947, d'un impitoyable réalisme psychologique. *Haute Surveillance* (1949) met en scène le milieu des bagnards, que Genêt connaît bien. Avec *les Nègres* (1958), *le Balcon* (joué en France en 1960), *les Paravents* (joués en 1966), il inaugure une forme de théâtre au second degré

Jean Genêt (à gauche) en compagnie de Roger Blin.

Consulter : **Jean-Marie Magnan** Jean Genêt *(Seghers, 1966).*

pour ainsi dire, où les personnages se donnent en spectacle à eux-mêmes.

Julien Gracq (voir p. 285) n'a écrit pour le théâtre que *le Roi pêcheur* (1948), mais l'art en est si haut et la langue si pure qu'avec lui le surréalisme entre dans le répertoire classique.

Georges Schéhadé (né en 1910 à Alexandrie), poète aux mille facettes étincelantes (voir p. 238), qui vit au Liban, rallia tous les suffrages de ses maîtres surréalistes avec *Monsieur Bob'le* (1951), que vilipenda la critique. Puis il trouva en Jean-Louis Barrault un défenseur et un réalisateur : grâce à lui, *la Soirée des proverbes* (1954), *Histoire de Vasco* (1956), *les Violettes* (1960), et surtout *le Voyage* (1960) trouvèrent cet équilibre entre le verbe poétique et les nécessités de l'action sans lequel il n'est guère de vrai théâtre. En 1967, la Comédie-Française adopte son *Émigré de Brisbane*, pièce charmante et délicate, qu'elle étouffe sous une mise en scène conventionnelle.

Consulter : **Jean-Pierre Richard** Onze études sur la poésie moderne *(Seuil, 1964), ainsi que les* Cahiers de la Compagnie Renaud-Barrault *(IVe, XVIIe et XXXIVe cahiers) (Julliard).*

Henri Pichette (cf. 238), un des jeunes espoirs du néo-surréalisme, a fait jouer en 1947 *les Épiphanies*, poème dramatique qui provoqua de grands remous dans le public parisien. Pichette s'y livre à des coq-à-l'âne et à des créations verbales ahurissantes. Admirablement servi par l'acteur Gérard Philipe, ce drame présentait un rayonnement poétique et une puissance de vie indiscutables. En 1952, *Nucléa* fut non moins âprement discuté.

Jean Vauthier (né en 1910) a inventé un théâtre nouveau, très lyrique, et en même temps dynamique et passionné, qui requiert des acteurs exceptionnels. *Capitaine Bada* (1952) est construit comme une symphonie, dont les mots tiendraient lieu de musique. *Le Personnage combattant* (1955) vaticine et gesticule jusqu'aux confins du ridicule, mais emporte finalement l'estime, comme *les Prodiges* (1958), *le Rêveur* (1960), *Chemises de nuit* (1962), *Badadesques*, farce radiophonique (1964), *Médéa*, d'après Sénèque (1967); car ces œuvres témoignent d'une confiance absolue dans la puissance du verbe servi par l'imagination.

Aimé Césaire (voir p. 242) a mis ses dons lyriques dans un chef-d'œuvre de drame philosophique et politique, *la Tragédie du roi Christophe*, une de ses premières œuvres, que Paris ne vit qu'en 1965, et Dakar en 1966, en attendant *Et les chiens se taisaient*. En 1967, Bruxelles applaudit *Une saison au Congo*.

Edouard Glissant (voir p. 284), dans une inspiration analogue, met en scène Toussaint Louverture (*Monsieur Toussaint*) et les problèmes historiques et psychologiques de la colonisation.

Kateb Yacine (né dans le Constantinois en 1929) est l'auteur, au théâtre, du *Cadavre encerclé* (1959), qui fait partie de l'ensemble *le Cercle des représailles*. Le drame algérien est transmué en haute poésie sans rien perdre de son atroce vigueur.

René de Obaldia (voir p. 288) témoigne d'une virtuosité et d'une verve éblouissantes pour ridiculiser gentiment le conformisme du langage et des mœurs

(*Génousie*, 1960, *le Général du Diable*, 1964, *Du vent dans les branches de sassafras*, 1966, et un excellent choix de textes, Julliard, 1966).

Fernando Arrabal (Espagnol né en 1933) connaît un scandale moindre en 1967 pour ses tribulations politiques en Espagne que pour avoir fait jouer *le Cimetière des voitures* dans un théâtre en rond, sorte de cérémonial fantastique, où l'orgie des mots le dispute à l'érotisme, au mysticisme et à l'extravagance de la mise en scène. Son « théâtre panique » comporte quatre volumes, une trentaine de pièces ou piécettes qui vont de la loufoquerie au cauchemar, avec des moments d'innocence et de pure poésie — une sorte de théâtre total dont on espère que de sa confusion jaillira bientôt quelques réalisations impeccables, comme le laisse espérer *l'Architecte et l'Empereur d'Assyrie*, que Jorge Lavelli mit en scène au théâtre Montparnasse en 1967.

Le théâtre de boulevard

L'après-guerre de 1918 avait vu — nous l'avons montré — le déclin du théâtre de boulevard; puis vers 1930 sa timide renaissance. La Seconde Guerre lui a encore porté un coup. Aujourd'hui les jeunes acteurs s'en détachent et le public ordinaire de ce genre de pièces préfère le cinéma. Les scènes du Boulevard se mettent d'ailleurs à montrer les œuvres d'avant-garde, ou même des classiques. C'est le cas des Ambassadeurs, du théâtre des Champs-Elysées, des théâtres Charles-de-Rochefort, des Carrefours, Gramont, Hébertot, Iéna, Pigalle, Verlaine, et même de l'Ambigu, de la Potinière, de la Renaissance, etc. (Il y a à Paris une cinquantaine de théâtres, dont quatre subventionnés : la Comédie-Française, le Théâtre de France, le Théâtre national populaire et le théâtre de l'Est parisien, — sans compter les théâtres lyriques, les music-halls, les théâtres de variétés, de marionnettes et de chansonniers...) Grâce à cette extension de l'esprit nouveau, la qualité des spectacles parisiens s'est bien améliorée. Il faut dire aussi que la guerre a déterminé un renouvellement complet des critiques de théâtre : la plupart sont jeunes, sans préjugés, ouverts et sympathiques à toutes les tendances originales. Si bien que par les journaux et les revues, un certain snobisme aidant, une pièce commerciale, aujourd'hui, c'est d'abord une bonne pièce. De même, par l'éducation du public, les meilleurs films sont devenus en France les plus commerciaux. C'est un heureux progrès.

Quelques auteurs se sont révélés encore dans le genre boulevardier.

Claude André-Puget (né en 1900) écrivit des vers, et puis aborda le théâtre par un vaudeville : *la Ligne de cœur*. Après plusieurs pièces sans importance, il triompha en 1938 avec *les Jours heureux*. Cette pièce présente des jeunes gens et des jeunes filles animés de sentiments tendres, dans une fraîcheur à la Musset. *Échec à Don Juan* brode des arabesques agréables sur le thème du séducteur. Puis Puget s'est renouvelé par la féerie. Ses meilleures pièces créent un monde conventionnel, mais jeune et charmant, qui ravive les couleurs déteintes du traditionnel théâtre de Boulevard. Ce sont : *Un petit ange de rien du tout* (1940), où l'on voit un ange revêtir forme humaine, et surtout *le Grand Poucet* (1943), sans innovation en matière de mise en scène, d'idées ni de sentiments, mais jolie réussite dans l'ordre de la poésie légère et de la grâce. *La Peine capitale* (1948), plus ambitieuse, marque un approfondissement de son art dans le sens de la tragédie, qui se confirme dans *Un nommé Judas* (1954), en collaboration avec Pierre Bost.

Charles de Peyret-Chappuis (né en 1912) affectionne les êtres hantés par de sombres complexes; et si parfois il évoque Racine, plus souvent l'on songe au théâtre naturaliste ou au moins bon Mauriac. Son roman *Beist-Pagès* ne dément pas cette impression. Une belle réussite toutefois : *Frénésie* (1928), drame d'une vieille fille qui, enfin aimée, ne sait pas se comporter simplement sur le chemin de l'amour. *Feu Monsieur Pic*, *Phèdre*, *la Sœur*, *Rouge et Or*, *Judith* reproduisent ce même type de femme excessive, éprise d'un absolu impossible, en face d'hommes faibles qui se laissent manœuvrer. Il vise à la tragédie, mais il n'atteint le plus souvent qu'à la « pièce ».

André Roussin (né en 1911), auteur et acteur à la fois, a donné une série de pochades brillantes, telles *le Tombeau d'Achille*. Il y crée un type de bourgeois égoïste, inconscient et méchant. Ses prétentions à la grande comédie (*Une grande fille toute simple*) sont moins justifiées, mais la *Sainte Famille* et *Jean-Baptiste le Mal-Aimé* avec Louis Ducreux, sur la vie de Molière, constituent de très bons spectacles. *La Petite Hutte* (1948), *Bobosse* (1950), *Lorsque l'enfant paraît* (1952), etc., font passer une soirée très agréable. Il s'est expliqué sur l'évolution de sa carrière et du théâtre en général dans *Un contentement raisonnable* (Grasset, 1965).

Louis Ducreux (né en 1911) a écrit une comédie brillante : *Un souvenir d'Italie*. Sur un rythme de ballet, un Méphisto tendre anime de délicates marionnettes. *Les Clefs du ciel*, en collaboration avec Roussin, met en scène l'histoire curieuse d'aristocrates enfermés sous la Révolution.

Françoise Sagan (voir p. 259) fait preuve à la scène de la même maîtrise technique que dans ses romans : *Château en Suède*, 1960, *la Robe mauve de Valentine*, 1963, etc.

Pierre-Aristide Bréal (né en 1905) a fait, sous des dehors burlesques, la satire du militarisme et de l'intolérance *(les Hussards*, *la Grande Oreille)*.

Armand Verhylle et **Georges Manoir** ont écrit *Monsieur de Falindor*, espèce de chef-d'œuvre de grâce légère et de badinage, dans un XVIe siècle de fantaisie.

Alfred Adam (né en 1908), acteur et auteur, a donné quelques pièces d'un comique léger : *Sylvie et le Fantôme, la Fugue de Caroline*, etc.

Michel Couturier a renouvelé le type du séducteur traditionnel dans une pièce faite pour le Boulevard : *Un Don Juan.*

Jean Bernard-Luc (né en 1909 au Guatemala) a donné quelques savoureux ragoûts dont la psychanalyse fait les frais : *le Complexe de Philémon, la Nuit des hommes, la Feuille de vigne*, etc...

Marc-Gilbert Sauvajon (né en 1909) a composé ou adapté une vingtaine de pièces réussies, depuis *la Belle du château* aux versions françaises des comédies de Peter Ustinov.

José-André Lacour (né en 1919) a battu les records d'affluence avec *l'Année du bac* (1959).

Marcel Mithois (né en 1922) renoue avec le genre de Sacha Guitry dans *Croque-Monsieur* (1963).

Le théâtre existentialiste

L'école existentialiste s'exprime aussi à la scène et sur l'écran. En France, en effet, toute bataille littéraire doit être gagnée avant tout au théâtre. Ces pièces comportent une thèse philosophique; aussi laissent-elles une impression assez pénible, comme il arrive chaque fois qu'un auteur prend la scène pour une tribune ou pour une chaire professorale. Elles manquent aussi de vie : c'est du théâtre littéraire. Ne généralisons pas, toutefois. Certains drames de Sartre et de Camus constituent d'excellents spectacles et expriment très discrètement leur philosophie.

Une scène
des « Mouches »,
de Jean-Paul Sartre.

Jean-Paul Sartre (cf. p. 297 et 351) a débuté avec *les Mouches*, tragédie sur la liberté, qui remua profondément le public de 1943. C'est le drame des Atrides, une fois de plus, avec Égisthe, Oreste, Électre, éclairé par la philosophie existentielle. Jupiter y pose le problème de la liberté humaine, et des mouches d'une conception étonnante incarnent, modernes Érinnyes, le remords. *Huis Clos* (1944) est fondé sur une idée singulièrement antisociale : « L'enfer, c'est les autres ». L'atmosphère en est étouffante : trois êtres s'y déchirent sous une éternelle lumière électrique; le dialogue est très littéraire et toute l'action n'est qu'intérieure. *Morts sans sépulture* (1946) contient des scènes atroces, où l'on voit des partisans torturés par des miliciens. Un conflit aigu de volonté les anime. *La Putain respectueuse* (1946) s'attaque à certaines mœurs américaines (persécution des nègres, hypocrisie morale...); elle conclut d'une manière désespérée par la soumission de l'héroïne, révoltée un moment mais finalement vaincue par la convention sociale, et renonçant à tout. *Les Mains sales* (1948), dans l'irritant problème des fins et des moyens, visent à condamner la stratégie stalinienne. Dans *le Diable et le Bon Dieu* (1951), Sartre a monté une vaste machine théâtrale contre la religion chrétienne. C'est une pièce inégale, et les caractères n'en sont pas tous convaincants. Toutes ces œuvres sont intéressantes et ont provoqué des discussions passionnées. Du point de vue technique, si elles ne manifestent aucune innovation, elles témoignent d'un excellent métier dramatique. *Kean* (1954) nous fait assister, après Alexandre Dumas, à l'incroyable comédie d'un grand acteur qui se laisse prendre à ses pièges. *Nekrassov* (1955) est une satire grinçante de l'antisoviétisme. En 1959, Sartre nous révèle un autre sommet de sa production théâtrale, *les Séquestrés d'Altona*, long drame psychologique et politique, orchestré par un verbe d'une puissance incomparable.

Simone de Beauvoir (cf. p. 300 et 352), a écrit *les Bouches inutiles*, représentées en 1945. Dans un décor flamand du XVIe siècle, on assiste au conflit de l'action et de la morale. Les habitants d'une ville assiégée ont le choix entre la capitulation immédiate et la résistance jusqu'à l'arrivée de renforts, à condition que dans ce dernier cas l'on sacrifie les femmes, les vieillards et les enfants. Mais cette solution renie précisément l'idéal pour lequel ils combattent. Les assiégés tranchent ce dilemme atroce en tentant tous ensemble une sortie désespérée, chacun assumant la faiblesse de tous. Le dialogue de cette pièce est un peu gris, rehaussé par endroits de couleur locale.

Albert Camus (cf. p. 302 et 353) fit jouer en 1946 un *Caligula* datant de 1938. L'empereur fou y apparaît comme un martyr de l'impossible. Il meurt pour n'avoir pas trouvé un monde à sa mesure. *Le Malentendu* (1945), tiré d'un fait divers tragique, illustre la philosophie de l'absurde. *L'État de siège* (1948) est un « spectacle » construit avec Jean-Louis Barrault sur le thème de *la Peste*. *Les Justes* (1950) posent avec une belle intensité dramatique le rapport de la morale

Une scène
du « Malentendu »,
d'Albert Camus.

et de l'action. De généreux terroristes russes (type 1905) assument durement leurs crimes.

Bien entendu, Samuel Beckett, Jean Genêt, Robert Pinget, Georges Michel et d'autres se rattachent, pour le fond, à ce théâtre « existentialiste ». Mais leur technique, très différente de celle d'un Sartre, qui reste traditionnelle, nous a incité à les classer dans le « nouveau théâtre ».

Madeleine Deguy, à la suite de Gabriel Marcel (cf. p. 351) a porté au théâtre l'existentialisme chrétien. *Les Condamnés* mettent en scène un épisode de sainte Catherine de Sienne. La sainte convertit au dernier moment un jeune condamné à mort. Le sujet est traité un peu trop sobrement, mais manifeste de beaux élans d'exaltation religieuse.

PRINCIPAUX COURANTS D'IDÉES

Le panorama actuel des familles intellectuelles et spirituelles de la France est extrêmement touffu et compliqué. On y trouve d'abord les courants traditionnels que nous avons indiqués précédemment. Ceux-ci ne sont pas encore défunts, et même certains se portent assez bien malgré les convulsions de la guerre. Ce sont : le positivisme d'Action française, le monarchisme catholique et socialisant, le rationalisme chrétien, le rationalisme athée, le socialisme sentimental et utopique, l'anarchisme révolutionnaire, etc. La génération de 1940 en général s'est écartée de ces mouvements anciens. Ce n'était pourtant pas une règle absolue, et la droite classique, en particulier, disposait en 1945 d'hommes actifs (Thierry Maulnier, Guillain de Bénouville, Pierre Boutang, etc.), que venaient renforcer de jeunes gaullistes, dans le sillage de Malraux. Il ne reste pas moins vrai que la jeunesse intellectuelle française de l'après-guerre se dirige, dans son ensemble, vers d'autres courants : le marxisme, les personnalisme, l'existentialisme, le structuralisme... C'est de leur dialogue qu'est faite la vie intellectuelle de la France après la Libération.

Consulter :
Les Grands Appels de l'homme contemporain *(Ouvrage collectif) (Temps Présent, 1946).*
L'Activité philosophique en France et aux États-Unis *(tome II, PUF, 1950).*
Gaétan Picon
Panorama des idées contemporaines *(Gallimard, 1957).*
Michel Mourre
(sous la direction de) — Dictionnaire des idées contemporaines *(Éd. Univ., 1964).*
Jean Lacroix
Panorama de la philosophie française contemporaine *(PUF, 1966).*

Le marxisme

Le marxisme est un mouvement ancien. Voilà longtemps qu'il s'est implanté en France, et dans les générations précédentes nous avons déjà pu reconnaître une école de cette appartenance. Cette philosophie a d'ailleurs été préparée, en France même, par le matérialisme du XVIIIe siècle et le socialisme utopique du XIXe siècle.

Mais, à quelques exceptions près, elle avait plutôt conquis les masses par le rouge de son drapeau que séduit les intellectuels en tant que système d'idées.

Consulter :
Roger Garaudy
Les Sources françaises du socialisme scientifique *(Hier et Aujourd'hui, 1948).*

Rares en étaient les commentateurs. Après la Libération, au contraire, il s'est révélé en France une « école marxiste ». Tout un groupe de jeunes philosophes se nourrissent exclusivement de marxisme, et en retour l'enrichissent de leurs travaux personnels. Au beau livre d'**Auguste Cornu** sur Karl Marx, à ceux de **Georges Politzer** (cf. p. 207), de **Valentin Feldman,** etc., se sont ajoutés les importants travaux d'**Henri Lefebvre** (né en 1905). Ce dernier, en s'appuyant essentiellement sur les écrits de jeunesse de Marx, a développé dans une œuvre abondante et originale une nouvelle problématique du marxisme : *la Conscience mystifiée* (1939), thème qu'il renouvelle dans *Critique de la vie quotidienne* et *Introduction à la modernité* (1962). Dans son livre *Problèmes actuels du marxisme*, il prend pour cible le dogmatisme. Il a été exclu du parti communiste en 1958. **Daniel Guérin** (né en 1904) pratique intelligemment le matérialisme dialectique dans *Fascisme et Grand Capital*, *Où va le « peuple » américain?* et l'imposant *Parmi tant d'autres feux* (1949).

Plus tournée vers le concret, il y a ce qu'on appelait « l'équipe d'*Action* ». L'hebdomadaire *Action* réunissait une dizaine de jeunes communistes à l'esprit agile, qui s'expriment aujourd'hui dans d'autres organes. Les plus brillants sont **Pierre Hervé** (né en 1913) : *Individu et Marxisme* (1948), qui a quitté le parti communiste avec éclat, **Pierre Courtade** (cf. p. 315), **Emmanuel d'Astier** (né en 1900) : *Sept fois sept jours* (1947), *Sur Staline*, 1960, qui, depuis, a créé et dirige le mensuel *l'Événement*, auxquels était venu se joindre en 1948 **Yves Farge** (1899-1953), romancier, dramaturge, pamphlétaire bouillant.

Aux *Lettres françaises*, **Claude Morgan** (1898-1966) puis **Pierre Daix** (né en 1922) ont sacrifié leur œuvre personnelle à la lutte idéologique et politique. **Jean Kanapa** (né en 1921) mène le même combat par différents moyens, dont le roman : *le Procès du juge* (1947), dirigé contre *l'Étranger* de Camus.

Pour **Lucien Goldmann** (né en 1913), disciple de Georges Lukacs, le marxisme est un moyen de connaissance de la littérature et de l'art. Il s'est efforcé de le montrer à propos de Pascal et Racine dans *le Dieu caché* (1956), dans *la Pensée des lumières* pour le roman contemporain. Il est encore l'auteur de *Pour une sociologie du roman* (1964).

Louis Althusser (né en 1920) utilise largement certaines tendances du structuralisme pour entreprendre une nouvelle lecture de Marx, qui insiste sur l'aspect scientifique en niant tout aspect humaniste à la doctrine : *Pour Marx* (1965), *Lire le Capital* (1965), *la Tâche historique de la philosophie marxiste* (1967). De telles interprétations posent des problèmes à une orthodoxie que la conjoncture politique inciterait plutôt à présenter une image plus assouplie du marxisme. C'est notamment, la position actuelle de **Roger Garaudy** (né en 1913) : *D'un réalisme sans rivages* (1963), *Marxisme du* XXe *siècle*, etc., en conflit avec Althusser. D'autre part, **Pierre Daix** essaie de concilier le marxisme et le structuralisme dans *Nouvelle Critique et Art moderne* (1968).

Le marxisme est très attaqué, et sur tous les fronts. Une des manières les plus subtiles est de le « dépasser » comme fait Raymond Aron dans *le Grand Schisme* (1948), ou de surenchérir sur son expression officielle (le groupe trotzkyste et *la Revue internationale*).

Sur ces tactiques, se référer à : Michel Collinet : *La Tragédie du marxisme* (Calmann-Lévy, 1948); Robert Aron, etc. : *De Marx au marxisme*; (Flore, 1948); J. Monnerot : *Sociologie du communisme* (1950); Roger Caillois : *Description du marxisme* (1951); Maurice Merleau-Ponty : *les Aventures de la dialectique* (1955); Edgar Morin : *Autocritique* (1959), *Introduction à une politique de l'homme* (1965); Raymond Aron : *la Lutte des classes* (1964); Jean-Paul Sartre : *Situations VII* (1965), etc.

Cette doctrine est née, nous l'avons vu (cf. p. 204), vers 1930 sous l'impulsion d'Emmanuel Mounier et du groupe d'*Esprit*. Après 1944 viennent à lui des intellectuels arrivés d'horizons très différents, attachés en même temps aux idées sociales, aux droits de la personne et à la liberté de l'esprit. C'est vers lui que regardent par exemple des poètes de la Résistance comme Pierre Emmanuel et Jean Cayrol (cf. p. 232). Par ailleurs ce mouvement plonge assez profondément dans le peuple par l'intermédiaire des Jeunesses Chrétiennes (ouvrières : JOC, agricoles : JAC, étudiantes : JEC, etc.) et de la Confédération Générale des Travailleurs Chrétiens (CFTC). Pendant la guerre, quelques hommes de forte personnalité ont donné toute leur mesure : **Louis Martin-Chauffier** (né en 1894) : *l'Homme et la Bête* (1948), **Stanislas Fumet** (né en 1896) : *la Ligne de vie* (1948), **André Mandouze** (né en 1917), **Jean Lacroix** (né en 1900), prestigieux professeur, vigilant observateur du monde des idées, auteur notamment de *l'Échec* (1964), etc... On consultera utilement les collections de *Temps présent* et de *Témoignage chrétien* des premières années d'après guerre. Le recueil *Écrivains en prison* (Seghers, 1945) contenait conjointement de fort beaux textes de martyrs catholiques et de martyrs communistes : union qui symbolisait bien l'atmosphère intellectuelle de la France au moment de la Libération. La revue *Esprit* reste un des rares lieux où le dialogue continue.

Consulter :
H. Guillemin, etc.
Les Chrétiens et la Politique *(Temps Présent, 1948).*
M. Leroy
Précurseurs français du socialisme *(id., 1948).*
Pierre Bigo
Marxisme et Humanisme *(1961)*; la Doctrine sociale de l'Église *(PUF, 1965).*

Apparentée à ce mouvement, **Simone Weil** (1909-1943) quitta l'Université pour subir — douloureusement — l'expérience du travail physique, de la guerre et de l'exil, et chercha Dieu au cours de bouleversantes méditations, dont ses amis ont publié le journal : *la Pesanteur et la Grâce* (1947), *l'Enracinement* (1949), *Attente de Dieu* (1950), *la Connaissance surnaturelle* (1950), *la Condition ouvrière* (1951), *Écrits de Londres* (1957), etc.

Consulter :
M. M. Davy
Simone Weil *(Éditions Universitaires, 1956, et PUF, 1966).*
Bernard Halda
L'Évolution spirituelle de Simone Weil *(Beauchesne, 1964).*
François Heidsieck
Simone Weil *(Seghers, 1965).*

L'existentialisme et ses critiques

1. **L'existentialisme** se pare d'un nom nouveau. En fait, on peut en retrouver très anciennement les racines. En France, Pascal, Flaubert, Baudelaire, Rimbaud et les romanciers naturalistes passent volontiers pour ses précurseurs. Mais l'existentialisme moderne s'accompagne de toute une construction philosophique à laquelle ont contribué des Allemands, des Scandinaves, des Russes. Le premier maître en fut Sören Kierkegaard (1813-1855), le « Pascal danois », qui a remis la métaphysique sur le terrain de l'expérience personnelle et de la vie : *le Concept d'angoisse*, *Crainte et Tremblement*, etc. Les études kierkegaardiennes sont extrêmement florissantes.

Consulter :
Jean Wahl
Études kierkegaardiennes *(Vrin, 1937, 1949).*
Régis Jolivet
Introduction à Kierkegaard *(Fontenelle, 1948).*
Pierre Mesnard
Le Vrai Visage de Kierkegaard *(Beauchesne, 1948).*

Nietzsche en Allemagne, Chestov en Russie, où l'existentialisme se nourrit de Dostoïevski, Unamuno en Espagne, Jules de Gaultier et Jules Lequier en France, un Russe émigré, Nicolas Berdiaeff, ont apporté des thèmes, des idées, des suggestions voisines. Plus importante est la contribution des Allemands : Husserl et l'école phénoménologique, Jaspers, Scheler, et surtout Heidegger, ont fourni des éléments de cet énorme appareil théorique sur lequel repose aujourd'hui la philosophie existentielle. Pensons enfin au Praguois Franz Kafka (1883-1924) qui créa un type de roman propre déjà à traduire cette conception du monde.

Jusqu'à 1940, l'existentialisme était demeuré une philosophie de chapelle. Les essais de Lavelle, de Le Senne, de Jean Wahl n'avaient pas touché l'opinion publique. Il appartenait à Jean-Paul Sartre de fondre tous ces éléments et de lancer le mouvement. Si l'existentialisme n'est pas spécifiquement français, il l'est ainsi devenu aux yeux de l'étranger. En cela la France reste fidèle à la mission qu'elle a si souvent assumée : prendre ailleurs toutes les idées nouvelles, les préciser, les éclaircir, les humaniser, pour ainsi dire, leur conférer le prestige de l'art, et les rediffuser dans le monde.

Comment expliquer ce succès? Le désarroi des esprits pendant la dernière guerre y est sans doute pour beaucoup. Comme le romantisme, le symbolisme, le surréalisme, nés après de douloureuses épreuves nationales, c'est un antirationalisme. Il faut dire aussi que les philosophies traditionnelles étaient en déclin. Brunschvicg, mort en 1944, fut le dernier grand maître de l'intellectualisme. Bergson, disparu en 1941, n'a pas laissé de disciples marquants. Il y avait donc, face au marxisme et au christianisme, une place à prendre. C'est ainsi que l'existentialisme de Sartre est devenu le lieu de ralliement d'une partie de la bourgeoisie éclairée.

Qu'est-ce que l'existentialisme? On ne saurait répondre en quelques lignes à cette question si souvent posée. Disons seulement que, d'après cette école, l'*existence* précède l'*essence*. C'est-à-dire que l'homme individuel, pas plus que l'humanité, n'est défini *a priori*. Il n'est pas prisonnier de sa nature, il crée en vivant sa future essence. « C'est en se jetant dans le monde, en y souffrant, en y luttant, que l'homme se définit peu à peu. » L'existentialisme apparaît donc comme une philosophie de la liberté. Puisque tout homme peut *être* ce qu'il s'est *fait*, il échappe au déterminisme. Il est aussi une philosophie de l'action; car seule l'action donne un sens à notre existence et nous construit notre visage éternel. C'est alors qu'on entrevoit les conséquences morales et même politiques d'une telle doctrine : si l'idée d'homme, si l'idée d'humanité ne sont pas définies à l'avance, *au nom de quoi* peut-on agir? Mis sans cesse dans l'obligation de choisir, de *se* choisir, dépourvu de tout critère, l'individu risque d'errer sans fin à la poursuite d'un moi toujours futur. C'est ce qu'illustrent les vies lamentables de Roquetin dans *la Nausée*, ou de Mathieu Delarue dans *l'Age de raison*. Politiquement, chaque être risque de demeurer isolé en lui-même : il ignore la communion humaine. Sartre prétend dépasser ce stade en créant la notion d'*engagement*. Certaines pages du *Sursis* et l'attitude personnelle qu'il n'hésite pas à prendre en certains cas précis aissent pressentir que Sartre n'abandonnera pas les hommes au nihilisme. Son pessimisme métaphysique sera compensé, semble-t-il, par un véritable optimisme de l'action. Mais sa philosophie est encore inachevée : il faut attendre la suite d'une œuvre qui connaîtra certainement des développements nouveaux.

On a coutume de diviser l'existentialisme en deux espèces distinctes : l'athée et le chrétien.

Consulter :
Jean Wahl
Petite Histoire de l'existentialisme *(Club Maintenant, 1947).*

L'existentialisme chrétien, qui provient directement de Kierkegaard, a quelque peine à s'imposer, et même à se définir, malgré tout le talent de **Gabriel Marcel** (cf. p. 199). C'est ce dernier qui introduisit en France la doctrine, le premier, vers 1925. Mais il a peu d'adeptes, et d'ailleurs certaines autorités ecclésiastiques désapprouvent sa position. Outre son théâtre, on lira *Être et Avoir* (1935), *Du refus à l'invocation* (1940), *Homo viator* (1944), *le Mystère de l'être* (1951-1952), mais surtout son *Journal métaphysique* (1928), qui demeure pour les jeunes, après quarante ans, son principal titre de gloire.

Consulter :
Dans la Collection Présences, *le volume intitulé* Existentialisme chrétien, *sur Gabriel Marcel (Plon, 1947).*
Jeanne Parain-Vial
Gabriel Marcel *(Seghers, 1966).*

Dans la ligne de Kierkegaard mais sans appartenance religieuse exprimée, **Jean Wahl** (né en 1888) a contribué à ramener la philosophie vers l'homme total et vers le concret (*Études kierkegaardiennes*, 1888, *Vers la fin de l'ontologie*, 1955, *l'Expérience métaphysique*, 1965).

L'existentialisme athée a plus d'éclat et fait plus de bruit. Son maître, **Jean-Paul Sartre** (né à Paris en 1905) prit d'emblée une place de premier plan en 1944. Son quartier général, le café de Flore, devint tout à coup célèbre; mais rapidement, Sartre désavoua certains de ses disciples, jeunes bourgeois des deux sexes, qui commettaient force excentricités à la recherche de leur « moi ». Nous avons énuméré ses romans (cf. p. 297) et ses drames (cf. p. 341). Ses principaux écrits théoriques sont : *l'Imagination* (1938), *l'Imaginaire* (1940), *Esquisse d'une théorie de l'émotion* (1939), études de psychologie phénoménologique, et

Consulter :
Robert Campbell
J.-P. Sartre ou une littérature philosophique *(Ardent, 1945)*.
Francis Jeanson
Le problème moral et la pensée de Sartre *(Myrte, 1947)*.
Marc Beigbeder
L'Homme Sartre *(Bordas, 1947)*.
G. Varet
L'Ontologie de Sartre *(PUF, 1948)*.
Francis Jeanson
Sartre par lui-même *(Seuil, 1956)* et le Problème moral et la Pensée de Sartre *(Seuil, 1966)*.
Colette Audry
Sartre et la réalité humaine *(Seghers, 1966)*.
Numéro spécial de la revue L'Arc *(30, 1955)*.

l'Être et le Néant (1943). Ce dernier ouvrage est très important pour les spécialistes, mais nous n'en conseillons guère la lecture au lecteur moyen. Nous lui recommandons de préférence *L'existentialisme est un humanisme* (1946), vulgarisation brillante des idées sartriennes. Pour se tenir au courant de l'évolution de cette philosophie, il faut lire la revue *les Temps modernes*. C'est là qu'ont paru nombre d'articles capitaux réunis ensuite en volumes sous le titre général de *Situations*. Son *Baudelaire* (1947), son *Flaubert* (1968), font date dans l'histoire de la critique. En 1960 a paru sa *Critique de la raison dialectique*, ouvrage considérable, avec une préface qui examine magistralement les rapports de l'existentialisme et du marxisme.

Simone de Beauvoir (née en 1908) a écrit, elle aussi, des essais clairs et précis dans les *Temps modernes*. Outre ses romans et son théâtre (cf. p. 300 et 343), *Pyrrhus et Cinéas* (1944) pose le problème des buts et des limites de toute action. *Pour une morale de l'ambiguïté* (1947) définit la morale existentialiste. *Le Deuxième Sexe* (1949), vaste somme sur la situation de la femme dans le monde, porte d'ardentes revendications féministes. Ses essais sur l'Amérique et sur la Chine (*la Longue Marche*, 1957) constituent plutôt des témoignages sur leur auteur, qui commence l'histoire de sa vie et de ses pensées, sans vaines concessions à l'anecdote. *Les Mémoires d'une jeune fille rangée* (1958), *la Force de l'âge* (1960) et *la Force des choses* (1963) ainsi, que *Une mort très douce* (1964), nous permettent de mieux connaître et d'admirer une des personnalités les plus attachantes de l'intelligentsia française contemporaine.

Consulter :
Serge Julienne-Caffié
Simone de Beauvoir *(Gallimard, Bibl. Idéale, 1966)*.
Francis Jeanson
Simone de Beauvoir ou l'Entreprise de vivre *(Seuil, 1966)*.

Maurice Merleau-Ponty (1906-1961) se cantonne dans la philosophie psychologique (*la Structure du comportement*, 1941, *la Phénoménologie de la perception*, 1945). Il cherche aussi un *modus vivendi* entre l'existentialisme et le marxisme : *Humanisme et Terreur*, *Sens et Non-Sens*, *les Aventures de la dialectique*, etc.

Les notes d'un livre posthume *le Visible et l'Invisible* (1964) sont riches de perspectives trop brusquement brisées. Après sa mort prématurée, Sartre a retracé les épisodes de leur amitié difficile dans *les Temps modernes*, numéro spécial d'octobre 1961. **Jean Grenier, Jean Hippolyte, Henri Beauffret, Raymond Polin, Georges Gusdorf, Francis Jeanson** sont plus ou moins près de l'existentialisme sartrien. **Georges Bataille** (cf. p. 240), directeur de la revue *Critique* est l'auteur de *l'Expérience intérieure* (1943), *le Coupable* (1945), d'études sur Nietzsche, etc.

Consulter :
Numéro spécial de la revue L'Arc *(32).*
Numéro spécial de la revue Critique *(août-septembre 1963).*
André Robinet
Merleau-Ponty *(PUF, 1963).*

Benjamin Fondane (né en Roumanie en 1898, mort à Auschwitz en 1944), précurseur de ce mouvement, n'est pas oublié de tous ceux qui l'ont connu, ni de ceux qui lisent encore ses beaux ouvrages troublants; *Rimbaud le Voyou* (1934), *la Conscience malheureuse* (1936), *Baudelaire et l'expérience du gouffre* (1947), etc., et des poèmes.

Consulter :
Numéro 282 des Cahiers du Sud *(1947).*

2. **La philosophie de l'absurde** a des rapports assez étroits avec l'existentialisme. Elle se ne confond pourtant pas avec lui, et son principal représentant : **Albert Camus** (né en 1913, mort en 1960) s'en est bien défendu. Ses romans et son théâtre sont les meilleures expressions de ses idées (cf. p. 302 et p. 343). Mais il faut lire aussi *le Mythe de Sisyphe* (1942), clair essai sur l'absurdité du monde et sur la nécessité de la révolte, dont les thèmes sont repris et amplifiés dans *l'Homme révolté* (1951). On lira tous ses essais dans le 2e volume de la Pléiade (1965).

Consulter :
André Nicolas
Albert Camus ou le vrai Prométhée *(Seghers, 1966).*

3. **Les critiques de l'existentialisme.** Depuis 1944, la réaction est extrêmement vive contre l'existentialisme. Elle vint de toutes parts et pendant quatre ans la polémique fut intense. En 1968, elle est un peu tombée.

a) *Du côté rationaliste.*

Consulter :
Ferdinand Alquié
Articles parus dans la Revue Internationale *(mars et avril 1946).* La Nostalgie de l'être *(1950).*
Julien Benda
Tradition de l'existentialisme *(Grasset, 1947).*

b) *Du côté catholique*, on a cherché un instant à utiliser l'existentialisme, dans la pensée que ce désarroi

Roger Troisfontaine
Le choix de J.-P. Sartre *(Aubier, 1945).*

Luc-J. Lefèvre
L'existentialiste est-il un philosophe? *(Alsatia, 1946).*

Emmanuel Mounier
Introduction aux existentialismes *(Denoël, 1947).*

Consulter :
Henri Lefèbvre
L'Existentialisme *(Sagittaire, 1944).*

Henri Mougin
La Sainte-Famille existentialiste *(Éd. Sociales, 1947).*

Jean Kanapa
L'Existentialisme n'est pas un humanisme *(Éd. Sociales, 1947).*

Georges Lukacs
Existentialisme ou Marxisme? *(Nagel, 1949).*

moral ne pouvait manquer de conduire à Dieu Mauriac d'un côté, Camus de l'autre se tendaient la main. Mais Sartre et son école sont d'un athéisme irréductible et suscitent toujours des controverses acharnées.

c) *Du côté marxiste*, la réplique fut encore plus brutale, malgré certaines avances que Sartre et Merleau-Ponty avaient faites aux communistes. Les deux tendances se rapprochent en effet par leur athéisme, leur matérialisme, leur conception de la lutte des classes. Mais jusqu'à présent le marxisme orthodoxe s'est refusé à pactiser avec cette philosophie d'essence « bourgeoise », où il voit une concurrence dangereuse. La politique de la « troisième force » a encore aiguisé le conflit. Cependant Emmanuel Mounier écrivit : « Le destin des années prochaines est sans doute de réconcilier Marx et Kierkegaard. » Qui le sait?

Le structuralisme

Le terme de structuralisme désigne des méthodes qui consistent à dégager, dans la réalité étudiée, des « structures », c'est-à-dire des ensembles dont les parties agissent les unes sur les autres. Le structuralisme, qui semble, depuis quelques années, avoir envahi brusquement le champ de la pensée contemporaine, avait été préparé, d'une part, par les philosophes de la psychologie de la forme et, d'autre part, par des linguistes, tel Saussure.

Consulter :
Georges Charbonnier
Entretiens avec Lévi-Strauss *(Julliard-Plon, 1961).*

Yvan Simonis
Cl. Lévi-Strauss ou la « passion de l'inceste » *(Aubier-Montaigne, 1968), et le n° 26 de la revue* L'Arc.

En ethnographie, **Claude Lévi-Strauss** (né en 1908) fait une œuvre qui dépasse sa propre science et qui, en analysant les structures profondes des sociétés et les caractères de l'être humain, interroge la condition de l'homme dans son ensemble. Ses beaux livres ne sont pas dénués de poésie : *Race et histoire* (1952), *Tristes Tropiques* (1955), *Anthropologie structurale* (1958), *la Pensée sauvage* (1962), *le Cru et le Cuit* (1965), *Du miel aux cendres* (1966).

Jacques Lacan occupe une place importante dans le mouvement psychanalytique français. Dans l'unique volume de ses *Écrits* (1966), il propose une interprétation structuraliste des travaux de Freud.

Consulter : *Les numéros spéciaux des revues* L'Arc *(n° 30, 1966)*, Esprit *(nov. 1963)*, Aletheia *(n° 4, mai 1966)*, *etc.*

Michel Foucault (né en 1927) obtient en 1966 l'audience du grand public avec un austère ouvrage de 400 pages : *les Mots et les Choses*, enquête sur « l'archéologie » du savoir qui, pour certains, sonnait le glas de l'existentialisme et de tous les humanismes. Ce jeune philosophe était déjà l'auteur d'une remarquable *Histoire de la folie*.

Enfin, le structuralisme n'est pas étranger au phénomène de la « Nouvelle Critique », cf. p. 357.

La critique

La critique française après la Libération a vu se renouveler ses cadres. Dans la plupart des journaux et des revues, les chroniques littéraires, philosophiques, artistiques, cinématographiques sont tenues par des hommes qui, contrairement à la période précédente, ne sont plus des amateurs, des « mondains ». La plupart ont une formation universitaire, ont fait des études philosophiques très sérieuses. Jamais sans doute les débats littéraires dans la presse ne se sont tenus à un si haut niveau de pensée. D'où leur peu d'influence sur le grand public... Avec **Louis Parrot** (cf. p. 214), mort prématurément, citons parmi les critiques les mieux doués ou les plus en vue : **R.-H. Albérès, Alexandre Astruc, André Bourin, Pierre de Boisdeffre, Jean-Louis Bory, Roger Boussinot, Georges Buraud, Raymond Dumay, Max-Pol Fouchet, Paul Guth, Pierre Herbart, Armand Hoog, Robert Kanters, Jacques Lemarchand, Claude-Edmonde Magny** (1913-1966), **Denis Marion, Claude Roy, Nicole Vedrès** (1911-1965), etc. Tous ces critiques sont les auteurs d'essais, voire de romans, de drames, et de poèmes.

Ils ont encore leur chance d'attacher leur nom non seulement à l'histoire future de la critique, mais souvent même à celle de la création. Nous avons cité dans nos bibliographies la plupart de leurs principaux ouvrages.

En Suisse, **Denis de Rougemont** (né en 1906) se pose comme une des plus lucides consciences de notre temps. D'une œuvre déjà vaste, signalons : *Penser avec les mains* (1936), *Journal d'un intellectuel en chômage* (1937), *l'Amour et l'Occident* (1938), *Vingt-huit siècles d'Europe*, etc., et une foule d'essais écrits depuis la guerre sur des problèmes de civilisation.

Vingt ans après la Seconde Guerre mondiale, une nouvelle équipe de jeunes critiques est en place. Elle renouvelle peu à peu nos points de vue sur les écrivains passés et présents, et par là même notre conception de la littérature.

Une bonne part de ces essayistes (car l'essai est la forme qu'ils affectionnent surtout) s'appuient sur la phénoménologie, la philosophie existentielle ou le freudisme, mais peut-être davantage sur l'œuvre de **Gaston Bachelard** (1884-1962) qui est allé très loin dans l'analyse de l'imagination et de ses rapports avec les différentes formes de la matière (*Psychanalyse du feu*, *l'Eau et les Rêves*, *l'Air et les Songes*, *la Terre et les Rêveries de la volonté*, *la Terre et les Rêveries du repos*, *la Poétique de l'espace*, 1950, etc.).

Consulter :
Pierre Quillet
Bachelard *(Seghers, 1965).*
François Dagognet
Gaston Bachelard *(PUF, 1965).*
François Pire
De l'imagination poétique dans l'œuvre de Gaston Bachelard *(Corti, 1968).*

D'autres ont subi l'influence spirituelle de **Charles du Bos** (cf. p. 202). Ils ont trouvé également des suggestions profondes dans les articles et les deux ouvrages fondamentaux de **Georges Poulet** (né en Belgique en 1902), qui recherche les fondements psychologiques des œuvres littéraires dans la perception que les écrivains ont prise du temps (les trois volumes d'*Études sur le temps humain*, 1950-1964, *la Mesure de l'instant*, 1968). Signalons encore l'influence de deux écrivains dont l'œuvre dépasse la simple critique littéraire : **Marcel Raymond** (né en

1897) : *De Baudelaire au surréalisme*, 1933, et **Albert Béguin** (1901-1957) : *l'Ame romantique et le Rêve* (1939).

Enfin, la critique de Sartre n'est pas étrangère à ce renouvellement, notamment son *Baudelaire* (1947), ainsi que celle de **Maurice Blanchot** (cf. p. 301). Notons que **Georges Bataille** (1897-1962), par son œuvre personnelle (*l'Expérience intérieure*, 1943) et comme directeur de la revue *Critique*, contribua largement à changer le climat de la vie intellectuelle pendant les dix dernières années.

Ainsi, comme on a pu le constater, par exemple lors de la mémorable décade de Cerisy-la-Salle, le panorama de la critique littéraire contemporaine se présente, en 1968, à peu près de la façon suivante :

— *la critique traditionnelle*, qui est le fait, en général, des professeurs d'université, où l'accent est utilement mis sur l'histoire littéraire, la biographie, l'érudition, l'étude des sources et des influences, selon les méthodes en vigueur depuis Lanson, telles qu'elles se manifestent dans la plupart des thèses de doctorat, et dans la *Revue d'histoire littéraire de la France;*

— *la « nouvelle critique »*, qui a un point commun : rompre avec la méthode historique (encore qu'elle présuppose la connaissance approfondie des faits, des textes et des documents), mais qui se divise selon des différences et parfois des antagonismes de plus en plus manifestes. Cette critique de spéculation et d'interprétation, où l'intuition souvent se substitue à la preuve, où l'essai remplace la démonstration, qui décrit plus qu'elle n'explique, qui se réfère à des systèmes philosophiques donnés, a été depuis longtemps préparée, à des titres divers, par Marcel Proust, Charles Péguy, Charles du Bos, André Gide, Paul Valéry, Albert Thibaudet, Jacques Rivière, Ramon Fernandez, Jean Paulhan, Boris de Schloezer, et bien d'autres, dont se réclament comme « précurseurs » les adeptes des écoles ou des chapelles d'aujourd'hui. Plus précisément :

1° *La critique marxiste* commence à préciser sa méthode dans le sillage de Georg Lukacs. Plus qu'**Auguste Cornu**, assez traditionnaliste (*Essai de critique marxiste*, 1951), c'est **Lucien Goldmann** (voir p. 347) qui apparaît comme le chef de file de cette nouvelle méthode sociologique, dont **Jacques Leenhardt** est l'un des jeunes adeptes les plus cohérents. Dans un esprit d'investigation à la fois sociologique et psychologique, **René Girard** (né en 1924) a écrit *Mensonge romantique et Vérité romanesque*. **Jean Duvignaud** (né en 1921) et **Bernard Dort** s'intéressent surtout aux réalisations théâtrales dans leurs rapports avec le phénomène social.

2° *La critique psychanalytique* se groupe parfois derrière **Charles Mauron** (1899-1966), fondateur de la « psychocritique » (*Mallarmé l'obscur*, 1941, *l'Inconscient dans l'œuvre de Racine*, 1954, *le Dernier Baudelaire*, 1966), mais ses choryphées les plus intransigeants ne reconnaissent pas d'autre maître que **Jacques Lacan** (voir p. 355). **Marthe Robert** (sur Kafka) **Gilles Deleuze** (sur Proust), **Jean Laplanche** (sur Hölderlin), ont produit dans cette ligne des essais remarquables.

3° *La critique existentialiste*, dont **Jean-Paul Sartre** a fourni les modèles (*Saint Genêt*, *Flaubert*, *Situations*) et **Maurice Blanchot** les investigations les plus souterraines (*Faux Pas*, *l'Espace littéraire*, *le Livre à venir*), continue à susciter les essais les plus riches de substance et de pensée : **Francis Jeanson, Jean Pouillon,** et aussi **Serge Doubrovsky** (né en 1928), auteur d'un *Corneille* non conformiste et d'une étude dynamique et combative : *Pourquoi la Nouvelle Critique?* (1966). **Bernard Pingaud** (né en 1923), qui est aussi le romancier sensible de *l'Amour triste* (1950), a réuni ses essais délicats, profonds, dans le recueil *Inventaire* (1965).

4° *La critique thématique*, plus « littéraire », plus soignée, plus « écrite », doit beaucoup à **Gaston Bachelard,** mais aussi à **Georges Poulet,** à **Marcel Raymond,** à **Albert Béguin,** à **Jean Rousset,** à **Jean Starobinski.** C'est dans cette famille d'esprits qu'on trouvera le plus doué de tous, **Jean-Pierre Richard** (né en 1922), écrivain qui a pris le parti d'écrire sur les écrivains avec une rigueur, une richesse et un velouté de style proprement admirables (*Littérature et Sensation*, 1952, *Poésie et Profondeur*, 1955, *l'Univers imaginaire de Mallarmé*, 1961, et de nombreuses autres études sur les poètes et les romanciers). **Jean-Paul Weber** (né en 1926) fait de même avec une fortune plus contestée (*Genèse de l'œuvre poétique*, 1960).

5° *La critique formaliste* ou *structuraliste* se réclame non seulement de *l'Anthropologie structurale* de Lévi-Strauss, mais avant tout des travaux des linguistes qui, depuis **Saussure**, ont radicalement bouleversé notre appréhension des problèmes du langage : **André Martinet** (*Éléments de Linguistique générale*, 1960), **Émile Benveniste** (*Problèmes de Linguistique générale*, 1966), **Georges Mounin** (*Problèmes théoriques de la traduction*, 1963), **Georges Matoré** (*l'Espace humain*, 1962), **Pierre Guiraud, Bernard Pottier,** etc., pour ne parler que des Français, qui sont venus après les formalistes russes et les savants de l'école de Copenhague.

C'est à cette veine qu'appartient **Roland Barthes** (né en 1915), quoique les enseignements de Marx et de Freud, de Bachelard et de Blanchot ne soient pas étrangers non plus à ses études extrêmement originales de « sémiologie » : *le Degré Zéro de l'écriture* (1953), *Michelet* (1954), *Mythologies* (1960), *Système de la mode* (1964). Plus récemment, **Gérard Genette** (né en 1932), dans *Figures* (1966), réduit le sens des livres à l'interprétation de leurs structures. **Jacques Derrida** (né en 1933) crée la « Grammatologie » et compose *l'Écriture et la Différence* (1967).

Il convient de faire ici une place au *Groupe Tel Quel*, du nom de la revue et de la collection ainsi dénommées. Bien que ce groupe tende à devenir une secte du fait de l'intransigeance quelque peu terroriste de ses jeunes dirigeants, on trouvera dans ses productions des éléments très excitants pour l'esprit derrière les paradoxes et les outrances. Au 29 février 1968, et après l'expulsion de Jean-Pierre Faye, le groupe comprenait huit membres : Jean-Louis Baudry, Marcelin Pleynet, Jean Ricardou, Jacqueline Risset, Denis Roche, Pierre Rothenberg Philippe Sollers, Jean Thibaudeau!

En 1965, un professeur à la Sorbonne, **Raymond Picard** (voir p. 257) déclenche une tumultueuse querelle avec son pamphlet *Nouvelle Critique ou Nouvelle Imposture?* Les réponses de Barthes (*Critique et Vérité*), de Weber (*Néo-critique et paléocritique*), de Doubrovsky (*Pourquoi la nouvelle critique?*), et vingt autres, eurent le mérite d'éclairer « les chemins actuels de la critique » pour le grand public, et peut-être pour les nouveaux critiques eux-mêmes.

Consulter :
Les chemins actuels de la critique *(comptes rendus de la décade de Cerisy-la-Salle réunis par Jean Ricardou, Plon, 1967).*

Il faut enfin mentionner en désordre des écrivains — historiens, philosophes ou critiques — sans attache, sans étiquette, dont l'œuvre fait son chemin dans le public par la seule force de leur personnalité ou de leur talent :

Raymond Aron (né en 1905) traite des problèmes de la politique, de l'économie, de la sociologie, avec une intelligence d'une virtuosité incomparable (*Introduction à la philosophie de l'Histoire*, 1938, *l'Opium des intellectuels*, 1955, *Essais sur l'âge industriel*, 1966, *les Étapes de la pensée sociologique*, 1967. Cf. aussi p. 274).

E.-M. Cioran (né en Roumanie en 1911) commente avec beaucoup de talent la décadence de notre civilisation, à laquelle il reconnaît au moins le charme d'un certain style (*Précis de décomposition*, 1949, *Syllogismes de l'amertume*, 1952, *la Tentation d'exister*, 1956).

Henri Guillemin (né en 1903), historien et biographe plus encore que critique littéraire, témoigne en général d'une solide information, mais fait intervenir volontiers ses sentiments et ressentiments dans les nombreuses études qu'il a consacrées aux écrivains des XIXe et XXe siècles.

René Huygue (né en 1906) a élaboré, à partir d'une connaissance approfondie des œuvres, une véritable philosophie de l'art (*Dialogue avec le visible*, 1955, *l'Art et l'Homme*, 1958 et suiv.).

Roger Caillois (né en 1913), philosophe à travers la philologie et la sociologie, esprit lucide et rigoureux, a déployé les plus efficaces vertus de la raison dans une trentaine d'ouvrages variés au style sans fissure, dont pas un n'est indifférent (*le Mythe et l'Homme*, 1938, *le Mythe et le Sacré*, 1938, *Esthétique généralisée*, 1962, etc.).

Maurice Nadeau (né en 1911) est un observateur vigilant de la réalité contemporaine et un remarquable découvreur de talents nouveaux.

Gaétan Picon (né en 1915) pratique une critique d'idées, mais sans système, servie par un remarquable talent d'écrivain (*l'Écrivain et son Ombre*, 1955, *Usage de la lecture*, 1960-1961).

Georges Blin (né en 1917) a analysé Baudelaire et Stendhal à l'aide de ses propres méthodes rigoureuses et brillantes.

Henri Perruchot (1917-1967), qui fonda vers 1945 un mouvement philosophique et littéraire : l'épiphanisme, s'est consacré depuis à la biographie des peintres impressionnistes.

Dominique Fernandez (né en 1929), spécialiste du roman italien et de Pavese, jette un regard neuf et singulièrement intelligent sur la Sicile et sur notre *Mère Méditerranée* (1965).

Jean-François Revel (né en 1924), enfant terrible de sa génération, s'en prend avec un talent mordant aux valeurs les plus consacrées : la philosophie (*Pourquoi des philosophes*, 1957), l'Italie et ses mythes (*Pour l'Italie*, 1958), et jusqu'au président de la République (*le Style du Général*, 1960). Spécialiste du pamphle. (*la Cabale des dévots*, *En France*, *Contrecensures*), il est appelé à diriger chez Pauvert la collection *Libertés*.

Bernard Frank (né en 1929) commente la faune et la géographie littéraires avec le souci de se situer lui-même par rapport aux autres esprits. Sa légèreté, comme celle de Françoise Sagan, dissimule mal un amer pessimisme : *Géographie universelle* (1953), *le Dernier des Mohicans* (1956), *la Panoplie littéraire* (1958) et des romans (*l'Illusion comique*, 1955).

Ainsi, vingt ans après la Seconde Guerre mondiale, la France demeure le pays de la diversité. Sa cohérence interne en souffre, et aussi la puissance de son rayonnement extérieur, en un temps où les esprits comme les nations tendent à se grouper en blocs imperméables. Du moins tout homme peut-il s'y trouver des amis, des livres, des revues à sa convenance; et la France aux mille facettes demeure le miroir des contradictions du monde entier.

les revues

Faire le point de la situation intellectuelle de la France, c'est dresser le catalogue de ses revues. Celles-ci sont innombrables : le répertoire complet des périodiques français comprend 15.000 titres. Il en naît d'ailleurs, et il en meurt, tous les jours. Il serait vain de prétendre les citer toutes. Nous n'indiquerons que les principales. Parfois nous avons choisi aussi certaines petites revues moins célèbres, quand elles expriment, selon nous, un courant intéressant : c'est peut-être de l'une d'elles, plus que des grandes, que sortira le grand poète, le meilleur critique de demain, l'esthétique de l'avenir.

La meilleure méthode de classement serait par familles d'esprits. Mais le lecteur désireux de s'informer préférera sans doute la classification traditionnelle : revues générales, revues spécialisées, etc. Nous avons essayé de combiner les deux méthodes en éclairant d'un mot la tendance de chacune d'elles.

Nous ne citerons que des revues « littéraires » au large sens du mot. Un panorama complet devrait comprendre, en outre, les revues politiques, économiques, juridiques, pédagogiques, historiques, scientifiques, médicales, techniques, les revues des sciences humaines, d'art pur, d'art appliqué, etc. La plupart offrent à leurs lecteurs des pages littéraires, certaines de tout premier ordre, comme les revues médicales et les revues d'art.

REVUES BIBLIOGRAPHIQUES

De quels moyens dispose-t-on pour être informé au jour le jour de la production française ?

Tout ce qui paraît est enregistré dans :

La Bibliographie de la France, journal général de l'imprimerie et de la librairie, hebdomadaire, publié par le Cercle de la Librairie, 117, boulevard Saint-Germain, Paris. Il fait foi en matière de dates dans tous les travaux précis.

Le Livre du mois en est un abrégé sans commentaires, de même que *Biblio*, organe des Messageries Hachette. Ces publications sont surtout utiles aux libraires.

Le critique, le traducteur, le lecteur cultivé préféreront des répertoires moins abondants, mais intelligemment constitués et commentés.

Le Bulletin critique du livre français, mensuel, est publié par l'Association pour la diffusion de la pensée française, 23, rue La Pérouse, Paris (16e). Nous le recommandons instamment pour ses classifications ingénieuses, ses notices claires, ses tables pratiques, et son prix peu élevé. Il donne aussi l'analyse des revues.

Critique, qui fut fondée et dirigée par Georges Bataille, est déjà une revue générale. Elle publie des articles d'ensemble sur les auteurs du jour, d'un niveau philosophique et critique souvent très élevé.

Pour la littérature enfantine, il existe un remarquable *Bulletin d'analyse des livres pour enfants*.

Pour la philosophie, il existe un fascicule du *Bulletin analytique de la recherche scientifique*. C'est un instrument admirable qui indique, avec de brefs résumés, tout ce qui paraît dans le monde. Il est dommage que l'équivalent n'existe pas encore pour l'histoire littéraire.

Pour les écrivains du XXe siècle qui sont déjà devenus des classiques, la *Revue d'histoire littéraire de la France* contient des bibliographies remarquables établies par René Rancœur.

REVUES GÉNÉRALES

La guerre en avait tué bon nombre, parmi lesquelles la fameuse *Nouvelle Revue Française* (cf. p. 87), qui a ressuscité le 1er janvier 1953. Quelques-unes, qui s'étaient sabordées ou avaient été interdites en 1940, ont reparu après 1944. D'autres sont nées soit dans la clandestinité, soit à l'étranger, ou après la Libération : certaines ont prospéré, d'autres sont mortes.

Parmi les revues défuntes qui présentaient une réelle valeur et où l'histoire littéraire future devra aller chercher des documents, nous citerons les suivantes :

Poésie 40, 41, 42... 48, publiée par Pierre Seghers, a fait suite à *P.C. 39* (Poètes casqués), petite revue poétique née sur le front. C'était surtout une revue de poésie, à l'avant-garde du moderne, et même du bizarre. On y trouvait aussi des chroniques de tout premier ordre et de bons textes des littératures étrangères. Les plaquettes *Poésie* ont publié, sous une forme agréable, les plus heureux poèmes de la jeune génération sans souci d'école ni esprit de clan.

Fontaine et *l'Arche* étaient originaires d'Alger. C'étaient des revues sérieuses à tendances philosophiques, qui ont disparu avant de devenir académiques, mais savaient encore lancer de jeunes talents.

Confluences, fondée à Lyon par René Tavernier, était une des plus riches en idées. Depuis 1947, son directeur l'a remplacée par des « Numéros spéciaux » d'une périodicité non définie.

Les Chroniques de Minuit, éditées par les Éditions de Minuit, étaient dirigées dans l'esprit de la Résistance, et ont cessé de vivre en même temps que cet esprit.

Le Cheval de Troie avait été créé par le R. P. Bruckberger. Il représentait un aspect du catholicisme progressiste. La revue dut s'interrompre quand son fondateur fut éloigné de Paris.

Parmi les revues de qualité qui ont reparu :

Le Mercure de France, une des plus anciennes revues françaises (il a publié près de 1 200 numéros mensuels), est spécialisé dans les articles sérieux, voire érudits, du plus grand intérêt de fond. Quelques grands écrivains lui apportent de temps en temps leur prestige. Il disparaît de nouveau en 1966.

La Revue de Paris donne des textes d'écrivains chevronnés. Elle s'adresse surtout à la grande bourgeoisie éclairée.

Hommes et Mondes a tenu la place, un moment, de l'ancienne *Revue des Deux Mondes*, qui reparaît sous sa forme traditionnelle.

Études demeure la revue la plus officielle de l'intelligence catholique.

Esprit, après la mort de Mounier, a continué sa route sous l'impulsion d'Albert Béguin, puis de J.-M. Domenach.

Europe, dirigée par Pierre Abraham, représente la tradition de l'humanisme marxiste et révolutionnaire. A côté d'articles très orientés, il s'y manifeste des tendances variées.

Critique s'éloigne de plus en plus de son rôle bibliographique et contient de remarquables articles de fond.

Les Cahiers du Sud, fondée par Jean Ballard, animés par Léon-Gabriel Gros, sont la plus glorieuse des publications provinciales. Leur siège est à Marseille, mais ils rayonnent largement dans toute la France, comme en Algérie et en Amérique du Sud. En poésie, ils constituent une sorte d'école littéraire. Les textes critiques qu'ils publient sont à la fois sérieux et brillants, d'un intérêt sans cesse renouvelé. Mais ils cessent leur activité par la volonté de leur fondateur, avec le n° 390 en 1966, au terme de leur 53e année.

La Nef, née aussi en Afrique du Nord, publiait des textes de haute tenue littéraire et puis a changé de formule, et fait paraître, sous la direction de Mme Lucie Faure, des numéros spéciaux sur les problèmes économiques et politiques.

Les Temps modernes, fondés par J.-P. Sartre, M. Merleau-Ponty et S. de Beauvoir, sont l'organe de la philosophie existentialiste, mais contiennent aussi des articles d'intérêt général et font place de moins en moins à la littérature.

La Table ronde, de tendance catholique, accueille des talents divers.

84, publiée au n° 84 de la rue Saint-Louis-en-l'Ile, présentait des auteurs réputés, dans l'unité d'un ton anxieux et triste.

La Parisienne, fondée en 1953 par Jacques Laurent, ne cherchait qu'à plaire par sa fantaisie et son amour de l'art.

Les Lettres nouvelles dirigées par Maurice Nadeau, proposent une belle variété d'écrivains jeunes et brillants.

Tel Quel, fondé en 1960, est l'organe, avec Philippe Sollers, du « Nouveau Roman » et de la linguistique structuraliste (voir p. 354).

Preuves, fondée sous les auspices du « Congrès pour la liberté de la culture », ouvre ses colonnes aux écrivains libéraux de tous les pays.

Planète, dirigée par Louis Pauwels, s'intéresse surtout à la littérature fantastique et ésotérique.

Janus regarde vers le passé et vers l'avenir.

Tendances, dirigée par Guy Michaud, se présente sous la forme de Cahiers de documentation.

Médiations, « revue des expressions contemporaines », née en 1961, n'a vécu que quelques années.

L'Age nouveau, fondé par Marcello Fabri, s'ouvrait à tous les aspects de la vie intellectuelle.

Les Œuvres libres publiaient des nouvelles et des sketches inédits.

Conférencia publiait les textes de conférences de l'Université des Annales. Elle continue sous le titre *Les Annales.*

REVUES PHILOSOPHIQUES

Les grandes revues philosophiques d'avant guerre ont reparu et s'efforcent de combler le retard des dernières années. D'autres s'y sont ajoutées. *Le Bulletin signalétique du C.N.R.S.* donne des répertoires complets. *Bibliographie de la Philosophie* est publié par l'Institut international de philosophie.

Revues savantes

Toutes les revues qui suivent présentent un niveau philosophique élevé et s'adressent aux spécialistes. Elles sont composées dans cet esprit d'éclectisme qui est celui des universités françaises. Ce sont :

La Revue de Métaphysique et de Morale, dirigée par Jean Wahl.

La Revue philosophique de la France et de l'étranger, dirigée par P. Masson-Oursel et Pierre-Maxime Schuhl.

La Revue philosophique de Louvain est l'excellent organe de l'université de cette ville.

Les Études philosophiques, nées à Marseille, d'esprit jeune et dynamique, très tournées aussi vers l'étranger.

La Revue de Synthèse groupe des études de haute qualité.

Diogène, « revue internationale des sciences humaines », met les idées et théories nouvelles à la portée de l'honnête homme.

Les Archives de Philosophie s'intéressent surtout aux problèmes spirituels.

Psychologie française est l'organe officiel de la Société française de psychologie.

Le Journal de Psychologie, normale et pathologique est l'organe des spécialistes de la psychologie expérimentale.

Psyché est une revue internationale de psychanalyse dirigée par Maryse Choisy.

La Revue française de Psychanalyse, médico-philosophique, est l'organe officiel de la Société psychanalytique de Paris.

La Revue métapsychique est l'organe de l'Institut métapsychique international.

L'Année sociologique reparaît depuis 1948.

La Revue d'Esthétique est dirigée par Ét. Souriau.

Revues idéologiques

Les revues suivantes sont l'expression d'une tendance précise, nettement exprimée, et luttent pour le triomphe de la cause qu'elles représentent. (Nous rappelons ici le titre de quelques revues générales, déjà citées.)

RATIONALISTES ET MARXISTES :

La Pensée, fondée par Paul Langevin, animée par René Maublanc, puis par Marcel Cornu, est l'organe du « rationalisme moderne », c'est-à-dire du marxisme. En plus d'articles sur la doctrine, elle contient des pages sur la philosophie des sciences et sur les problèmes actuels.

Europe (cf. p. 366).

La Nouvelle Critique, organe du marxisme militant, d'une grande âpreté de ton.

La Revue socialiste, d'un marxisme moins agressif.

Les Cahiers rationalistes représentent une vieille tendance anticléricale, aujourd'hui fécondée par le matérialisme historique.

Le Courrier rationaliste s'en distingue par des nuances, de même que *Raison présente.*

Les Cahiers socialistes, paraissant à Bruxelles, soutiennent les thèses de la « Troisième Force ».

La Révolution prolétarienne discute des problèmes sociaux en toute indépendance de jugement.

La Tour de feu, qui paraît à Jarnac, en Charente, est d'inspiration pacifiste et fait une large part à la poésie.

Les Cahiers marxistes-léninistes adoptent des positions maoïstes.

L'Homme et la société, éditée par Anthropos, représente une tendance indépendante des partis.

Partisans, éditée par Maspéro, est très engagée du côté marxiste-révolutionnaire, de même que *Atoll* (née en 1968).

La Bibliographie marxiste internationale exclut les travaux non conformes à l'orthodoxie.

EXISTENTIALISTE :

Les Temps modernes (cf. p. 366).

CHRÉTIENNES :

Ici, les nuances sont multiples et expliquent la profusion des revues (plus de 800 publications périodiques pour la seule religion catholique).

Catholiques et traditionalistes :

Études.

La Pensée catholique.

La Revue des Sciences philosophiques et théologiques.

La Vie intellectuelle, qui a disparu à la fin de 1956.

La Vie spirituelle.

La Revue thomiste.

Masses ouvrières.

Catholiques d'esprit nouveau :

Esprit (cf. p. 366).

Terre humaine, dirigée par Étienne Borne, ressemblait à *Esprit*, mais était moins « engagée » (suspendue en octobre 1953).

Contacts est le principal organe de la religion orthodoxe.

PROTESTANTE :

Le Monde non chrétien est consacré aux missionnaires protestants.

Christianisme social.

Foi et Vie aborde tous les aspects de la pensée protestante.

La Revue réformée est purement calviniste.

JUIVES :

La Revue des Études juives est la publication officielle de la Société des études juives.

Le Monde juif, revue du Centre de documentation juive contemporaine.

La Terre retrouvée, sur la vie juive en France, en Israël et dans le monde.

Il existe aussi, bien entendu, des revues bouddhistes, islamiques, et d'innombrables sectes religieuses et philosophiques.

REVUES LITTÉRAIRES SAVANTES

Elles comprennent des revues générales et des revues spécialisées. Nous n'entrerons pas dans les détails.

La Revue d'Histoire littéraire de la France, dirigée par Jean Pommier, P.-G. Castex et C. Pichois, publie des études et des textes anciens inédits relatifs à tous les problèmes que pose la littérature française, classique ou moderne. Ses bibliographies sont précieuses pour les chercheurs.

La Revue de Littérature comparée, dirigée par M. Bataillon.

La Revue universitaire a suspendu sa publication.

La Revue des Sciences humaines, animée par Pierre Reboul, publiée à Lille, mais digne des grandes revues parisiennes.

La Revue des Lettres modernes contient des études de littérature comparée, de même que les *Archives des Lettres modernes*.

La Revue philologique et *l'Année philologique* sont des revues très savantes consacrées aux questions de langage.

Romania se spécialise dans le Moyen Age.

Le Français moderne s'attache à la langue d'aujourd'hui, tout comme *Langage* (Larousse).

Langues modernes étend son objet aux principales langues du monde.

Le Français dans le monde, dirigé par André Reboullet, traite des problèmes de la langue en fonction de l'enseignement du français à l'étranger.

Le Bulletin de l'association Guillaume Budé traite des questions littéraires dans un esprit humaniste traditionnel.

L'Intermédiaire des Chercheurs et des Curieux est une mine précieuse, parfois amusante, de détails d'érudition sur tous les sujets.

A toutes ces revues littéraires savantes s'ajoutent les publications particulières des universités françaises. Elles publient les travaux de leurs professeurs et de leurs assistants. Les principales sont : la *Revue de l'enseignement supérieur*, les

Annales de l'Université de Paris, le *Bulletin de la Faculté des Lettres de Strasbourg*, les *Annales de l'Université de Grenoble, de la Faculté des Lettres de Toulouse*, etc. A Louvain, les *Lettres romanes*. A Oxford, les *French Studies*.

Nous ne citons pas les revues spécialisées pour les littératures anciennes, étrangères, les différents siècles littéraires, etc. Il existe enfin quantité de « Cahiers » et « Bulletins » édités par les sociétés littéraires des « Amis de ... ». Pour les modernes, mentionnons ceux en l'honneur de Paul Claudel, Charles Péguy, Charles-Louis Philippe, Emmanuel Mounier, Alain, Bernanos, Proust, Maurras, Loti, Romain Rolland, etc... Signalons aussi, depuis 1966, les cahiers de l'Association internationale pour l'étude de Dada et du surréalisme.

REVUES THÉATRALES

Nous avons indiqué à leur place les collections où s'impriment les pièces récentes (cf. p. 323). On trouvera des études sur les problèmes du théâtre dans les revues générales ou littéraires citées plus haut, mais aussi dans des revues spécialisées, telles que :

La Revue théâtrale.

La Revue d'Histoire du Théâtre, qui fut patronnée par Jacques Copeau et Louis Jouvet.

Théâtre populaire se fait le défenseur des conceptions brechtiennes.

Les Cahiers de la Compagnie Renaud-Barrault sont consacrés aux auteurs du répertoire de cette Compagnie.

Spectacles, luxueusement illustré, se consacre à tous les aspects du théâtre et du cinéma, tant en France qu'à l'étranger.

Masques et les numéros spéciaux de *Plaisir de France* enregistrent, surtout par l'image, les plus belles représentations de chaque année.

Théâtre et *l'Avant-Scène* commentent et souvent impriment intégralement des pièces représentées à Paris.

La Baraque foraine donne les informations théâtrales du Nord de la France.

Théâtre et Université traite des réalisations et des problèmes du théâtre universitaire.

QUELQUES REVUES POÉTIQUES ET LITTÉRAIRES

Signalons quelques revues, même disparues depuis longtemps, qui ont, ou ont eu, un rayonnement exceptionnel.

L'Éternelle Revue, fondée par Paul Éluard dans la clandestinité, dirigée par Louis Parrot, n'a eu que six numéros. Mais c'étaient de merveilleux petits recueils poétiques. On ira y chercher encore des textes non publiés en volumes, tels les poèmes du jeune Claude Diamant-Berger (1924-1944).

Le Divan, né en 1909, animé par le regretté Henri Martineau, est longtemps demeuré l'organe d'une chapelle d'une belle ferveur poétique.

La Bouteille à la mer, originaire de Bordeaux, dirigée par Hugues Fouras, échappait aux petitesses de l'esprit régionaliste et s'est affirmée comme une pépinière de jeunes poètes.

La Presse à bras a publié de jolies petites plaquettes très diverses de ton.

Le *G.L.M.*, de glorieuse mémoire, a repris, puis interrompu ses publications plus ou moins surréalistes.

Les Cahiers des saisons contiennent des textes de jeunes auteurs déjà célèbres (Éditions Julliard).

Lettre ouverte, fondée en 1960, se plaçait à la pointe des idées nouvelles.

Les quatre Vents, *Néon*, *Troisième Convoi*, *Proximités*, *En Marge*, *Rimes et Raisons*, *le Surréalisme*, *Même*, *Archibras*, *la Brèche*, *Réalités secrètes*, revues plus ou moins épisodiques, paraissant, disparaissant ou paraissant de nouveau sous d'autres noms, ont représenté ou représentent différentes tendances du néo-surréalisme. A partir de 1960, *Bizarre*, spécialisé dans les productions les plus saugrenues, publie d'importants documents sur des écrivains en marge, tels que Boris Vian (Éditions Pauvert).

Le Musée du soir, à Lille, se consacre à la littérature ouvrière.

Peuple et Poésie, animé par Jean l'Anselme, a défendu la cause de la poésie populaire, ainsi que *Lettres et Poésie*.

Écrire a publié des œuvres de jeunes sous la direction de Jean Cayrol.

La Dictature lettriste, animée par Isodore Isou, représentait le lettrisme. *Ur* lui fait suite sous la direction de Maurice Lemaître.

Ophrys était l'organe de l'épiphanisme, mouvement littéraire et philosophique, de tendances individualistes et optimistes, fondé par Henri Perruchot.

La Revue doloriste, fondée par Julien Teppe, a publié les beaux poèmes de Louis Mandin.

La Tour Saint-Jacques manifeste une prédilection pour les sujets ésotériques.

La Revue palladienne publie également des textes de philosophie ésotérique.

L'Aile et la Plume, *le Borée*, *France-Poésie*, *Septembre*, *Jeunesses littéraires de France*, *Flammes vives*, *les Lettres*, *Bateau ivre*, *la Coupe d'ambroisie*, *Strophes*, *la Voix des poètes*, *le Journal des poètes*, et quantité de petites revues provinciales se vouent ou se sont vouées surtout à la poésie.

Roman, publié à Saint-Paul-de-Vence par Pierre de Lescure et Celia Bertin, s'était attaché aux problèmes du roman.

Parmi les périodiques essentiellement poétiques et littéraires, qui, en 1968, sont récemment apparus, ou qui, déjà anciens, manifestent un dynamisme renouvelé, signalons les plus importants :

L'Arc, paraissant à Aix-en-Provence sous la responsabilité de René Cordier et l'impulsion de Bernard Pingaud, René Micha, Frantz-André Burguet, a publié de 1958 à 1968 une trentaine de cahiers spéciaux sur des écrivains ou des problèmes littéraires de notre temps (Char, Sartre, Queneau, Bataille, Lévi-Strauss, etc.).

L'Herne, 22, boulevard Saint-Germain, à Paris, ne produit que des « cahiers » consacrés tout entiers à des auteurs déterminés d'un très remarquable niveau critique (Céline, Michaux, etc.).

L'Éphémère, éditée par la Fondation Maeght sous la direction d'Yves Bonnefoy, André du Bouchet, René des Forêts et Gaétan Picon.

Poésie vivante, publiée à Genève par Pierre Marie, se consacre à la production poétique de tous les pays (y compris la chinoise) avec des textes originaux et d'excellentes traductions.

La Tour de feu, animée par Pierre Boujut à Jarnac, met en évidence, dans son numéro 93, l'estimable bilan de vingt années d'activité (1947-1967).

Le Pont de l'épée, né en 1957, revue farouchement indépendante et sans concessions, est éditée à La Bastide-d'Orniol (Gard) par Guy Chambelland et Jean Breton.

Points et Contrepoints offre de copieux cahiers trimestriels de poèmes et de textes critiques.

Caractères, indépendante de ton et libre de toute école, publie des inédits valables (Pierre Albert-Birot, Franz Hellens, Raymond Datheil, etc.).

Bételgeuse se présente sous la forme de petits cahiers trimestriels de poésie, d'un choix très varié, sous la direction de Philippe Dumaine.

Les Cahiers du chemin (Gallimard) se consacrent surtout aux jeunes romanciers dans une perspective voisine mais différente du « nouveau roman ».

Iô est le type de la pure petite revue poétique, qui accueille libéralement les très jeunes talents.

Dire, « revue européenne de poésie », publiée dans l'Est, a pris la relève du *Courrier de poésie* et de *la Tour aux puces*.

La Délirante, créée en 1967 par Fouad El-Etr, se voue à la poésie la plus lyrique d'hier et d'aujourd'hui.

N. B. — Nous donnons ces quelques spécimens de revues d'avant-garde à titre d'exemples, pour montrer les voies diverses où s'engage le jeune génie français. Certaines seront déjà mortes quand paraîtra cet ouvrage. D'autres seront nées. Toute étude détaillée des courants intellectuels et littéraires de notre temps ne peut ignorer même les plus éphémères.

REVUES LOCALES

Chaque grande ville de France a sa revue. Ces revues locales présentent en général la production du cru. On aurait tort de les dédaigner. Outre l'intérêt de la littérature régionale, c'est là que de bons écrivains font d'ordinaire leurs débuts.

Rappelons la plus glorieuse de toutes, *les Cahiers du Sud.* Et donnons quelques noms parmi les innombrables revues répandues dans la province, l'Europe, les pays francophones et le monde, qui ont exercé ou exercent encore une influence notable.

Les Cahiers du Nord paraissent à Charleroi, mais sont tournés vers la culture française.

Le Borée, dans le Nord, *Parallèles*, à Lille, ainsi que *Élan poétique et littéraire.*

Arts et Jeunesse et *le Courrier des Marches* à Strasbourg.

La Grive dans les Ardennes.

Seine à Rouen.

Alternances à Caen.

La Lyre normande à Cherbourg.

Le Cep burgonde en Bourgogne.

Le Goéland, revue poétique de Bretagne, est animé avec une persévérance admirable par l'excellent poète Théo Briant.

Le Grillon à Clermont-Ferrand, ainsi que le *Messager littéraire du Massif Central.*

La Tour de feu à Jarnac.

La Renaissance provinciale à Bordeaux.

Réalités secrètes à Limoges.

Recueil de l'Académie des Jeux floraux, à Toulouse.

Les Lettres périgourdines à Périgueux.

Aluta à Cahors.

Parler à Grenoble.

Résonances à Lyon.

Le Point dans le Lot.

La Revue du Languedoc à Albi.

Letras d'Oc et *Marsyas* se consacrent à la diffusion de la littérature occitane, ainsi que, plus savantes, *les Annales de l'Institut d'Études occitanes*.

Méduse, en Languedoc, s'est ouverte à la littérature espagnole émigrée.

La Tramontane et *Madeloc* à Perpignan.

Les Cahiers de la Licorne à Montpellier.

Folklore à Carcassonne.

Arts et Livres de Provence, le Bouquet de Provence, Horizons poétiques, la Coupe d'ambroisie, Delta et d'autres ont vu le jour dans le Midi de la France. *Action poétique* se publie à Marseille.

A Nice, Henri de Lescoet publie son *Profil littéraire de la France*. Également, *l'Aile et la Plume*.

Quelques revues belges : *Marginales, la Revue nouvelle, Pensée et Action, Albatros, la Tour de Babel, le Journal des Poètes*, etc., et *le Thyrse* parmi les revues poétiques les plus vivantes. *Les Cahiers du Groupe* s'intéressent davantage aux problèmes du roman.

Quelques revues suisses : *les Cahiers du Rhône, les Cahiers de la saison, Labyrinthe, l'Almanach du Cheval ailé, Rencontre*, etc. Malheureusement, la meilleure ne paraît plus : c'était *Lettres*, qui a publié de belles études et de grands textes. Mais *Poésie vivante*, née en 1964, reprend le flambeau.

Verger a paru à Baden-Baden. *Fièvres*, dans un sanatorium de la Forêt-Noire.

Les Cahiers luxembourgeois.

Adam, dirigée par Miron Grindea, publie à Londres, en français et en anglais, des textes intéressant la littérature internationale.

Rencontres, revue franco-italienne.

Échanges, cahier franco-danois.

Erasme et *Glanes*, revues franco-hollandaises.

La Porte ouverte à destination de la Scandinavie.

Peuples amis, pour la Pologne, ainsi que *France-Pologne*.

Paris-Prague reçoit un développement nouveau en 1967, tandis que *Rencontres*, dirigée par J. Trnka publie des textes inédits intéressant les relations littéraires franco-tchécoslovaques.

Les Cahiers France-Roumanie, *România*, *Arcades* s'adressent à la Roumanie.

Les Études slaves et roumaines.

Balkans et Proche-Orient.

La Revue des Études slaves, d'un haut caractère scientifique, sous la direction d'André Mazon et André Vaillant, ainsi que *Sociologie et Droit slaves.*

Les Études soviétiques et *Œuvres et opinions* sont composées à Moscou; *les Cahiers du Monde russe et soviétique* sont rédigés par une équipe de l'École des hautes études.

La Revue de la Méditerranée a fait place à *la Revue de l'Occident musulman* publiée à Aix-en-Provence.

La Revue d'Athènes.

Cénacle, d'Alger.

La Revue d'Alger.

Simoun, qui paraît à Oran, était devenue en 1953 la mieux faite des revues d'Afrique du Nord.

Confluent et *Al Djazairi* maintiennent les liens au-dessus de la Méditerranée et des partis.

Périples de Tunis, *Illa*, tunisienne également, réunit de bons représentants des lettres franco-arabes.

Fusées, au Maroc.

Valeurs, à Alexandrie.

Travaux et Jours et *les Cahiers de l'Orient* à Beyrouth.

Présence africaine est la meilleure revue d'Afrique, rédigée presque entièrement par des écrivains noirs. Également *la Revue africaine*, *Notes africaines*, etc., et *le Trait d'union*, fondé en 1941 dans l'Afrique occidentale anglaise. *Afrique*, imprimée à Paris, et *Africa*, à Dakar, sont surtout des traits d'union entre la France et le continent noir.

France-Asie groupe la plupart des textes intéressant ces deux civilisations.

La Revue guadeloupéenne.

Conjonction, éditée par l'Institut français de Haïti.

La Nouvelle Relève de Montréal, ainsi que *Écrits du Canada français*, *Québec*, et vingt autres publications enregistrent la vie littéraire française au Canada.

France-Amérique, organe de liaison avec les États-Unis, tandis que les étudiants de l'Université de Houston, au Texas, font paraître *le Bayou*.

América est destiné à l'Amérique du Sud.

La Revue de l'Alliance française s'adresse au monde entier.

Au total, au moins un millier de périodiques en langue française voient le jour hors de France.

REVUES DE LUXE

La France est spécialisée dans un genre de publications très séduisantes à la fois pour l'œil et pour l'esprit. Il s'agit de revues luxueusement imprimées (parfois à la main), et contenant des inédits d'écrivains réputés, accompagnés de photographies d'art et de fac-similés. Leur formule varie à l'infini. Nous ne pouvons pas entreprendre l'énumération des quelque cinquante publications de ce genre. La plus riche, du point de vue littéraire, est sans doute *les Cahiers de la Pléiade*. *Verve* est la plus artistique. A partir de 1963, *le Nouveau Commerce* dirigé par André Dalmas, reprend la succession de *Commerce* fondé par Jean Paulhan en 1924. Toutes sont, comme le souligne le titre de l'une d'elles, des « revues françaises de l'élite ». C'est dire que leur prix élevé en restreint la possession à un petit groupe de privilégiés. Quand on est pressé de connaître une œuvre rare, ou quand on veut se réjouir les yeux, on peut toujours aller les consulter dans les bibliothèques.

SOMMAIRES DES REVUES

Personne ne peut lire tous ces périodiques. Comment faire pour ne pas laisser échapper d'articles importants?

Les Revues bibliographiques donnent chaque mois le sommaire détaillé et critique d'un certain nombre de revues générales et spécialisées. En particulier *le Bulletin critique du Livre français*. D'autres revues ordinaires possèdent une revue des revues. La meilleure fut celle du *Mercure de France*. *La Revue d'histoire littéraire de la France* groupe par auteurs les articles parus même dans les hebdomadaires.

Pour ce qui est des « digests », la France s'est longtemps refusée à publier ce genre de comprimés. Néanmoins, devant le succès des versions françaises des digests américains et anglais, quelques publications analogues ont été lancées : *Constellation*, longtemps dirigée par André Labarthe (1902-1967), et d'autres de moindre valeur. Certaines entreprises n'hésitent pas à résumer ou à raccourcir les grandes œuvres de notre littérature. Mais bien des Français s'élèvent contre ces procédés. La culture est chose difficile, sans doute. Elle doit le rester. L'esprit ne se forme pas comme un ventre qu'on nourrit, mais comme un muscle qu'on exerce. Il ne saurait se fortifier à soulever des poids si légers. Se méfiant de toutes les formes commerciales d'adaptation et de vulgarisation, l'intelligence française voudrait continuer de faire appel aux plus hautes capacités intellectuelles de tous les hommes. Mais le livre restera-t-il toujours le principal véhicule de la culture et de la pensée ?

INDEX ALPHABÉTIQUE

C

D

E

H

I

J

K

L

M

N

O

P

Q

R

S

T

U

V

W

Y

Z

INDEX DES ILLUSTRATIONS

TABLE

CHAPITRE II

CHAPITRE III

Références iconographiques :

Agip : p. 115, 202, 233, 247, 258. Albin Michel : p. 266. Almasy : p. 208, 249, 314. B.N. : p. 36. Bernand : p. 303, 336, 344. Brunerie, Joël : p. 274. Bulloz : p. 33. Cartier-Bresson, Henri : p. 117. Chadourne, Georgette : p. 121, 124, 220, 277. Chatillon, Henri de : p. 154. Chevalier, Yvonne : p. 120. Denoël, Éditions : p. 99. Doisneau, Robert : p. 227. Dorka-Tops : p. 79, 195, 232, 257. Dornne, Cl. : p. 33. *Figaro littéraire* : p. 40. Foucault, Serge : p. 125. Freund, Gisèle : p. 21, 43, 44, 92, 113, 139, 159, 181, 221, 267, 298, 299, 306, 332. Garanger, Marc : p. 155, 225, 293. Gilbert, Jean : p. 83. Grasset : p. 251, 295. Harcourt : p. 254. Izis : p. 102, 133. Jacques, René : p. 103. Jahan : p. 47. Keystone : p. 129, 161, 177, 188, 242, 278, 281, 285. Le Cuziat : p. 111. Lelièvre, P. : p. 234. Le Prat, Thérèse : p. 118. Lido, Serge : p. 153, 194, 230, 259. Ligey, Agnès et Pierre : p. 151, 156. Lipnitzki : p. 63, 131, 187, 264, 305, 342. Lucas : p. 169. Mainbourg, Jean : p. 167. Manuel, Studio G.L. Frères : p. 33. Marcel, Jean-Marie : p. 199. *Monde et Caméra* : p. 57. Pari, René : p. 156, 233, 254, 273, 281, 283, 284, 291, 296, 309, 310, 312, 315, 319, 330. Pouchin, R. : p. 178. Rapho : p. 140. Rapho, Doisneau : p. 262, 307. Rapho, Zalewski : p. 90. Seghers : p. 101. Seuil, Jeune Afrique : p. 280. T.F. : p. 127. Tappe, Horst : p. 325. Verroust : p. 94. Roger-Viollet : p. 24, 26, 29, 54, 58, 71, 88, 97, 100, 123, 150, 152, 234. Zalewski : p. 179.

Le présent ouvrage, réalisé d'après une mise en pages de Michel Schefer, a été achevé d'imprimer le 30 septembre 1968 sur les presses des Imprimeries OBERTHUR à Rennes

N° d'éditeur : 1840 - N° d'imprimeur : 8600
Dépôt légal : 4e trimestre 1968